Mobile Marketing

Mobile Marketing

Jeanne Hopkins
y Jamie Turner

SOCIAL MEDIA

TÍTULO DE LA OBRA ORIGINAL:
Go Mobile

TRADUCTOR:
Francisco José Salcedo Sotoca

Todos los nombres propios de programas, sistemas operativos, equipos hardware, etc. que aparecen en este libro son marcas registradas de sus respectivas compañías u organizaciones.

Edición española:

© EDICIONES ANAYA MULTIMEDIA (GRUPO ANAYA, S.A.), 2013
 Juan Ignacio Luca de Tena, 15. 28027 Madrid
 Depósito legal: M. 24.032-2012
 ISBN: 978-84-415-3224-3
 Printed in Spain

*A mis padres, Sara y Joe, que me hicieron mi primer carnet
de biblioteca y me inculcaron el amor por los libros,
y también a mi marido, John, y a mis hijas Julianna e Isabella,
que me dan la fuerza y la estabilidad necesaria
para vivir en este mundo móvil.*

—Jeanne Hopkins

*Para mi esposa, Dayna, y mis tres hijas,
McKensie, Grace y Lily. Sois la luz de mi vida.
También lo dedico a mi hermana, Nanci Turner Stevenson,
una autora por derecho propio, que una vez me dijo:
"¡Levanta el trasero y ponte a escribir una propuesta para un libro!".*

—Jamie Turner

AGRADECIMIENTOS

!Humm!, esto es interesante. Este libro está repleto de perspicaces trucos de marketing y, aun así, lo primero que se lee es la sección de agradecimientos. Esto sólo puede querer decir una de dos cosas: o bien usted es uno de nuestros editores, que tienen la obligación de leerse todas y cada una de las palabras del libro, o bien es alguien que trata de comprobar si lo hemos nombrado en el interior.

Tranquilo, pusimos su nombre en alguna parte. Pero va a tener que leerlo todo para averiguar dónde. Está enterrado muy profundo, así que tendrá que buscarlo entre todas las palabras.

Por supuesto, si desea ahorrar algo de tiempo, podría limitarse a leer los párrafos siguientes, que parece ser que es lo que quería hacer, ¿no?

Bien. En fin, vamos a la tarea, que no es otra que agradecerle a usted y al resto de personas que nos han ayudado a escribir este libro. Allá vamos.

Queremos dar las gracias a todos y cada uno de los 6.875.843.985 habitantes del planeta.

En serio. Nos gustaría dar las gracias a toda la gente que vive en la Tierra. Si lo pensamos bien, también nos gustaría agradecer a toda la gente que ya no está viva en el planeta. Después de todo, si limitamos nuestros agradecimientos a los nombres que tenemos escritos en las notas amarillas adheridas a nuestros monitores, seguramente nos olvidaremos de alguien. No en vano, las notas amarillas tienen la tendencia a caerse de los monitores e ir a parar tras los escritorios, donde se dedican a coger polvo hasta que uno las encuentra pasado un año y exclama: "Maldita sea... hemos olvidado dar las gracias a (ponga aquí su nombre)".

Así que... gracias. A todos los 6.875.843.985 habitantes vivos del planeta. A los muertos también. Muchas gracias.

Bien, ya hemos cubierto lo básico y estamos listos para algunos nombres concretos. Vamos allá.

Sin ningún orden en particular, nos gustaría dar las gracias a Raphael Rivilla, Nicole Hall, Nanci Turner Steveson, Simms Jenkins, Alan Deeter, Kyle Wegner, Patrick Miller, Mike Turner, Jr., Chuck Smith y Cindy Krum, Tim Miller, David Meerman Scott, Dan Zarrella, Mike Volpe, Dave Stack, Dharmesh Shah, Brian Halligan; al equipo de marketing de HubSpot, al equipo de BKV y los compañeros de A School Bell Rings, y a Janice Borzendowski.

Enviamos nuestro agradecimiento específicamente al equipo editorial, que nos ayudó a sacar adelante este libro. Realmente, no podríamos haberlo hecho sin su guía y sabiduría. Incluimos a Shannon Vargo, Elana Schulman, Lauren Freestone, Kim Dayman y Heather Condon. ¡Gracias a todos por vuestro duro trabajo y gran profesionalidad!

Por último, queremos agradecer a Dios por su papel en nuestras vidas. Nada de esto podría haber sido posible sin Él.

SOBRE LOS AUTORES

Jeanne Hopkins es la vicepresidenta de marketing en HubSpot, genera 45.000 nuevos clientes interesados cada mes y está llevando a la compañía hacia nuevas iniciativas móviles. Ha ayudado a la adopción de la tecnología móvil por parte de HubSpot y es colaboradora habitual del *blog* móvil de HubSpot, al que el 11,3 por 100 de los lectores acceden desde sus móviles.

Jamie Turner es autor, conferenciante y fundador de *60 Second Marketer*, de BKV, una revista en línea que proporciona herramientas, trucos y tutoriales para anunciantes y empresas de todo el mundo. Asimismo, es colaborador habitual de CNN y HLN en temas relacionados con los medios digitales.

Índice de contenidos

Prólogo   **19**

Introducción   **23**

PARTE I.   PANORÁMICA GENERAL DEL MARKETING
                 EN DISPOSITIVOS MÓVILES   29

Capítulo 1.   **Cómo lanzar su campaña de marketing móvil**   **31**
                 Seis lecciones rápidas sobre marketing móvil............................31
                 1. Conviértase en un usuario avanzado de marketing móvil. 32
                 2. Desarrolle y lance su Web específica para móviles........... 32
                 3. Analice cómo las compañías de la lista Fortune 500
                    utilizan el marketing móvil...35
                 4. Registre su negocio en servicios de ubicación basados
                    en móviles 35
                 5. Lleve a cabo una campaña con anuncios de pago
                    por visita en buscadores 36
                 6. Lleve a cabo una campaña con banners de publicidad
                    en móviles 38
                 Conclusión: Empiece hoy mismo...39
                 Haga lo siguiente 39
                 No haga esto 39

**Capítulo 2. Cómo usan el marketing móvil las empresas
de la lista Fortune 500   41**

La campaña de SMS para Haití de la American Red Cross
(Cruz Roja de los Estados Unidos)................................... 41
La campaña de display ads (banners móviles) de la HBO
para True Blood 42
La campaña de marketing de The North Face basada
en la ubicación del cliente..43
La campaña B2B Mobile Paid Search de Intel 44
Campaña con display ads para Shrek de la Paramount 45
El medio de pago móvil, Mobile Card, de Starbucks.................45
El sitio Web Mobile Tracker de Adidas 46
La campaña Foursquare de History Channel..............................46
La campaña en Gowalla del equipo New Jersey Nets.................47
La campaña WiFi de Hiscox basada en la ubicación..................47
La campaña de Nissan con Microsoft Tags............................48
Las aplicaciones de comercio móvil de Fandango
y MovieTickets.com 49
Aplicación de pedidos de Domino's Pizza.............................49
Campaña de display ads de Land Rover 50
Conclusión..51
    Haga lo siguiente 51
    No haga esto 51

**Capítulo 3. El atractivo de la tecnología móvil
para los consumidores   53**

Establecer la conexión 54
Cómo establecer el vínculo...55
Medios para la fidelización de clientes 55
Fidelización con marketing móvil 56
Fidelización con diferentes dispositivos 57
    Haga lo siguiente 60
    No haga esto 60

**Capítulo 4. Hablemos claro. Términos y conceptos
con los que se debería familiarizar   63**

Comprender el comportamiento del comprador........................63
    La gente adquiere los productos por motivos emocionales
        y sólo después racionaliza la compra con lógica 63
    Entender el Modelo AIDA de comportamiento
        del consumidor 65

Convertir un cliente potencial en un cliente real 65
Otros términos que debería conocer 66
    Haga lo siguiente 69
    No haga esto 69

Capítulo 5. **Nueve maneras en las que los negocios usan
el marketing móvil**   **71**

Mensajes SMS 71
Mensajes MMS 73
Comunicaciones de campo cercano (NFC) y Bluetooth 73
Sitios Web para móviles 74
Banners y anuncios de pago por visita en móviles 75
Marketing basado en la localización 76
Aplicaciones móviles 77
Códigos QR / Códigos 2D 79
Tabletas 80
    Haga lo siguiente 81
    No haga esto 81

Capítulo 6. **Errores típicos del marketing móvil
que se pueden evitar**   **83**

Tratar igual al usuario móvil que al de un PC estándar 84
No reconocer adecuadamente las diferencias entre
    los dispositivos móviles 84
Otros errores comunes al usar la tecnología móvil 85
    Haga lo siguiente 89
    No haga esto 89

PARTE II.   PREPARÁNDOSE PARA EL ÉXITO   **91**

Capítulo 7. **Poniendo las bases para una campaña
de marketing móvil con éxito**   **93**

Las cuatro "P" y las cinco "C" 94
Por qué compra la gente 95
Ponga en funcionamiento los elementos que marcan
    la diferencia 97
Importancia establecida frente a importancia derivada 98

Construya sobre los cimientos de sus campañas
        de marketing...100
    Haga lo siguiente 100
    No haga esto 101

Capítulo 8. Conozca el panorama del marketing móvil   103

Los sistemas operativos de los dispositivos móviles.................103
Android de Google...104
iOS de Apple...105
Windows Phone..106
Conozca a las operadoras y a los fabricantes.............................106
Las aplicaciones y su proceso de desarrollo 107
    Haga lo siguiente 113
    No haga esto 113

**Capítulo 9. Estrategias para las campañas
de marketing móvil   115**

Beneficios del marketing móvil..116
Desventajas del marketing móvil...117
Cómo desarrollar una campaña de marketing móvil................118
    Realice una planificación adecuada 118
    Defina sus objetivos..118
    Identifique a su público objetivo 118
    Diseñe estrategias de campaña...119
Determine la duración de la campaña 121
    Incorpore otros tipos de medios..121
Presupuesto y agenda 121
    Establezca una fecha inicial..122
    Evalúe el coste de los medios móviles...............................122
    Calcule el coste de los otros medios 122
    Determine el número de mensajes 122
Contenidos y producción 122
    Elija el tipo de mensaje...123
    Decídase sobre la distribución 123
Elija una estrategia de producción 123
    Realice comprobaciones..124
Otras consideraciones 124
    Coordine la implementación de múltiples medios..............124
    Recoja información de sus clientes 124
    Establezca unas métricas adecuadas 125
¿Por qué se debe pensar en términos estratégicos?..................125
    Haga lo siguiente 125
    No haga esto 126

PARTE III.   LAS HERRAMIENTAS DE MARKETING MÓVIL   127

Capítulo 10. Cómo desarrollar una Web móvil   129

Póngase en el lugar de sus clientes 130
Restaurantes, bares y cafeterías... 130
Tiendas físicas 131
Líneas aéreas, ferrocarriles y otros medios de transporte......... 131
Despachos de abogados, asesores y otros servicios
    profesionales 131
Organizaciones sin ánimo de lucro.. 132
Hoteles, balnearios, spas, etc. 132
Universidades, academias y otras instituciones educativas 132
Bancos, cajas, cooperativas de crédito y otras instituciones
    financieras 133
Otros negocios.. 133
Los detalles del diseño de una página Web................................ 134
El lenguaje de Internet.. 135
Recursos para el desarrollo de sitios Web móviles 136
    Haga lo siguiente 137
    No haga esto 137

Capítulo 11. Cómo usar SMS y MMS para atraer
a los clientes a su negocio   139

Los SMS en hechos y cifras 140
Cómo usar los SMS para conectar con el cliente 141
Cómo configurar, presentar y llevar adelante
    una campaña de SMS 142
Le presentamos al hermano guapo de los SMS:
    Los mensajes MMS.. 144
    Qué se puede enviar con un MMS 145
    Cómo realizar una campaña de MMS.................................... 146
Buenas prácticas con SMS y MMS 147
    Haga lo siguiente 148
    No haga esto 148

Capítulo 12. Cómo utilizar los display ads para hacer
crecer sus ventas e ingresos   151

Redes de publicidad móvil 152
Especificaciones técnicas de los display ads
    (banners móviles)... 153

Display ads para smartphones 153
Display ads enriquecidos para smartphones 154
Display ads para tabletas 154
Display ads enriquecidos para tabletas 154
Opciones de targeting para display ads...............................157
Comprar display ads móviles..158
Vídeo móvil 159
Los display ads móviles: La parte más importante
    de su campaña 160
    Haga lo siguiente 160
    No haga esto 160

**Capítulo 13. Cómo utilizar los anuncios de pago
en búsquedas móviles para conseguir
clientes**   **163**
¿Son para usted los anuncios de pago en búsquedas
    móviles? 164
Configurar una campaña con anuncios de pago
    en búsquedas..165
Palabras clave: La base de su campaña 167
Crear una lista de palabras clave móviles 169
Escribir los anuncios es la parte divertida 170
    Consejos para escribir anuncios..................................171
Cómo medir el éxito de su campaña 172
    Haga lo siguiente 174
    No haga esto 174

**Capítulo 14. Marketing basado en la localización. LBS,
NFC, Bluetooth y LBA..., ¡una sopa de letras!**   **177**
Herramientas de marketing basado en la localización...............178
    LBS (Location Based Services, Servicios basados
        en la localización)..178
    NFC (Near Field Communications, Comunicaciones
        de campo próximo) 179
    Marketing a través de Bluetooth 179
    LBA (Location Based Advertising, Publicidad basada
        en la localización)... 180
Para no perderse en el laberinto del marketing basado
    en la localización 180
Cómo utilizan las compañías el marketing basado
    en localización para conectar con clientes 181

Utilizar para mejorar la fidelización del cliente 181
Utilizar LBA para crear expectación pública 182
Usar las comunicaciones NFC para mejorar
    la experiencia del cliente y potenciar
    la fidelización a la marca 182
Usar una aplicación LBS para mejorar la fidelización
    de los clientes y animarlos a volver a comprar 183
Usar LBS para mejorar la fidelización a la marca
    y fomentar que los clientes repitan sus visitas 183
Usar marketing con Bluetooth para crear excitación
    y fidelidad a la marca 184
Usar LBA para fortalecer la fidelización e incrementar
    los ingresos 184
Buenas prácticas en el marketing basado en la localización 184
Haga lo siguiente 186
No haga esto 186

Capítulo 15. Aplicaciones móviles: Una forma estupenda de hacer que los clientes vuelvan a por más   189

¿Cuál es la diferencia entre una Web móvil
    y una aplicación? 189
¿Qué tipo de aplicación es la más adecuada para usted? 190
Cómo utiliza Coca-Cola las aplicaciones móviles
    para conectar con sus clientes 192
Cómo generar ingresos con publicidad en las aplicaciones 193
Cómo desarrollar su propia aplicación 194
Proceso de desarrollo de aplicaciones para simples
    mortales 196
¿Debería desarrollar una aplicación para su negocio? 198
Haga lo siguiente 198
No haga esto 198

Capítulo 16. Cómo usar los códigos 2D para conectar con los clientes   201

Cómo se emplean los códigos 2D para atraer
    a los clientes 203
Códigos 2D: Estudios de caso 204
Buenas prácticas con los códigos 2D 206
El futuro de los códigos 2D 208
Haga lo siguiente 209
No haga esto 209

Capítulo 17. Tabletas: Al asalto del mundo   **211**

Las tabletas frente a los portátiles y los ordenadores
de sobremesa 213
Las tabletas transforman la enseñanza y la educación 214
Ponga a las tabletas a trabajar para usted 215
Haga lo siguiente 215
No haga esto 215

PARTE IV.   AMPLÍE SUS HORIZONTES   **217**

**Capítulo 18. Cómo usar el comercio electrónico móvil
para mejorar los ingresos**   **219**

Desarrolle una estrategia de marketing 222
Considere la expansión a través de descuentos y ofertas 224
Utilizar el conocimiento y la experiencia del cliente 225
Fomente la adopción por parte de los clientes existentes 225
Haga lo siguiente 226
No haga esto 226

**Capítulo 19. El marketing móvil para compañías
de servicios a empresas (B2B)**   **229**

Prepararse para un buen comienzo... 229
Empiece por el principio: 10 pasos para establecer
una estrategia de marketing móvil B2B 232
Consideraciones para las pequeñas empresas........................... 234
Acentúe lo positivo 234
Establezca contacto personal.. 235
Actualice con frecuencia 235
Solicite opiniones y comentarios... 235
Haga lo siguiente 236
No haga esto 236

**Capítulo 20. Cómo medir el retorno de la inversión
de su campaña de marketing móvil**   **239**

El retorno de la inversión móvil empieza con el valor
del ciclo de vida del cliente 240
Ponga la fórmula del valor del ciclo de vida del cliente
a trabajar para usted 240

Cómo medir el retorno de la inversión de su campaña
        de marketing móvil 242
¿Cómo registrar las conversiones con el marketing móvil? 243
Cómo usar la tasa de conversión para registrar el retorno
        de la inversión móvil 245
Guía paso a paso para calcular el retorno de la inversión
        de su marketing móvil 246
    Haga lo siguiente 247
    No haga esto 248

Capítulo 21. Los 17 puntos del marketing móvil y una lista de tareas paso a paso   251

Los puntos más importantes del marketing móvil..................... 251
    Los 17 puntos del marketing móvil.. 251
Lista de tareas del marketing móvil... 254
    Ponga los cimientos de su campaña..................................... 254
    Revisión de la competencia... 254
    Preparándose para el éxito 255
    Presupuesto y planificación 255
    Valore su éxito.. 255
    Haga lo siguiente 256
    No haga esto 256

Capítulo 22. Tres características de toda campaña de marketing móvil con éxito   259

Primera característica: Son medibles 259
Segunda característica: Tener en cuenta
        a los consumidores... 260
Tercera característica: Innovación 261
Unos pensamientos finales 262

Índice alfabético   265

Prólogo

LLEGUE HASTA SUS CLIENTES EN TIEMPO REAL, ESTÉN DONDE ESTÉN

En el distrito de entretenimiento Roppongi, de Tokio, podemos encontrar varios centenares de bares a un paseo de la estación de metro. Sólo unos pocos son visibles desde la calle principal, la gran mayoría están encajados en los pisos superiores de los edificios traseros de la arteria principal. Para distinguirse unos de otros, muchos de ellos atienden las muy refinadas preferencias de sus clientes. Así, si deseamos escuchar el *reggae* más clásico mientras tomamos una copa, hay un bar para nosotros en Roppongi. ¿Y cómo encontraremos esos establecimientos en una ciudad que no es la nuestra en la que estamos desorientados y sedientos? ¡Con nuestro dispositivo móvil, por supuesto!

Como los compradores utilizan sus móviles para buscar productos y servicios cuando los necesitan, igual que yo mismo cuando estoy en alguna ciudad lejana, tenemos la oportunidad de llegar a ellos cuando están listos para comprar. El tiempo que va desde que se abre una aplicación como Foursquare o Google Mobile y el consumidor entrando por la puerta se mide ahora en minutos, si no en segundos.

La incorporación de GPS (*Global Positioning System,* Sistema de posicionamiento global) en los móviles los ha convertido de unos dispositivos ordinarios para comunicarse por la voz en verdaderas armas teledirigidas. Con la capacidad GPS incluida, el usuario móvil puede tener información de la gente que le rodea, las empresas y las ubicaciones cercanas, aun cuando se encuentre en un territorio poco familiar como el distrito de bares de Tokio. Cuando alguien utiliza su móvil con geolocalización, su posición queda marcada. Esto es algo verdaderamente revolucionario. Es también la causa de que los dispositivos móviles configuren el campo más fascinante y de crecimiento más rápido dentro del marketing en tiempo real. Por eso, es muy importante tener un conocimiento adecuado del mercado móvil.

En mis viajes, me he dado cuenta de que más y más directivos, como también reporteros y analistas, utilizan dispositivos móviles, en particular iPad, para tomar notas durante las reuniones. También he observado a esta gente haciendo un uso constante de sus iPhone, BlackBerry, etc., Así pues, no es sólo la gente que trabaja en negocios locales, como tiendas o restaurantes, la que necesita comprender el marketing móvil, sino que se trata de una información esencial para las grandes corporaciones, organizaciones B2B (*Business to Business*, Negocio a negocio), ONG sin ánimo de lucro e instituciones educativas.

El desafío consiste en comprender este nuevo panorama para situar nuestro negocio adecuadamente en este entorno en el preciso momento de la decisión de compra por parte del cliente. Hay muchas formas de llegar a la gente mediante los dispositivos móviles, tales como la aplicación Foursquare, mensajes SMS, escaneo de imágenes como los códigos QR, etc. Aprenderá todo ello en este libro a través de ejemplos de éxito fascinantes de organizaciones grandes y pequeñas.

También se analiza el, a menudo ignorado pero esencial, requisito de crear versiones Web compatibles con dispositivos móviles (*mobile-friendly)*. Resulta vital para nuestro negocio facilitar la navegación de la Web en dispositivos tales como iPhone o terminales Android, que la gente utiliza cada vez más para navegar por Internet. Muchos sitios no están adaptados aún para los dispositivos móviles y sus organizaciones están, así, perdiendo oportunidades de venta con todas las personas que acceden a ellos por ese medio. También aprenderá cosas sobre las Web para móviles en estas páginas.

Tal vez el aspecto que crece más rápidamente en el marketing móvil sea el de las aplicaciones para móviles. Realmente parece que haya una aplicación para cada cosa en la actualidad. Por ejemplo, la aplicación SitOrSquat, buscadora de cuartos de baño, para iPhone y otros dispositivos, incluye, en el momento de escribir este libro, más de 100.000 ubicaciones de cuartos de baño públicos, todos ellos con geolocalización y clasificados según su limpieza. Los baños limpios reciben la clasificación "*Sit*" (Sentarse) y los sucios, una "*Squat*" (En cuclillas). Así que, después de una o dos cervezas en ese bar de Tokio, podemos encontrar un urinario aceptable de vuelta a nuestro hotel. Yo mismo tengo mis propias aplicaciones gratuitas David Meerman Scott para iPhone e iPad. Mis aplicaciones ofrecen las actualizaciones de mi *blog*, los mensajes de Twitter y los vídeos en tiempo real, así como vínculos a mis libros en Amazon.

Cuando creé la serie de libros *New Rules Social Media Book Series*, dije que resultaría esencial contar con un título acerca del marketing móvil. Por fortuna, Jeanne Hopkins y Jamie Turner se mostraron dispuestos a escribir este libro. Cualquiera de los dos por separado hubiera escrito un libro magnífico sobre el marketing móvil, pero la colaboración de ambos duplica la diversión. He aprendido mucho leyendo este libro y confío en que usted hará lo mismo.

Los móviles ofrecen a los comerciantes la posibilidad de llegar a los compradores en el preciso momento en el que están buscando lo que aquéllos ofrecen. Son una herramienta revolucionaria para hacer negocios y muy fáciles de aprender. Pase a la página siguiente para averiguar cómo.

—David Meerman Scott,
autor de *Marketing en tiempo real*
y de otros títulos.
www.WebInkNow.com
twitter.com/dmscott.

Introducción

¿Siente curiosidad sobre cómo utilizar el marketing móvil para hacer crecer su negocio? ¿Le gustaría saber cómo utilizar los códigos QR (*Quick Response*, Respuesta rápida), las aplicaciones móviles, marketing basado en ubicación y el resto de herramientas móviles para incrementar las ventas y los ingresos? ¿Se pregunta cómo compañías como Coca-Cola, Delta o Starbucks hacen uso del marketing móvil para conectar con sus clientes?

Si es así, tenemos buenas noticias. Dar respuesta a esas preguntas es exactamente lo que nos llevó a escribir este libro. Hemos desmitificado el marketing móvil y lo hemos presentado como una herramienta simple, fácil de entender y que todos pueden usar para hacer crecer sus ventas e ingresos. Aquí respondemos a las preguntas que tenga sobre cómo configurar, lanzar y llevar adelante una campaña de marketing para este sector.

Merece la pena destacar que el mercado móvil no es sólo el resultado de la evolución de una nueva tecnología, sino que se trata de una nueva tecnología revolucionaria. Más aún, se trata de un cambio del paradigma generacional en la forma que tienen los consumidores de conectar con sus marcas. Va a tener un impacto superior al de la radio, la televisión y el ordenador personal, juntos.

¿Cómo podemos decir eso? ¿Cómo es posible que algo tan pequeño como un *smartphone* sea tan poderoso como la radio, la televisión y el ordenador personal juntos?

Simplemente, porque los móviles proporcionan las tres cosas, y mucho más, en un dispositivo pequeño que se puede llevar en el bolsillo. No hay necesidad de estar atado a una gran caja que debe estar enchufada todo el tiempo. Por el contrario, usted y sus clientes pueden acceder cuando quieran y allí donde se encuentren.

Una investigación de Morgan Stanley indica que el 91 por 100 de los usuarios de móviles los tienen al alcance de la mano a todas horas.[1]

> **Nota:** Estos datos aparecen en www.moyostudios.com/news/computers-and-consoles-to-become-obsolete; consultado el 25 de octubre de 2011.

Investigaciones adicionales por parte de Nielsen muestran que el crecimiento del iPhone ha sido diez veces más rápido que el de America Online.[2]

Los números se hacen incluso más increíbles. De acuerdo con 60 Second Marketer, de los 6.800 millones de habitantes del planeta, 4.000 millones tienen un teléfono móvil. ¿Sabe cuántos tienen cepillo de dientes? 3.500 millones.[3] Eso es, hay más gente con teléfonos móviles que con cepillo de dientes.

Es más, Gartner predice que para 2013 el principal medio de acceso a Internet serán los navegadores móviles.[4] En otras palabras, más de la mitad del tiempo en que cualquiera accederá a Internet, lo hará desde un móvil. Eso tiene consecuencias enormes sobre cómo debe su negocio llegar a los clientes actuales y potenciales.

Teniéndolo todo en cuenta, no resulta sorprendente que tenga curiosidad acerca del marketing móvil y que esté leyendo este libro. Después de todo, la gente como usted se ha dado cuenta de que el mercado móvil va a ser gigantesco. No, espere. Borre eso. El mercado móvil es gigantesco. Y lo será aún más.

¿ES EL MARKETING EN DISPOSITIVOS MÓVILES ADECUADO PARA USTED?

El punto de partida para cualquiera que esté interesado en profundizar en el marketing móvil no consiste en lanzarse a desarrollar una aplicación o una Web para móviles.

En lugar de eso, se trata de empezar por preguntarse si el marketing en dispositivos móviles es adecuado para su negocio.

---

[1] www.moyostudios.com/news/computers-and-consoles-to-become-obsolete; consultado el 25 de octubre de 2011.

[2] www.slideshare.net/BMGlobalNews/the-state-of-mobile-communications-5068995; consultado el 25 de octubre de 2011.

[3] www.60secondmarketer.com/blog/2011/10/18/more-mobile-phones-than-toothbrushes; consultado el 25 de octubre de 2011.

[4] www.gartner.com/it/page.jsp?id=1278413; consultado el 25 de octubre de 2011.

Con esto bien presente, hemos desarrollado una práctica lista de comprobación, diseñada para ayudarle a averiguar si el marketing móvil resulta apropiado para usted.

El marketing en dispositivos móviles está indicado para su negocio si:

▶ Necesita nuevos clientes.

▶ Desea que sus clientes actuales lo visiten con mayor frecuencia.

▶ Desea mejorar su margen de beneficios.

▶ Tiene que resultar atractivo para una audiencia más amplia.

▶ Quiere diferenciar su marca.

▶ Quiere mejorar el retorno de su inversión en marketing.

▶ ROI (*Return Of Investment*, Retorno de la inversión).

▶ Quiere que los clientes gasten más dinero cada vez que le compren algo.

▶ Está buscando nuevos canales de distribución.

▶ Desea incrementar su cuota de mercado.

▶ Quiere estar frente a sus clientes las 24 horas del día, siete días a la semana.

¿Ve a dónde queremos ir a parar? Es muy probable que uno o varios de estos puntos sea importante para usted. ¿Quién no quiere más clientes? ¿Quién no desea mejorar el retorno de su inversión en marketing? ¿A quién no le gustaría diferenciar su marca?

Cinco razones adicionales por las que el marketing móvil podría resultar adecuado para su negocio

Si las razones citadas no son suficientes para que empiece en el mundo del marketing en dispositivos móviles, aquí tiene otras cinco:

1. **Es más fácil de lo que piensa:** Planificar, lanzar y llevar adelante una campaña de marketing móvil es más fácil de lo que se podría pensar. Si está interesado en que alguien le eche una mano, consulte a su proveedor de servicio de SMS, a su agencia de publicidad digital o a alguna red de publicidad móvil como AdMob, iAd o Millennial Media. Una rápida llamada telefónica a cualquiera de ellos lo ayudará a comprender lo fácil que es introducirse en el marketing móvil. Por descontado, leer este libro también ayuda.

2. **Existe una gigantesca audiencia móvil por descubrir:** La cantidad de usuarios de móviles es enorme, lo cual deja mucho espacio entre el número de empresas que se dirigen a este tipo de clientes y el verdadero número de usuarios de estos dispositivos, como *smartphones*. Esto significa que vivimos una época ideal para probar el resultado de una campaña de marketing móvil de su negocio y ver cuán eficazmente puede ayudar a construir su imagen de marca y a vender sus productos.

3. **Lo móvil convierte clientes potenciales en clientes reales:** La tasa de conversión de muchas campañas de marketing móvil es dramáticamente superior que la de las campañas tradicionales. eMarketer informa de que una de cada diez personas canjea sus cupones móviles, lo que representa una proporción diez veces superior a la tasa de canjeo de los cupones que se ofrecen por canales tradicionales.[5]

4. **El marketing en dispositivos móviles cuesta menos que los métodos tradicionales:** El coste de producir una campaña de marketing móvil es, en la actualidad, inferior al de muchas campañas de marketing tradicionales. Así pues, el retorno de la inversión de la mayoría de las campañas móviles es superior al de otros canales de marketing. ¿Qué hay de malo en un retorno de la inversión robusto? Nada, obviamente.

5. **La gente responde a todo lo relacionado con móviles:** La misma facilidad con la que usted puede lanzar una campaña está presente entre los consumidores para apuntarse y responder pulsando un botón en sus *smartphones*. Son ventas fáciles y hay mucha más gente dispuesta a responder a un mensaje de texto o a un *banner* móvil que la que recortaría un cupón en un periódico.

El aspecto fundamental de esto es que presenta oportunidades increíbles para cualquier negocio interesado en introducirse en la corriente del marketing móvil. Aún mejor: el marketing móvil no es tan difícil. Para quien posea una comprensión básica del marketing, será coser y cantar. Es increíblemente fácil de aprender.

CÓMO HEMOS ORGANIZADO ESTE LIBRO

Hemos organizado este libro de forma que abarque las estrategias clave que se emplean en el marketing móvil más actual. Dicho esto, nuestro enfoque principal se dirige a la táctica, es decir, a las técnicas aplicadas que podría poner

---

[5] www.mobilemarketingwatch.com/one-in-ten-users-redeem-mobile-coupons-18438; consultado el 25 de octubre de 2011.

en práctica mañana mismo. Aquí no leerá demasiadas cosas sobre "cambios de paradigma" ni sobre "saltos cuánticos", sino que aprenderá mucho sobre "cómo hacer esto y aquello".

Hemos estructurado el libro en cuatro partes:

▶ La parte I cubre el panorama móvil y trata algunas de las mejores prácticas utilizadas en diferentes estudios de caso de marketing en dispositivos móviles.

▶ La parte II perfila las medidas a tomar para preparar su negocio con vistas a conseguir el éxito en los nuevos medios móviles.

▶ La parte III profundiza en cada una de las tácticas utilizadas en el marketing móvil.

▶ La parte IV analiza el marketing móvil B2B (*Business to Business*, el retorno de la inversión) en marketing móvil y las características principales de toda campaña de marketing móvil exitosa.

Hay mucho contenido por asimilar en este libro. ¿Listo para empezar? Estupendo. Nosotros también.

Parte I
Panorámica general del marketing en dispositivos móviles

1. Cómo lanzar su campaña de marketing móvil

Si está leyendo esto ahora mismo, probablemente sea porque está interesado en aprender más acerca del marketing móvil y sobre cómo utilizarlo para hacer crecer su negocio.

Al menos es lo que nosotros pensamos. No obstante, también podría estar interesado en aprender cómo lanzar su campaña de marketing móvil para que las cosas se pongan en marcha rápidamente.

Nosotros también pensamos exactamente así. No somos el tipo de autor que dedica páginas y páginas a presentar conceptos antes de proporcionar la información práctica más concreta y significativa. En nuestra opinión, los negocios se están moviendo demasiado deprisa como para perder el tiempo leyendo introducciones generales antes de abordar las herramientas y técnicas específicas.

Teniendo eso en cuenta, hemos decidido ponernos en marcha con un primer capítulo que pueda introducirnos en el marketing móvil sin demora. De ese modo, podrá lanzar su campaña rápidamente y, luego, relajarse mientras se adentra en los aspectos más sutiles del marketing móvil que aparecen en los capítulos siguientes.

SEIS LECCIONES RÁPIDAS SOBRE MARKETING MÓVIL

¿Listo para empezar? Estupendo. Hay seis maneras de aprender marketing móvil y comenzar a usarlo para hacer crecer sus ventas e ingresos rápidamente.

1. Conviértase en un usuario avanzado de marketing móvil.

2. Desarrolle y lance su Web específica para móviles.

3. Analice la forma en que las empresas de la lista Fortune 500 utilizan el marketing móvil.

4. Registre su negocio en servicios de localización.

5. Lleve a cabo una campaña con anuncios de pago por visita en buscadores.

6. Lleve a cabo una campaña con *banners* de publicidad en móviles.

1. Conviértase en un usuario avanzado de marketing móvil

Aunque esto parezca obvio, se sorprendería de la cantidad de gente que habla sobre el marketing móvil, pero no lo utiliza activamente. Pueden, sin duda, entender el concepto del marketing móvil, pero no lo han utilizado lo suficiente para convertirse en usuarios avanzados.

Para empezar, le recomendamos que busque y escanee un código QR (*Quick Response*, código de barras de respuesta rápida) hoy mismo y que use el servicio Google Voice Search desde su *smartphone*. También que descargue Foursquare, WHERE o SCVNGR (pronunciado "Scavenger", carroñero) y que las use para entrar en su tienda favorita.

¿Qué tal si se descarga la aplicación móvil de Delta Airlines y la utiliza como su tarjeta de embarque la próxima vez que vuele con ellos? ¿Y si considera la posibilidad de utilizar el medio de pago digital móvil, Starbucks Mobile Card, para abonar su próximo café en Starbucks? ¿O incluso las aplicaciones de realidad aumentada de Yelp o Lodestone?

¿Alguna vez ha pulsado y seguido los vínculos de un anuncio de pago por visita de los que salen en los resultados de los motores de búsqueda, usado Skype en su *smartphone* para hablar con un amigo o escaneado un código de barras con la aplicación Price Check de Amazon? Para convertirse en un usuario avanzado de marketing digital, tendrá que sumergirse profundamente en este mundo.

Si quiere entender realmente el marketing móvil, va a tener que usarlo de verdad. De otro modo, no podrá asimilar completamente todos los matices de esta nueva herramienta sorprendente y poderosa.

2. Desarrolle y lance su Web específica para móviles

Si todavía no ha preparado su Web para móviles, tenemos buenas noticias: es más fácil de lo que piensa. No se necesita más que una comprensión básica de algunos enfoques diferentes y, luego, seleccionar el que más nos convenga.

Pero, en primer lugar, un poco de historia. Después de varios años, durante los cuales la industria se dedicaba a averiguar si los sitios Web `.mobi` iban a dominar el panorama, parece que los subdominios `m.` o los dominios ordinarios, por ejemplo `.com`, `.org` y `.edu`, con subdirectorios del tipo `.com/mobile`, son el formato principal de los sitios Web para móviles.

Eso no quiere decir que no vaya a haber algunos sitios `.mobi`, sino que el panorama de los sitios para móviles se ha reordenado y parece que el formato dominante son los subdominios `m.` y los dominios ordinarios.

Esto sugiere una pregunta: ¿cómo se crea una Web móvil? Es decir, ¿cuál es el proceso para hacerlo y cómo es de complicado?

Hay tres soluciones sencillas para configurar y lanzar una Web móvil. La primera pasa por utilizar uno de los sistemas automatizados que ofrecen muchas compañías de *hosting*. Estos sistemas, esencialmente, toman el contenido existente y le dan un nuevo formato para que encajen en una pantalla más pequeña.

Complementos para Web móviles de WordPress y Drupal

Si utiliza un sistema de gestión de contenidos como WordPress o Drupal en su *blog* o sitio Web, dispone de complementos, *plug-ins*, instalables que le permitirán formatear de una forma elegante las páginas para que se adapten al entorno móvil. Estos complementos hacen un trabajo sorprendentemente bueno al convertir las actualizaciones en los *blogs* y darles un formato adaptado a las Web móviles.

Como puede suponer, el resultado no es perfecto, ya que estas herramientas tienen que adaptar contenidos diseñados para mostrarse en sitios Web normales y volver a empaquetarlos, podríamos decir, para que se vean bien en las pantallas de los móviles. Dado que visitar un sitio Web desde un *smartphone* es una experiencia completamente distinta a hacerlo desde un ordenador personal, este sistema dista de ser ideal.

Por ejemplo, los visitantes móviles no suelen estar interesados en el tipo de información detallada que se suele buscar desde un ordenador de sobremesa. Típicamente, suelen estar en sus coches, en salas de espera o caminando por la calle. Es decir, son móviles. Así pues, cualquier sitio Web que simplemente sea una versión reconvertida de su Web ordinaria no tardará en convertirse en una decepción para usted y para sus clientes. Por eso, precisamente, le sugerimos que evite cualquier sistema de conversión automático que se limite a "regurgitar" el contenido de su Web en una pantalla más pequeña. Hay mejores opciones disponibles.

Una de esas opciones consiste en utilizar alguno de los sistemas específicos que ofrecen una variedad de organizaciones. Algunas de las mejores compañías para esto incluyen Mobify, Wirenode, Mippin Mobilizer, Onbile y MoFuse. Por otro lado, si utiliza la plataforma HubSpot en su Web, ésta estará lista para dispositivos móviles de forma automática. Este sistema está configurado para recrear su Web lista para la pantalla de un móvil.

Las compañías mencionadas son muy buenas y están gestionadas por personas que realmente saben lo que se traen entre manos. Algunas de ellas podrían ayudarle con otros aspectos del marketing móvil, tales como el desarrollo de aplicaciones o las campañas de publicidad para dispositivos móviles.

Dicho esto, también se pueden encontrar auténticas basuras ahí fuera, que no están más que a un paso de los sistemas automáticos antes mencionados. Así pues, conviene que investigue este tipo de empresas con sumo cuidado. Puede empezar por visitar sus sitios Web móviles desde su *smartphone* y después ver quiénes son sus clientes. ¿Son negocios serios? ¿Pertenecen a compañías que admira y respeta? Si es así, debería visitarlos y comprobar su calidad también.

La mejor opción es, por descontado, contar con los servicios de un diseñador Web que se responsabilice de crear un sitio Web móvil específico para nuestra empresa. Lo cierto es que, si ya cuenta con una Web normal, lo más probable es que ya disponga de un diseñador Web. Si ya tiene un diseñador Web, entonces éste debería ser capaz de añadir una simple línea de código a la página para que sea capaz de detectar si nuestro visitante llega desde un ordenador personal o desde un *smartphone*.

Veamos cómo funciona dicha línea de código. Cuando alguien visita nuestra Web desde un *smartphone*, la pantalla que ve suele tener menos de 600 píxeles de anchura. Si el usuario llega desde un PC o tableta, la pantalla suele tener más de esos 600 píxeles de anchura.

Un truco para móviles

El marketing móvil vive una evolución constante. Aquí tenemos tres boletines electrónicos (en inglés) que ofrecen buenos trucos diarios o semanales sobre marketing:

► Mobile Marketer Daily.

► Mobile Commerce Daily.

► Mobile Marketing Watch.

Si busca sitios que proporcionen una información más amplia sobre marketing, podría encontrar útiles los boletines (en inglés) de HubSpot y de 60 Second Marketer.

Añadiendo una línea de código a su página Web, ésta será capaz de detectar la anchura de la pantalla y determinará si el visitante llega desde un *smartphone* o desde un PC. Si llega desde un PC, se le redirige hacia la Web ordinaria. Pero, si lo hace desde un *smartphone*, se encaminará a las páginas adaptadas a *smartphones* dentro del sitio Web.

Las páginas del *smartphone* deberían ser simples, limpias y de fácil navegación. Tenga en cuenta que, como mencionamos antes, una persona que visite su sitio desde un *smartphone* espera una experiencia muy diferente a la de alguien que llegue desde un PC.

3. Analice cómo las compañías de la lista Fortune 500 utilizan el marketing móvil

¿Por qué deberían divertirse sólo las empresas grandes? Una de las ventajas del marketing móvil es que sirve para empresas de todos los tamaños. Eche un vistazo a lo que están haciendo las empresas de la lista Fortune 500 y tome prestadas tantas ideas como desee.

Verá que la mayoría de ellas tienen sitios Web optimizados para móviles y que muchas de ellas utilizan códigos 2D, búsquedas con pago por anuncios y *banners* de publicidad. Asimismo, lo más probable es que hagan uso de Foursquare, WHERE, SCVNGR o de alguna otra herramienta de marketing basada en ubicación.

Observe con atención lo que están haciendo y aplíquelo en su propio negocio. No hay ninguna ley que diga que no puede aprovechar sus ideas para que encajen en su propia compañía.

4. Registre su negocio en servicios de ubicación basados en móviles

Si no ha reclamado o registrado su negocio en servicios como Foursquare, WHERE o SCVNGR, hágalo ahora.

¿Merece la pena reclamar nuestro negocio?

En una palaba, sí, debería reclamar su negocio. Nunca se sabe cuándo se va a querer llevar a cabo una promoción propia basada en ubicación, aunque la nuestra sea una empresa B2B.

Además, no queremos que nadie más se apropie de él, ¿no?

Los servicios basados en ubicación son plataformas de marketing móvil que los negocios usan para enganchar a los consumidores y desarrollar promociones. De acuerdo con un estudio llevado a cabo por Pyramid Research, los beneficios del marketing basado en ubicación en los Estados Unidos van a subir desde los

2.800 millones de dólares en 2010 hasta más de 10.300 en 2015.[1] ¿Qué significa eso para usted? Eso quiere decir que, si no lo ha hecho todavía, debería apuntarse ahora mismo. Sus clientes ya usan estos servicios, así que también debería hacerlo usted.

De todo esto, surge una pregunta: qué significa "reclamar su negocio" en el ámbito de un servicio basado en la ubicación. Reclamar nuestro negocio es la manera que tenemos de decir que somos los representantes oficiales del mismo y que reclamamos su posición en el servicio antes de que alguien "no oficial" lo haga.

Reclamar nuestro negocio viene a ser lo mismo que antes se hacía cuando se llamaba a las páginas amarillas para confirmar nuestra aparición en un listado. La única diferencia es que, en la actualidad, el listado se confirma en línea con una entidad digital en vez de con una publicación impresa tradicional.

Cuando los clientes usen Foursquare, WHERE o SCVNGR realizarán un *check-in* al llegar a su negocio. El *check-in* es, simplemente, el proceso de abrir la aplicación desde un *smartphone* y hacer clic en un icono para que el negocio sepa que el cliente está en una ubicación próxima. La empresa Chili's ha utilizado este sistema con brillantez usando Foursquare para ofrecer crema de queso gratis si se hacía *check-in* en alguno de sus locales. Más aún, la firma ofrecía la misma promoción a cualquiera que hiciera *check-in* en cualquier negocio a menos de doscientos metros de distancia de un Chili's.

Sí, lo ha leído bien. Chili's ofrecía queso gratis a cualquiera que hiciera *check-in* dentro de un radio de doscientos metros desde cualquier ubicación próxima a sus locales.

Como resultado, fue capaz de atraer a clientes que de otro modo hubieran comido en un restaurante de la competencia.

Esto no sólo resulta inteligente, sino que es sencillamente brillante.

5. Lleve a cabo una campaña con anuncios de pago por visita en buscadores

De acuerdo con un estudio llevado a cabo por BIA/Kelsey Group, cuando los usuarios de móviles localizan un negocio mediante una búsqueda, el 61 por 100 llaman al establecimiento y el 59 por 100 lo visita.[2]

---

[1] www.marketingpilgrim.com/2011/06/strong-growth-expected-in-location-based-services.html; consultado el 25 de octubre de 2011.

[2] www.mobilegroove.com/added-value-for-marketers-in-mobile-search-apple-itunes-purchase-data; consultado el 25 de octubre de 2011.

Son números realmente grandes. Piénselo un momento: el 59 por 100 de los usuarios que encuentre su negocio mediante una búsqueda en un dispositivo móvil acabará por visitarlo. Si esto es así, ¿acaso no tiene sentido realizar una campaña con anuncios de pago por visita en búsquedas móviles para su negocio?

Los anuncios de pago por visita, es decir, aquéllos que las empresas sólo pagan cuando un usuario hace efectivamente clic sobre ellos, se muestran habitualmente sobre los resultados de las búsquedas que se realizan en buscadores como Google, Bing o Yahoo! Aquí hay cuatro buenas prácticas a tener en cuenta.

En primer lugar, debe resultar próximo y asegurarse de que sus anuncios sean atractivos en las búsquedas de gente que pueda estar ubicada en sus coches, que camine por la calle o que esté en un centro comercial. Esto no quiere decir que el 100 por 100 de la gente que realiza una búsqueda desde su dispositivo móvil está en su coche, caminando por la calle o en un centro comercial, pero la mayoría sí, así que es una buena idea tener eso en cuenta.

En segundo lugar, tiene que asegurarse de que sus anuncios llevan al usuario hacia una Web optimizada para móviles. No hay nada más frustrante que hacer clic en un anuncio mostrado en una búsqueda y llegar a una página que no está preparada para mostrarse en la pantalla de nuestro *smartphone*.

La tercera buena práctica consiste en asegurarse de que nuestros anuncios atiendan necesidades inmediatas. Según MobileMarketer.com, el 70 por 100 de los usuarios de búsquedas móviles completan sus tareas en menos de una hora, comparados con el 30 por 100 de los de un ordenador personal.[3] Eso quiere decir que nos dirigimos a personas que buscan satisfacer necesidades inmediatas, por ejemplo en restaurantes, bares, librerías, etc.

En cuarto lugar, debe ampliar el sentido de las palabras clave que seleccione para su campaña. Como el volumen de búsquedas móviles es significativamente inferior que el de las búsquedas en línea normales, tendrá que incluir un rango más amplio de palabras clave en su campaña para que alcance el mismo nivel de éxito que tendría una campaña tradicional. Debería incluir la palabra "ubicaciones" (*locations*) en su lista de palabras clave, como en "ubicaciones de pizzerías" o "ubicaciones de centros comerciales". Por último, debería incluir términos de emergencia, tales como "cerrajero de emergencia" o "farmacia de 24 horas".

Al final, se dará cuenta de dos cosas acerca del marketing móvil con anuncios de pago por visita: la primera es que no es mucho más complicado que hacer una campaña tradicional con motores de búsqueda; la segunda, que es muy probable

---

[3] Mobile Marketing Association, *Mobile Marketer's Classic Guide to Mobile Advertising, 3rd edition,* 2010, p. 61.

que sus competidores no lo estén poniendo en práctica todavía. De este modo, se le presenta una oportunidad para adquirir muchos clientes nuevos que ellos se están perdiendo.

6. Lleve a cabo una campaña con banners de publicidad en móviles

Los *banners* móviles, también se conocen como *display ads*, son esas pequeñas franjas con publicidad que aparecen en la pantalla de su *smartphone* cuando lo usa para navegar por Internet.

Son diferentes a los anuncios de pago por visita, que son esos pequeños textos con publicidad que aparecen en los resultados de las búsquedas en Google, Bing o Yahoo! Los *display ads* son minúsculos *banners* que pueden incluir gráficos, colores e incluso animaciones.

Lo que resulta magnífico de los *display ads* es que los usuarios responden a ellos mejor que a los *banners* tradicionales. Un estudio reciente muestra que hasta un 61 por 100 de los participantes abrían los *banners* móviles, mientras que los estándares sólo eran abiertos por un 7 por 100 de los consumidores entrevistados.[4]

Esto indica que los *banners* móviles tienen ventajas apreciables sobre los tradicionales. En primer lugar, tienen el beneficio de la novedad, lo que siempre es un valor añadido para los comerciantes. En segundo lugar, ocupan una mayor proporción de la página en el navegador, lo que implica que tienen mayor visibilidad.

El mismo estudio revela que las tasas de seguimiento de vínculos tienen un pico entre las 19:00 y 23:00 horas. Esto parece indicar un comportamiento que todos pensábamos que se producía desde hace tiempo: la gente no utiliza los medios aisladamente, sino que los suelen emplear conjuntamente con otras tecnologías.

En otras palabras, la gente ya no sólo ve la tele cuando ve la tele, sino que la ven al mismo tiempo que navegan por la Web. Si necesita una prueba, observe a su adolescente más cercano y verá cómo ve su serie favorita mandando mensajes de texto a sus amigos al mismo tiempo.

Puede empezar con los *display ads* entrando en contacto con alguna de las múltiples redes de publicidad móvil, entre las que se cuentan iAd (de Apple), AdMob (de Google), Millennial Media y Mobclix.

---

[4] www.mobilemarketer.com/cms/news/research/10403.html; consultado el 25 de octubre de 2011.

CONCLUSIÓN: EMPIECE HOY MISMO

Al final, el asunto central de todo este capítulo introductorio es ayudarle a empezar rápidamente en el marketing móvil y que pueda utilizarlo para atraer a nuevos clientes. Después de todo, la principal razón por la que quiere aprender más sobre el marketing móvil es para poder dedicarlo a hacer crecer su negocio, ¿no es cierto?

El crecimiento es bueno y el marketing móvil puede ayudarlo a lograrlo.

Haga lo siguiente

► Comprométase a utilizar los medios móviles y no sólo a leer sobre ellos.

► Suscríbase a algún boletín para mantenerse al día de las novedades en este campo del marketing que evoluciona constantemente.

► Observe cómo otras empresas utilizan el marketing móvil y, luego, "tome prestadas" algunas de sus ideas.

No haga esto

► No minusvalore la importancia del marketing móvil ni de cualquier otra tecnología.

► Al mismo tiempo, no crea que el marketing móvil va a resolver todos sus problemas de marketing. No es más que una herramienta con la que debe contar en su arsenal.

► No empiece sin antes haber fijado sus objetivos. ¿Cuál es su objetivo? ¿Generar liderazgo? ¿Construir imagen de marca? ¿Captar clientes de otros? Empiece siempre con un fin en mente.

2. Cómo usan el marketing móvil las empresas de la lista Fortune 500

¿Recuerda que le recomendamos, en el primer capítulo, que estudiara el modo en que las empresas de la lista Fortune 500 usaban el marketing móvil para robar, es decir, tomar prestadas algunas de sus ideas? Bien, pues no hay mejor momento que ahora para hacerlo.

Como sabe, los negocios pueden conectar con sus clientes de distintas maneras usando la tecnología móvil.

Las más importantes son: los SMS (Short Message Service) y MMS (Multimedia Message Service), las Web y aplicaciones para móviles, las búsquedas móviles de pago, los anuncios (*banners*) en los móviles, el marketing basado en la localización y los códigos 2D (QR, MS Tag, etc.).

Veamos cómo empresas de todo el mundo han utilizado con éxito estas herramientas para conectar sus marcas con los clientes.

LA CAMPAÑA DE SMS PARA HAITÍ DE LA AMERICAN RED CROSS (CRUZ ROJA DE LOS ESTADOS UNIDOS)

Una de las más famosas y exitosas campañas de marketing móvil fue la Haiti Earthquake Relief de la Cruz Roja de los Estados Unidos. Como resultado del terremoto de 2010, murieron más de 300.000 personas en Haití. Sin embargo, hubieran perecido muchísimas más si la Cruz Roja no hubiera utilizado SMS para generar millones de dólares en donaciones.

Cuando los usuarios de teléfonos móviles enviaban SMS con el texto HAITI al 90999, estaban donando 10 dólares a la Cruz Roja. Más de 3 millones de personas dieron su aportación a la campaña, 20.000 de las cuales se suscribieron para recibir correos electrónicos con información adicional. La organización fue capaz de generar más de 32 millones de dólares en donaciones durante el periodo de vigencia de la campaña.

> **Nota:** No sé si sabía que la campaña de Haití no fue la primera en que la Cruz Roja de Estados Unidos utilizó la tecnología Text2Give (literalmente, "Texto para dar") para recaudar fondos. La primera fue en la campaña que siguió al huracán *Katrina* en 2005. Sin embargo, por entonces, la gente no estaba tan familiarizada con los SMS como ahora, así que no se obtuvieron los mismos resultados, ni de lejos, que en la de Haití.

Más impresionante aún es el hecho de que el 95 por 100 de los participantes fueran donantes primerizos. Eso significa que la Cruz Roja obtuvo un compromiso de más de 2.850.000 "clientes", que nunca antes habían donado nada a la organización. No es difícil imaginar el impacto que tuvo esto y el que tendrá en años venideros.

La enseñanza clave de esta campaña de la Cruz Roja es que los SMS se pueden utilizar tanto como herramienta de marketing como herramienta operativa.

La organización se benefició en el aspecto de marketing con una percepción de su marca incrementada y con la captación de nuevos donantes. Asimismo, se benefició en el frente operativo porque abrió un nuevo canal por el cual los donantes potenciales podrían hacer sus contribuciones a la organización, de una forma mucho más sencilla que en el pasado.

LA CAMPAÑA DE DISPLAY ADS (BANNERS MÓVILES) DE LA HBO PARA TRUE BLOOD

Imagine que es un aficionado al cine que está leyendo las últimas críticas en la aplicación móvil de Flixter o Variety. De repente, se da cuenta de que aparece una sangrienta huella dactilar en cuanto toca la pantalla. Cuando la vuelve a tocar, aparece una segunda huella. Luego, una tercera.

Lo siguiente que percibe es que hay sangre goteando desde la parte superior de la pantalla. Cuando llega al fondo, observa un anuncio emergente que lo invita a mirar un tráiler para la serie *True Blood* de la HBO.

Fue un uso sorprendentemente innovador de un novedoso medio. ¿Qué tal le fue a la campaña? Tuvo unos resultados extraordinarios. Consiguió incrementar la audiencia un 38 por 100 y reunir más de 5 millones de espectadores para la presentación de la tercera temporada de True Blood.[1]

La agencia de publicidad que desarrolló la campaña tomó las aplicaciones para iPhone de Flixter y Variety y las adaptó para incorporar un mensaje de la serie. Además de eso, la agencia colaboró con una red de publicidad móvil llamada JumpTap para asegurarse de que la campaña se extendiera por muchos otros sitios Web.

En definitiva, HBO adoptó un medio nuevo, creó una campaña innovadora que aprovechaba todas sus posibilidades y obtuvo un incremento de audiencia de un 38 por 100 como resultado.

LA CAMPAÑA DE MARKETING DE THE NORTH FACE BASADA EN LA UBICACIÓN DEL CLIENTE

Supongamos que usted es un intrépido senderista, ciclista o montañero que se encuentra en la ciudad de Nueva York, como suele ser habitual cuando no está escalando el Everest. The North Face sabe que, incluso cuando está escalando los cañones de Nueva York, su mente está puesta en el Everest.

Definición de red de publicidad móvil

Una red de publicidad móvil es una organización que exhibe sus anuncios en una amplia variedad de sitios Web para móviles. El resultado es que así no tendrá que rastrear cada Web individual para poner su anuncio, sino que será la red de publicidad móvil la que lo hará en su lugar.

Así pues, ¿qué hizo nuestro fabricante de ropa? Creó una campaña de marketing basada en la ubicación mediante el sistema Placecast ShopAlerts. Veamos cómo funciona. Un cliente, usted en este caso, observa un póster en una tienda de The North Face, que dice: "Suscríbase a las promociones mediante mensajes de texto cuando se encuentre cerca de nosotros. Dese de baja en cualquier momento".

Siendo como es un montañero de alta tecnología, decide sacar su *smartphone* y suscribirse. Una vez lo haya hecho, The North Face utiliza la técnica de *geo-fencing* (geoperimetraje) para averiguar su ubicación.

---

[1] www.mobilemarketer.com/cms/news/advertising/6855.html; consultada el 25 de octubre de 2011.

El geoperimetraje no es tan complicado. Utiliza tres torres con antenas de telefonía móvil para averiguar dónde se encuentra el usuario enviando señales desde su *smartphone*. Esto es algo que las operadoras de móviles hacen constantemente y ahora son las empresas comerciales quienes también utilizan esta tecnología para que sus mensajes sean más relevantes aún si cabe para los consumidores.

Ahora que The North Face, además de su compañía telefónica, sabe dónde está, puede enviarle mensajes con ofertas especiales la próxima vez que se encuentre cerca de una de sus tiendas. El mensaje de texto podría ser del estilo de: "Bienvenido a San Francisco. Ahórrese un 25 por 100 en el precio de los sacos de dormir durante las 24 horas de nuestra promoción del Día del Trabajo". O tal vez: "Bienvenido a Katmandú. Aprovéchese del 20 por 100 de descuento en crampones para su próximo viaje al Everest".

La publicidad basada en la ubicación, el marketing por Bluetooth y los servicios de localización formarán las próximas vanguardias en el terreno del marketing móvil. No deje de estar al tanto de estas innovadoras herramientas de marketing de reciente aparición. Funcionaron en el caso de The North Face y es muy probable que funcionen para usted también.

LA CAMPAÑA B2B MOBILE PAID SEARCH DE INTEL

No todas las campañas a través de *smartphones* tienen por qué recaer en atractivos sitios Web o en caros desarrollos de aplicaciones. A veces es suficiente con una estrategia tan sencilla como introducir anuncios en los resultados de búsquedas móviles por los que se paga cuando el usuario hace clic sobre ellos.

Eso es lo que Intel vio cuando lanzó una campaña de pago por anuncio en búsquedas móviles a través de la plataforma Bing, con la que respaldar su campaña "Meet the Processors" (Conozca los microprocesadores). Covario, la agencia de búsquedas de Intel, utilizó búsquedas por términos exactos y con una correspondencia amplia para dirigir a la gente al sitio Web móvil de la marca.

¿Cómo fueron sus resultados? Impresionantes. La empresa se dio cuenta de que las búsquedas móviles en Bing presentaban una relación coste/beneficio un 40 por 100 superior a las búsquedas en línea ordinarias. Imagínese la cara de su director financiero cuando se presente y le diga que ha ahorrado 40 céntimos de cada euro en la campaña con sólo usar las búsquedas móviles en lugar de las normales.

La conclusión es que las búsquedas móviles están aún infrautilizadas como herramientas de marketing y que conviene adoptarlas ahora que todavía son relativamente baratas.

CAMPAÑA CON DISPLAY ADS PARA SHREK DE LA PARAMOUNT

Más de 50 millones de personas visitan la página Web móvil de Yahoo!. Eso suma un millón y medio de visitantes al día. Por contraste, la Web ordinaria de Yahoo! recibe 140 millones de visitas al mes, unos 4,6 millones al día.

Paramount decidió sacar partido del alto volumen de tráfico de Yahoo! y creó una campaña multimedia alrededor del lanzamiento de la última película de Shrek.

Los visitantes de la página Web móvil de Yahoo! verían la parte superior de la cabeza de Shrek en la parte inferior de la pantalla de sus *smartphones*. Cuando pulsasen la parte superior de su cabeza, el personaje surgiría para ocupar toda la pantalla.

Si pulsaban nuevamente la cabeza de Shrek, serían redirigidos al micrositio Web móvil de *Shrek* donde podrían comprar entradas o ver más información sobre las sesiones de exhibición de la película.

EL MEDIO DE PAGO MÓVIL, MOBILE CARD, DE STARBUCKS

De acuerdo. La tarjeta móvil, Mobile Card, de Starbucks no es exactamente marketing móvil, sino que, más bien, es un ejemplo de comercio electrónico móvil. No obstante, la cadena de cafeterías hizo un trabajo tan bueno a la hora de fomentar el uso de los pagos con el móvil entre sus clientes que no podíamos sino mencionarla aquí.

Veamos cómo funciona. Los consumidores descargan la aplicación móvil Mobile Card de Starbucks en sus teléfonos móviles. Después, cargan dinero en la Mobile Card, que se encarga de registrar la cantidad que almacena en cada momento.

Cuando el consumidor esté en un Starbucks, abrirá la aplicación para que el encargado escanee el código de barras en sus pantallas. Si el café cuesta 4,95 euros, se deducirán 4,95 euros en el balance de su Mobile Card.

Esto presenta numerosas ventajas para Starbucks. En primer lugar, tener una aplicación de pagos móviles para las tiendas anima a los usuarios a volver a visitarlas aunque sólo sea para usarla. En segundo lugar, la aplicación de pago móvil incrementa el grado de fidelidad a la marca porque usar una aplicación de una de sus marcas favoritas crea un vínculo emocional en el cliente. En tercer lugar, está el impacto de marketing que se deriva de enganchar a los clientes con la marca Starbucks de una forma moderna e innovadora.

EL SITIO WEB MOBILE TRACKER DE ADIDAS

Aproximadamente 30.000 personas participan en la maratón de Londres cada año y más de un millón la siguen a pie de calle. Con esa cantidad de corredores y espectadores, Adidas sabía que tenía una oportunidad de atraer gran público, que estarían interesado en seguir los resultados de sus corredores favoritos.

Así pues, ¿qué hizo Adidas? El fabricante de material deportivo creó un sitio Web para móviles en el que los usuarios podrían introducir el número de su corredor favorito y seguir puntualmente sus progresos. El sitio Web estaría vinculado a las etiquetas RFID que cada corredor incorporaba en sus zapatillas. A medida que el corredor progresaba a lo largo de la ruta de la maratón, un ordenador, conectado a la Web, registraba los datos.

Los espectadores, más de un millón, podrían conocer la posición, velocidad media y tiempo previsto hasta la finalización de cualquier corredor. Además, recibirían información de la carrera, de cómo navegar a diferentes áreas de visualización y también sobre el tiempo, que muy probablemente sería frío y lluvioso, típico de Londres.

Casi medio millón de personas utilizó la Web móvil para seguir a más del 10 por 100 de los corredores. Esto hizo destacar la presencia de Adidas como marca entre los asistentes.

LA CAMPAÑA FOURSQUARE DE HISTORY CHANNEL

Foursquare tiene más de 11 millones de miembros y ha generado más de 400 millones de *check-in*, incluido uno desde el espacio exterior.[2] The History Channel, el Canal de Historia en España, se dio cuenta de que *los check-in* de Foursquare le proporcionaban una estupenda manera de conectar con potenciales espectadores. Así, decidió crear breves notas históricas en Foursquare que los usuarios verían cuando se conectaran desde determinadas ubicaciones.

Por ejemplo, cuando los usuarios se conectaban en una ubicación próxima a Skylight Studios, en Nueva York, se les informaba de que cerca de allí se encuentra el sitio donde se vendió el primer ascensor Otis, en 1853. Atrayendo de esta manera, con hechos históricos locales, a la gente, el Canal de Historia fue capaz de mantenerse conectado con los amantes de la Historia y de las historias.

---

[2] http://searchenginewatch.com/article/2081107/Foursquare-Hits-10-Million-Users-Yeah-Thats-1000-Annual-Growth; consultada el 25 de octubre de 2011.

LA CAMPAÑA EN GOWALLA DEL EQUIPO NEW JERSEY NETS

Los New Jersey Nets querían crear expectación y fomentar el compromiso entre sus fans mediante Gowalla, así que ocultaron pares de entradas virtuales por todo Nueva York.

Las entradas virtuales se ubicaron en bares deportivos, parques y gimnasios, y eran intercambiables por entradas reales para partidos concretos. Los asistentes también ganaban unas camisetas y la posibilidad de obtener más premios.

Si su empresa es un hotel, línea aérea, franquicia deportiva, parque de atracciones, parque acuático o cualquier otra que dispone de excedentes de inventario durante los periodos de menor actividad, este tipo de promoción es ideal para ella. Piénselo por un momento. El coste de regalar entradas no vendidas para un partido es simplemente nominal, mientras que el compromiso y la demanda que generan entre la gente, que podría no haber ido al partido, pueden hacer crecer la cuota de mercado.

LA CAMPAÑA WIFI DE HISCOX BASADA EN LA UBICACIÓN

Hiscox, una compañía de seguros internacional, lanzó una campaña WiFi basada en la ubicación en el Reino Unido que integraba *banners* para los dispositivos móviles con carteles anunciadores de una campaña tradicional.

Cuando los usuarios de negocio se conectaban a redes WiFi públicas próximas a algún cartel de Hiscox, eran saludados con un anuncio digital en sus navegadores que estaba relacionado con el cartel exterior de las proximidades. En otras palabras, si se conectaban a Internet desde un restaurante en el Covent Garden, los anuncios en sus pantallas se correspondían con los anuncios de las vallas publicitarias exteriores próximas.

Tanto los anuncios de Internet como las vallas exteriores se diseñaron específicamente para personas ubicadas en las cercanías del Covent Garden. El resultado tuvo una doble consecuencia. Por un lado, las vallas exteriores se encontraban estratégicamente situadas junto a puntos de acceso WiFi. Por otro, aparecían anuncios en las pantallas de bienvenida a los usuarios que se conectaban con sus *smartphones*, portátiles o tabletas.

¿Qué tal le fue a la campaña? Extraordinariamente bien. La tasa de seguimiento de vínculos de la campaña basada en la ubicación de puntos de acceso WiFi fue cinco veces superior que la media de la compañía en campañas tradicionales de anuncios en línea.

LA CAMPAÑA DE NISSAN CON MICROSOFT TAGS

Nissan buscaba una forma de promocionar su nuevo coche eléctrico, el LEAF, de una manera que resultase atractiva para una audiencia joven, con conciencia ecológica y saludable.

El fabricante de automóviles creó una campaña con anuncios que promocionaban la *Innovation for Endurance* (Innovación para la sostenibilidad), que tenía como protagonista al corredor de fondo Ryan Hall.

Definición de código 2D

Un código 2D es un código de barras móvil que permite que la cámara de un *smartphone* actúe como un escáner.

Ejemplos de códigos 2D incluyen los códigos QR, Microsoft Tags (Etiquetas Microsoft), SPARQCodes y códigos Data Matrix.

Si todavía no tiene un lector de códigos 2D instalado en su teléfono, visite `BeeTagg.com` o `SPARQ.it` desde su móvil.

En la parte superior izquierda del anuncio impreso, los lectores se encontraban con un código 2D Microsoft Tag de vivos colores. Una vez escaneado con el móvil, abría un vínculo a una página en Facebook que mostraba a Ryan Hall y las más recientes innovaciones para corredores, ciclistas, practicantes de yoga y otras actividades de *fitness*.

El propósito de la campaña no era otro que la pura promoción de la marca. Nissan tenía claro que la interacción de potenciales clientes con la marca, por el medio que sea, siempre es mejor que la sola lectura de anuncios en una revista.

Como resultado de todo esto, la compañía decidió que lo mejor era dirigir a la gente a una página de Facebook que continuara con la promoción de la marca, en vez de que llegaran a una página donde solamente pudieran suscribirse para una prueba.

Esto sirve para destacar un punto importante en el marketing móvil y, por extensión, de todo el marketing del siglo XXI: es vital establecer primero una relación con los clientes, antes de empezar a venderles los productos. Esto es particularmente importante si el mercado objetivo es menor de 35 años, puesto que la gente joven tiende a resistirse a las estrategias de ventas agresivas, típicas del siglo pasado.

LAS APLICACIONES DE COMERCIO MÓVIL DE FANDANGO Y MOVIETICKETS.COM

¿Qué mejor uso de la tecnología móvil que dar la oportunidad a la gente de comprar entradas dondequiera que esté? Eso es lo que pensaron Fandango y MovieTickets.com desde el principio.

Los resultados han sido sorprendentes: el 17,4 por 100 de las entradas vendidas para la película *Transformers: Dark Side of The Moon*, de la Paramount, se compraron directamente desde las aplicación, no desde la Web, de MovieTickets.com.[3] Asimismo, el 19 por 100 de las entradas vendidas para *Harry Potter and the Deathly Haiows, Part 2* (en España, *Harry Potter y las reliquias de la muerte, segunda parte*) se compraron desde la aplicación de Fandango.[4]

¿Por qué son estos dos casos relevantes para su empresa? Porque muestran que el marketing móvil no va sólo de promoción de la marca ni de anuncios, sino que tiene un aspecto comercial inmediato. En pocas palabras, cuantas más transacciones sea capaz de realizar mediante un *smartphone*, más probable será que la campaña se pague a sí misma.

APLICACIÓN DE PEDIDOS DE DOMINO'S PIZZA

La imagen de marca de Domino's en las redes sociales se vio al principio ensombrecida cuando dos empleados pusieron un vídeo en YouTube que tuvo efectos muy negativos. Así pues, si alguna compañía podía temer a las nuevas tecnologías como redes sociales y dispositivos móviles, ésa sería Domino's.

No obstante, en el haber de la cadena de pizzerías y de su director de marketing, queda la decisión de adoptar con entusiasmo los nuevas redes sociales y dispositivos móviles. En primer lugar, lanzaron una atractiva campaña en televisión y a través de YouTube que animaba a que todo el mundo interaccionara con la marca a través de múltiples canales de comunicación. Después, con una sorprendentemente amigable aplicación que permite a la gente encargar pizzas, personalizar los pedidos y pagarlas, y todo ello desde su *smartphone*.

Si se piensa en la verdadera complejidad de encargar algo tan sencillo en apariencia como una pizza, no es difícil entender el desafío que suponía diseñar una aplicación que cualquier usuario normal pudiera descargarse y utilizar en cuestión de minutos. Piénselo por un momento. Domino's ofrece docenas

---

[3] www.hollywoodreporter.com/news/movieticketscom-sees-surge-mobile-app-210358; consultada el 25 de octubre de 2011.

[4] www.mobilemarketingwatch.com/fandango-for-mobile-becomes-a-big-draw-for-the-box-office-this-summer-17287; consultada el 25 de octubre de 2011.

de ingredientes diferentes, quesos, masas y salsas, que presentan centenares de millones de combinaciones potenciales. En serio, no hay más que hacer los cálculos combinatorios. Con todo eso, la aplicación logra hacer el proceso de pedido lo más sencillo posible.

CAMPAÑA DE DISPLAY ADS DE LAND ROVER

Land Rover llevó a cabo una campaña ordinaria de *banners* de publicidad en móviles que le reportó beneficios extraordinarios. El público objetivo de la compañía lo forman varones de elevados ingresos, de modo que el fabricante empleó la red de publicidad móvil AdMob.

AdMob es propiedad de Google. Entre los sitios elegidos para mostrar los anuncios estaban CBS Sports/ News (noticias y deportes de la CBS), AccuWeather y diversos otros sitios de visita habitual por parte del público objetivo de la firma. Además, AdMob se dirigió a varios modelos concretos de *smartphone* adquiridos típicamente por varones de elevados ingresos.

La campaña contenía varias acciones posibles para los clientes potenciales que hicieran clic en los anuncios *rich media*, es decir, multimedia o con medios enriquecidos. Por ejemplo, los usuarios podrían ver vídeos de los vehículos en acción o una galería de imágenes, así como seleccionar su color favorito para un Land Rover y descargarlo como fondo de pantalla para sus móviles. Por supuesto, también podrían introducir el código postal para buscar el concesionario más cercano, su dirección de correo electrónico para recibir un catálogo o concertar una prueba.

> ### Definición de anuncios rich media o multimedia
>
> La publicidad digital multimedia presenta anuncios con animación, vídeo y cierto grado de interactividad. Los anuncios o *banners* tradicionales son estáticos y carecen de interactividad.
>
> Los anuncios multimedia resultan más atractivos y, por lo tanto, suelen generar mayores tasas de seguimiento de vínculos.

A su término, los vídeos de la campaña se vieron 45.000 veces, se descargaron 7.400 fondos de pantalla, las galerías se visitaron en 128.000 ocasiones, hubo 5.000 búsquedas de concesionarios, 800 peticiones de catálogos y 1.100 solicitudes de llamada para concertar pruebas.[5]

---

[5] www.admob.com/marketplace; consultada el 25 de octubre de 2011.

CONCLUSIÓN

Ahora que ha tenido la oportunidad de revisar el empleo que algunas marcas bien establecidas han hecho del marketing móvil para elevar sus ventas e ingresos, llega el momento de saber cómo lo usan los consumidores.

El punto de partida para cualquier campaña de marketing que pretenda tener éxito consiste en pensar hacia atrás y ponerse en la piel de los consumidores. En el capítulo siguiente, analizaremos cómo utilizan los consumidores sus *smartphones* para así poder crear campañas que encajen en sus pautas de uso.

Haga lo siguiente

▶ Estudie cómo las grandes corporaciones utilizan los medios móviles para conectar con los clientes.

▶ Tome prestadas las tácticas que parezcan funcionar mejor e ignore las que no.

▶ Averigüe cómo puede aplicar sus conocimientos a su propia campaña de marketing móvil.

No haga esto

▶ No dé por sentado que el marketing sobre dispositivos móviles está reservado a las grandes corporaciones con enormes presupuestos.

▶ No opte siempre por las aburridas, aunque seguras, ideas típicas de marketing móvil. Las campañas más innovadoras son a menudo las que más éxito tienen.

▶ No dé por supuesto que las campañas de marketing móvil deben resultar caras. A veces, como en el caso de Intel y Land Rover, el marketing móvil es tan sencillo como una campaña con anuncios de pago por visita en búsquedas o una con *banners* para móviles.

3. El atractivo de la tecnología móvil para los consumidores

En los dos primeros capítulos, guiamos al lector por los primeros pasos para iniciar una campaña de marketing para dispositivos móviles y describimos algunas de las mejores campañas de marketing móvil del mundo.

En este capítulo, vamos a hablar sobre cómo los consumidores se sienten atraídos por los medios móviles para que aprenda a conectar mejor con ellos mientras usan sus *smartphones*.

Clientes en movimiento

Los deseos y las necesidades de los clientes móviles no son diferentes a las de la población general. De hecho, si tenemos en cuenta el grado de penetración de los dispositivos móviles, sus usuarios "son" la población general.

Cada vez más consumidores utilizan sus teléfonos móviles para más propósitos y eso puede ocasionar que algunas técnicas de marketing tradicionales queden rápidamente obsoletas.

¿Está pensando ya en iniciar una campaña de marketing móvil? La creación de una comunidad con una "efervescencia colectiva", el sentimiento que los individuos tienen cuando sienten que forman parte de un gran grupo de gente que comparte deseos y objetivos, encierra sus propios desafíos.

Eventos deportivos, campañas electorales, conciertos y ceremonias de iniciación ofrecen oportunidades de usar la tecnología digital para evocar un sentimiento de diversión y bienestar centrado en su marca.

Con todo un mundo de información al alcance de su mano, los consumidores son capaces, hoy día, de acercarse a las marcas de muchas formas novedosas y creativas. Todo ello según su propio criterio y a su manera. Las marcas se han dado cuenta de que los intereses de los consumidores en el mundo móvil pueden ser, en el mejor de los casos, efímeros. Así pues, las que sean capaces de atrapar y mantener esa huidiza atención con recompensas orientadas al móvil, descuentos y otros incentivos promocionales serán las triunfadoras en último término.

Por supuesto, para construir y capitalizar la vital relación del cliente móvil con su marca, las empresas deben encontrar la forma de satisfacer tanto a los clientes deseosos de establecerla como a los que no lo están tanto, siquiera de forma parcial. Con las numerosas opciones móviles disponibles en la actualidad, lo que quita el sueño a las empresas es conseguir dar con la manera de conservar a los clientes a largo plazo. ¿Cómo es posible generar contenido que no sólo sea accesible desde el móvil, sino que se pueda volver de uso común? Hablemos ahora de cómo los consumidores usan la tecnología en la actualidad para relacionarse con sus marcas favoritas.

ESTABLECER LA CONEXIÓN

Antes de revisar el tipo de conexiones móviles que un consumidor puede establecer con una marca, es importante aprender cómo se harán dichas conexiones. Recordemos que no hace tanto tiempo que la gente sólo usaba los móviles para hacer llamadas. En la actualidad, los dispositivos móviles se utilizan para ir de compras, ver vídeos, comprobar los marcadores deportivos, jugar a videojuegos y para mantener el contacto con amigos y familiares a través de las redes sociales.

Esto significa que un sitio Web diseñado para los móviles es el primer paso que debe dar cualquier marca o empresa que desee establecer una relación a largo plazo con sus clientes. En la mayoría de los casos, la marca no tiene más que adaptar los contenidos de su propia Web tradicional para que resulten accesibles desde los navegadores móviles. Generalmente, eso implica simplificar las páginas para adaptarlas a pantallas más pequeñas. Una vez hemos dado ese paso, comunicar la disponibilidad de nuestra Web optimizada para dispositivos móviles cobra gran relevancia.

La Web estándar de una marca se puede usar para promocionar la existencia de una Web móvil propia. De hecho, no es difícil redirigir el tráfico móvil que llegue a la Web estándar para que llegue a la Web específica para móviles. No obstante, de ese modo no se hace mucho por informar a clientes potenciales que aún no hayan conectado con la marca. Por suerte, la publicidad y las búsquedas móviles facilitan los medios para llegar a ese tipo de clientes. Una buena clasificación en las búsquedas móviles no sólo hará una marca más fácilmente accesible para cualquier consumidor interesado, sino que unos anuncios móviles bien situados ofrecen la posibilidad de llegar hasta clientes potenciales.

CÓMO ESTABLECER EL VÍNCULO

No importa el medio que elijan los clientes para aproximarse a una marca. Sea éste un *smartphone*, una tableta o cualquier otro, es responsabilidad de la empresa proporcionar una experiencia que los haga volver de tanto en tanto. Con el acceso móvil, los clientes no carecen de formas de pasar su tiempo. Están conectados directamente a una fuente ilimitada de información, que incluye correos electrónicos tanto personales como profesionales, noticias locales y de todo el mundo y contenidos de las redes sociales. Por eso, la confianza en la fidelidad de la marca o en los esfuerzos de ésta para consolidar dicha fidelidad entre sus clientes se articula sobre tres elementos específicos: unos contenidos sólidos, una experiencia interactiva y unos incentivos adecuados para el usuario.

Dependiendo de la marca, los contenidos pueden ir desde información relacionada con sus productos y servicios hasta plataformas de *microblogging*, como Twitter. Mientras que la información relevante puede atraer al usuario, una vez dicha información se haya obtenido o "consumido", se le deberá ofrecer una razón para volver. Los contenidos se pueden compartir y elaborar abiertamente, creando interactividad con la marca y estableciendo una comunidad de usuarios. Cuando se está construyendo una comunidad, los incentivos pueden ofrecer un medio de asegurar una fidelidad continuada. Descuentos temporales, promociones, concursos reservados a los usuarios de móviles y contenido exclusivo son medios óptimos de fortalecer la relación del cliente con la empresa o marca.

MEDIOS PARA LA FIDELIZACIÓN DE CLIENTES

A medida que las técnicas para fidelizar a los usuarios de *smartphones* se multiplican, las marcas se ven forzadas a adaptarse. Desde sencillas notificaciones por SMS para suscriptores hasta códigos 2D o QR, los consumidores actuales están listos para, y deseando, fidelizarse con sus marcas favoritas por un número de medios sin precedentes. Teniendo presente eso, probablemente resulte una buena idea, para las empresas, desarrollar cualquier canal móvil posible que pueda ser, a la postre, útil para conectar con clientes potenciales y ofrecerles contenidos relevantes.

Por ejemplo, el marketing basado en la localización puede constituir un canal de comunicación de doble sentido para la fidelización cliente/marca. Con el uso de códigos QR/2D, las marcas pueden permitir a clientes presentes físicamente que escaneen productos para contenidos en línea adicionales mediante sus dispositivos móviles. Desde descuentos exclusivos hasta especificaciones de producto más detalladas, los usos de las técnicas de marketing móvil no tienen límite. Esto las convierte en una estrategia ideal para aquellas marcas que busquen facilitar la fidelización. Además, mediante el uso de estrategias de suscripción a SMS o MMS, las marcas cuentan con la capacidad de avisar a sus clientes de ofertas exclusivas, disponibilidad de productos, contenidos y otras promociones basadas en contenidos, de forma local.

Mientras tanto, las aplicaciones para *smartphones* permiten la fidelización de los consumidores en una variedad de formas útiles. Las empresas nunca antes han gozado de tal variedad de medios para fidelizar a los clientes de una forma simple y efectiva, desde aplicaciones para conectar a través de las redes sociales o para navegar por tiendas virtuales hasta la comprobación de información en cuentas de usuario e incluso la posibilidad de hacer transacciones con tarjetas de crédito.

FIDELIZACIÓN CON MARKETING MÓVIL

Muchos tipos de marketing no dejan más de treinta segundos a los anunciantes para presentar sus productos, lo que da apenas tiempo para el esquema clásico de problema/solución y beneficio que aporta el producto o servicio. En el caso de las campañas de marketing móvil, los anunciantes cuentan con un par de segundos, el tiempo medio para hacer un doble clic, para hacer llegar sus mensajes. Más que ligeramente abrumador, ¿no le parece?

Además de contar con tan poco tiempo para atraer la atención, hay que contar con que la mayoría de los usuarios móviles estarán inmersos en otra actividad mientras utilizan sus teléfonos móviles. Mientras recorren toda la información que les llega por sus *smartphones*, puede que estén haciendo cola para una película, esperando un tren o un autobús, subiendo por un ascensor, caminando por la acera o sentados frente a su escritorio. Hablando de las distracciones: son una auténtica pesadilla para los anunciantes.

Como los *smartphones* se usan para realizar encuestas, leer contenidos, consumir entretenimiento y adquirir información, los negocios de hoy en día deben aprender a trabajar frente a las limitaciones y distracciones si quieren hacer que su marketing móvil sea efectivo. Las limitaciones inherentes cuando se toma en consideración una posible campaña de marketing móvil incluyen:

▶ Una ventana temporal muy estrecha en la que obtener la atención necesaria para transmitir el mensaje.

▶ Acciones de respuesta en los dispositivos móviles combinadas a menudo con otras actividades.

▶ Pantallas de pequeño tamaño para presentar el mensaje.

Vamos a darle algunos consejos para utilizar el marketing móvil con el fin de atraer con éxito, a los consumidores hacia nuestro negocio o marca.

▶ **Establezca un objetivo:** Determine exactamente sus objetivos para la campaña de marketing móvil. Cuente con que el usuario debe absorber sus contenidos en el mismo tiempo que tardará en hacer doble clic, es decir, en dos segundos.

▶ **Marque su cliente objetivo:** Investigue cómo tienden a emplear los móviles los usuarios de su público objetivo. ¿Es para su entretenimiento o es para leer las cotizaciones en bolsa?

▶ **Cree atractivas llamadas a la acción:** El titular que utilice deberá ser conciso, breve e impactante y tendrá que transmitir instantáneamente el mensaje, al tiempo que anima al espectador a aprender más. La brevedad domina en este medio.

▶ **Minimice los componentes de página:** Las páginas saturadas de gráficos se cargarán lentamente, tan lentamente, en ocasiones, que el usuario dejará atrás su mensaje y pasará a otra cosa. Los investigadores muestran que los usuarios de móviles prefieren hacer clic o pulsar antes que desplazar la pantalla (*scroll*).

▶ **Anime a compartir:** Hacer que un usuario comparta su mensaje de marketing es, posiblemente, la forma más potente de extender el alcance y e incrementar la visibilidad.

▶ **Considere la interactividad:** Añadir interactividad al mensaje de marketing móvil puede fomentar el compromiso y la conversión de visitantes en clientes. Por ejemplo:

▶ Clic/texto para llamar.

▶ Clic/texto para solicitar una muestra.

▶ Clic/texto para solicitar información adicional.

▶ Clic/texto para participar en un concurso o votación.

▶ Clic/texto para localizar la tienda más próxima.

▶ Clic/texto para recibir descuentos o cupones.

▶ Clic/texto para descargar contenido.

FIDELIZACIÓN CON DIFERENTES DISPOSITIVOS

Afrontémoslo, vamos a tener que utilizar diferentes dispositivos para distintas aplicaciones. Es razonable, entonces, suponer que la fidelización dirigida a un ordenador personal, a un *smartphone* o a una tableta requerirán técnicas de marketing distintas en cada caso.

Normalmente, cuando nos sentamos frente a un ordenador, esperamos información más detallada, una navegación más sencilla y una pantalla más grande y fácil de leer para acceder a los datos. Los sitios Web que utilizamos en el ordenador de sobremesa serán más grandes y tendrán más páginas. Es muy probable que el usuario se vuelva ciego para la publicidad en este dispositivo. Seguramente estará más interesado en análisis de productos, contenidos específicos y el resto de información relacionada con su búsqueda. Obviamente, es una experiencia totalmente distinta a la del usuario móvil.

En cuanto a los *smartphones*, lo más probable es que se utilicen para buscar información rápida, localizar tiendas cercanas y comprobar el correo electrónico o las cuentas en las redes sociales. La pantalla más pequeña hace más difícil leer información detallada y el tiempo de carga de la Web móvil se convierte en un factor crucial. Aunque el usuario no se oponga a la publicidad en un *smartphone*, sus expectativas incluirán que la Web móvil le proporcione información básica con una navegación sencilla y gráficos sobre los que hacer clic con facilidad.

Google informa que hasta un 81 por 100 de los usuarios de *smartphones* acceden a Internet desde sus dispositivos móviles, lo que no resulta sorprendente. Asimismo, el 50 por 100 accede a Internet desde sus teléfonos móviles mientras espera. Más sorprendente es el hecho de que el 70 por 100 de los usuarios dejaría antes la cerveza que su *smartphone* si les dieran a elegir.[1]

Los usuarios de tabletas sacan tiempo para actividades de entretenimiento como los juegos, la navegación por Internet, las compras y el consumo de contenidos digitales. Una reciente encuesta de Nielsen mostraba que las tabletas tienen la proporción más elevada de gente que utiliza el dispositivo mientras ve la televisión: el 40 por 100.[2] Los usuarios de tabletas suelen usarlas también para ver vídeos y leer libros. Asimismo, están más dispuestos a aceptar publicidad y a comprar después de ver un anuncio, que los usuarios de *smartphones* u otros dispositivos.

Las actividades más populares con las tabletas, de acuerdo con AdMob, incluyen los juegos (84 por 100), buscar información (78 por 100) y el correo electrónico (74 por 100). Entre las menos populares están las compras (42 por 100), leer libros (46 por 100) y el consumo de entretenimiento digital (51 por 100).[3] Hasta las actividades menos populares logran un seguimiento asombroso en las tabletas.

---

[1] www.telenav.com/about/pr-summer-travel/report-20110803.html; consultado el 23 de octubre de 2011.

[2] http://blog.nielsen.com/nielsenwire/online_mobile/40-of-tablet-and-smartphone-owners-use-them-while-watching-tv; consultado el 23 de octubre de 2011.

[3] www.guardian.co.uk/technology/appsblog/2011/apr/08/tablets-mainly-for-games-survey; consultado el 23 de octubre de 2011.

En el seno del marketing móvil, encontramos opciones ilimitadas. Todas éstas se pueden combinar, con el suficiente presupuesto, personas y conocimientos, y funcionar bien junto con las campañas de marketing más tradicionales. Pero, de acuerdo con Google, el 79 por 100 de los grandes anunciantes en línea carecen de una Web optimizada para móviles.[4] Esto dificulta el acceso fácil y rápido de los usuarios móviles a aquello que buscan.

Entre las consideraciones a tener en cuenta para el marketing móvil están:

▶ **Sitios Web para móviles:** Un método para distribuir contenidos que se centra en los usuarios que buscan información específica.

▶ **Aplicaciones móviles:** Generalmente, contenidos o software que el usuario se descarga en su dispositivo.

▶ **Mensajería móvil:** Puede limitarse a mensajes de texto o incluir también imágenes y audio para una experiencia enriquecida.

▶ **Vídeo móvil:** Distribuido por la red móvil. Puede ser en *streaming* o mediante descargas de archivos de vídeo.

Cuando piense seriamente sobre dónde empezar con el marketing móvil, recuerde que ya ha empezado en realidad. Leyendo este libro pone en marcha su motor de marketing móvil. Pero, antes de que pueda poner en marcha cualquier proyecto nuevo, piense en aprender y prepararse bien y recuerde que en 2012 el 85 por 100 de los dispositivos móviles tendrán capacidad de navegación por la Web, que una de cada tres búsquedas desde móviles será para ubicaciones locales y que este tipo de búsquedas ha crecido un 400 por 100 en 2011 respecto a 2010 (datos de Google).[5]

A buen seguro está muy emocionado con la tecnología móvil y con lo que ésta puede hacer por sus campañas de marketing. Ahora es cosa suya correr la voz. Informe a sus colegas y directores del poderoso impacto que la tecnología móvil puede tener en su estrategia en línea. No se detenga ahí:

▶ Prepárese usted mismo definiendo bien sus objetivos. Pregúntese qué desea lograr, tanto a largo como a corto plazo, con sus campañas de marketing y en el seno de su negocio.

▶ Defina el mejor canal de marketing móvil para su marca.

▶ Elija a la persona o al equipo adecuado para hacerse cargo de la actividad móvil.

---

[4] www.google.com/think/insights/topics/think-mobile.html; consultado el 23 de octubre de 2011.

[5] http://searchengineland.com/microsoft-53-percent-of-mobile-searches-have-local-intent-55556; consultado el 23 de octubre de 2011.

- ▶ Determine su presupuesto y compruebe que es realista.

- ▶ Lo más importante: configure las métricas adecuadas para valorar el nivel de compromiso o las tasas de respuesta, puesto que los resultados variarán dependiendo del canal móvil y de la propia campaña de marketing.

Haga lo siguiente

- ▶ Piense en pequeño. A diferencia de muchas campañas de marketing en las que se suele pensar "a lo grande", en la tecnología móvil hay que tener en cuenta hasta el último recurso: las pantallas son más pequeñas y unos mensajes más pequeños pueden dar grandes resultados.

- ▶ Tenga en cuenta que el usuario estará haciendo otra cosa. Los usuarios de móviles casi siempre están haciendo otra cosa al mismo tiempo que miran sus *smartphones* o tabletas. Una investigación reciente por parte de ABI constató que los usuarios móviles comprueban su correo electrónico (80 por 100), miran la previsión del tiempo o leen noticias (63 por 100 de cada), escuchan música o ven las cotizaciones en bolsa (53 por 100 de cada), miran los resultados deportivos (51 por 100), buscan información (48 por 100) o juegan con videojuegos (39 por 100).[6]

No haga esto

- ▶ No ignore el marketing móvil. Aunque no todos los negocios tienen la capacidad o el dinero para desarrollar una aplicación útil, como mínimo, cualquiera puede iniciarse en el marketing móvil creando una versión adaptada de su página Web.

- ▶ No asuma que el marketing móvil no tiene nada que ver con su negocio. La tecnología móvil está aquí para quedarse. Existen innumerables *blogs*, sitios Web y medios de información con los que mantenerse al día en este campo particular del marketing. Para que un negocio sea moderno y competitivo, el marketing móvil debe ser una parte primordial de la estrategia global de marketing.

---

[6] `www.mobilemarketer.com/cms/news/research/10471.html`; consultado el 23 de octubre de 2011.

4. Hablemos claro. Términos y conceptos con los que se debería familiarizar

Probablemente se esté preguntando a qué viene un capítulo sobre terminología. Si es así, le diremos que puede saltárselo y pasar al siguiente ahora mismo.

Ahora bien, aunque seguramente sabe qué es un SMS o un MMS, probablemente desconozca términos tales como *chat bot*, tasa de adquisición o texto predictivo. Más aún, seguramente querrá entender bien algunos de los conceptos clave de la tecnología y el marketing móvil. Después de todo, la razón principal para leer este libro no es otra que aprender a utilizar esta técnica para incrementar las ventas. Si va a usarla en su negocio, resulta muy importante entender los conceptos básicos del marketing en general.

COMPRENDER EL COMPORTAMIENTO DEL COMPRADOR

Empecemos con un concepto primordial: la forma en que la gente compra los productos. Cuando se conoce un poco el comportamiento comprador de los consumidores, es posible convencerlos con más facilidad de que adquieran nuestros productos y no los de la competencia.

La gente adquiere los productos por motivos emocionales y sólo después racionaliza la compra con lógica

Cuando un hombre entra en un concesionario de Porsche y se lleva un coche de 150.000 euros, ¿cree que lo hace porque tiene unas válvulas especiales o porque se siente joven y viril conduciéndolo?

Cuando una mujer se compra un reloj Rolex de 10.000 euros, ¿piensa que lo hace porque da la hora mejor que uno de 50 euros o porque eso la hace parecer más sofisticada y elegante?

La gente compra la mayoría de los productos por la forma en la que eso les hace sentirse. En otras palabras, adquieren los productos por motivos emocionales, pero, si fuéramos a preguntar al hombre que se compró el coche de 150.000 euros, sin duda racionalizaría su compra con lógica.[1]

"Compré el Porsche porque tiene unas válvulas especiales, un par motor de 390 Nm y 345 CV".

Falso, lo mismo vale para cuando la gente compra productos muy baratos. En un estudio de la Baylor University se pidió a 67 personas que probasen a ciegas una CocaCola y una PepsiCola.[2] Resultó que alrededor de la mitad prefirieron la CocaCola y la otra mitad la Pepsi.

Sin embargo, cuando la universidad hizo la prueba dando a conocer el refresco a los participantes, el 75 por 100 de ellos prefirió la CocaCola. ¿Por qué pasó eso? Todo esto nos lleva de vuelta a lo que dijimos antes: la gente compra por motivos emocionales y la CocaCola goza de mayor impacto emocional que la Pepsi.

Para entender mejor dicho resultado, podemos hacer una prueba. Tomamos una hoja de papel y escribimos todas las palabras y frases que nos evoque la CocaCola. Probablemente, terminemos con una lista que incluya: felicidad, clásica, osos polares, Papá Noel, etc.

Si hacemos lo mismo con Pepsi, el imaginario no tiene la misma hondura emocional. Seguramente, escribamos los nombres de algún famoso, como Madonna, Michael Jackson o Britney Spears.

Es decir, ¿quién está más arraigado en la mente de los consumidores Papá Noel o Britney Spears? Por supuesto, Papá Noel, a quien CocaCola usa en sus campañas desde los años treinta del siglo pasado.

En conclusión: la gente suele comprar por motivos emocionales y sólo después racionaliza la compra realizada con lógica. Como nota al margen, podemos añadir que no queremos decir que la gente compre "siempre" por razones emocionales ni que "sólo" lo hagan por eso, pero sí queremos destacar que las emociones juegan un papel muy significativo en el proceso de compra.

---

[1] www.pickthebrain.com/blog/are-you-rationalizing-your-decisions; consultada el 24 de octubre de 2011.

[2] www.60secondmarketer.com/60SecondArticles/Branding/cokevs.pepsitast.html; consultada el 24 de octubre de 2011.

Entender el Modelo AIDA de comportamiento del consumidor

Bien, ahora que ya hemos explicado el papel que representan las emociones en el proceso de compra, veamos cuál es el proceso cognitivo que tiene lugar cuando adquirimos un producto.

A finales del siglo XIX, un caballero de nombre E. St. Elmo Lewis desarrolló un modelo de conducta para los consumidores, al que llamó AIDA (*Attention, Interest, Desire, and Action*, Atención, Interés, Deseo y Acción) (véase la tabla 4.1). El modelo AIDA describe el proceso que los consumidores siguen cuando se interesan por un producto o servicio.

Tabla 4.1. El modelo AIDA Consumer Response Model (Modelo AIDA de respuesta del consumidor), que se ve en la segunda columna por la izquierda de la tabla, es uno de los varios modelos de respuesta que ayudan a explicar el proceso cognitivo por el que pasa una persona cuando evalúa la adquisición de un producto o servicio.

MODELOS DE RESPUESTA DEL CONSUMIDOR

Fase cognitiva	Atención	Conciencia conocimiento	Conciencia	Presentación atención comprensión
Fase afectiva	Interés deseo	Gustos preferencias convicciones	Interés evaluación	Ceder contenerse
Fase de comportamiento	Acción	Comprar	Adopción	Comportamiento

No mucho después de que el modelo AIDA del señor Lewis viese la luz, otros se apresuraron a "mejorarlo". Aunque muchas de esas mejoras son válidas en cierto modo, para nuestros propósitos, nos mantendremos fieles al modelo original. No en vano, éste proporciona un buen resumen de los que pasa por la cabeza de un consumidor durante el proceso de compra.

CONVERTIR UN CLIENTE POTENCIAL EN UN CLIENTE REAL

Otro concepto que analizaremos en este libro es la idea de convertir a un cliente potencial en uno real, activo. Cuando se crea una campaña de marketing, a menudo se trata de persuadir a la gente para que adquiera un producto o servicio. Otras veces, el objetivo es simplemente crear excitación o compartir información de la marca, pero, para nuestros propósitos, asumiremos que lo que se quiere es vender algo.

Cuando se lleva a cabo la campaña, se capta la atención de gente que está interesada en el producto o servicio. Esas personas son los "clientes potenciales". En muchos casos, estos clientes potenciales harán clic en un vínculo, rellenarán un formulario o visitarán una localización. Cuando se deciden y levantan la mano, por así decir, para indicar su interés en el producto o servicio, se los considera como "interesados". Cuando un "interesado" compra efectivamente un producto o servicio, decimos que se ha "convertido" en cuanto a la venta. Una vez convertidos, pasan a ser "clientes reales".

Todo el concepto de "cliente potencial", "interesado" y "cliente real" es importante, puesto que conforma el fundamento de mucho de lo que vamos a tratar en el libro.

OTROS TÉRMINOS QUE DEBERÍA CONOCER

Ahora que hemos tratado algunos conceptos básicos, vamos a pasar al vocabulario. Éstos son los términos con los que debería familiarizarse para desenvolverse bien en el campo del marketing móvil.

> ▶ **Tasa de adquisición (Acquisition rate):** La proporción de usuarios que se suscriben o convierten de clientes potenciales a clientes reales. Tasa de adquisición 1/4, participantes totales/total de la audiencia. También se conoce como "tasa de conversión".

> ▶ **Red de anuncios móviles (Ad network):** Organización que sitúa los anuncios en una amplia variedad de sitios Web móviles para que el anunciante no tenga que ocuparse de cada Web individualmente.

> ▶ **Alertas:** Notificaciones que contienen información dependiente del tiempo, por ejemplo detalles de eventos, información meteorológica, noticias, actualizaciones de servicios, etc. Éstas se envían a todos aquéllos que se hayan suscrito previamente para recibirlas.

> ▶ **Tamaño de banners:** La anchura y altura del *display-ad* situado en la Web móvil. Típicamente se representa en 305×64 píxeles o 215×34 píxeles.

> ▶ **Mensaje parpadeante (Blink message):** Un mensaje que contiene texto parpadeante con el propósito de añadir énfasis.

> ▶ **Bluetooth:** Una tecnología de comunicaciones inalámbricas que permite a los dispositivos móviles enviar y recibir información en distancias cortas por la banda de los 2,4 GHz.

▶ **Llamada a la acción (CTA, Call To Action):** Instrucciones que se dan al receptor de un mensaje de marketing móvil para que haga algo. Por ejemplo, "Llame ahora" o "Inscríbase aquí".

▶ **Operadora (Carrier, Mobile Carrier, Network Operator):** La compañía que nos manda todos los meses una factura con el coste de nuestro acceso a su red de comunicaciones.

▶ **CSS (Cascading Style Sheets, Hojas de estilo en cascada):** Un documento externo con código que define la apariencia de una Web.

▶ **Chat bot:** Una respuesta generada por ordenador que se envía a los participantes en un chat. Esta diseñada para que parezca humana, pero no lo es en realidad. Usualmente, se usa en sitios Web tradicionales, aunque a veces también en las móviles.

▶ **CTR (Click-through Rate, Proporción de clics o ratio de cliqueo):** Una forma de medir el éxito de una campaña de marketing móvil. La CTR se obtiene de dividir el número de usuarios que han hecho clic en un anuncio entre el número de veces que se presentó el mismo.

▶ **Clic para llamar (Click-to-Call):** Tradicionalmente, un vínculo que permite establecer una llamada (voz, IP, etc.) cuando se hace clic sobre él. En la actualidad, casi siempre se refiere al proceso inverso. Se trata de vínculos que se ponen a disposición del usuario, quien, al hacer clic sobre ellos, indican a la entidad que haya tras el vínculo que desean recibir una llamada para tratar algún tema.

▶ **Tasa de conversión:** Es la proporción de usuarios que pasan de clientes potenciales a clientes reales. Tasa de conversión 1/4, total de participantes/ audiencia total. También conocida como "tasa de adquisición".

▶ **CPM (Cost Per Mille, Coste por mil):** Es una métrica que se emplea para establecer el coste de los banners publicitarios. En terminología de marketing convencional, un CPM es el precio que se paga por cada mil impresiones. Trasladado a la Web, es el precio por cada mil veces que se muestra un *banner*. Este precio suele estar entre los 5 y los 10 euros.

▶ **Doble suscripción (Double opt-in):** Cuando alguien, en un principio, se suscribe a un boletín o lista de correo electrónico de nuestra empresa, suele ser habitual enviarle un segundo mensaje para confirmar su deseo de suscribirse.

▶ **GPS (Global Positioning System, Sistema de posicionamiento global):** Está compuesto de satélites y receptores que permiten situar nuestro teléfono móvil en cualquier punto sobre la superficie de la tierra que tenga cobertura. Otro sistema de localización es la triangulación por torres de antenas celulares, si bien es por entero diferente al GPS.

▶ **Impresiones:** El número de veces que los usuarios de móviles han visto un anuncio, mensaje de texto, página de aterrizaje o sitio Web concreto.

▶ **Página de aterrizaje (Landing page):** La página a la que llega cualquiera que haga clic en un anuncio móvil.

▶ **LBS (Location-based Services, Servicios basados en la localización):** Se trata de servicios proporcionados al usuario en base a su localización geográfica en un momento dado. Éstos pueden incluir mensajes de marketing, indicaciones para la conducción, servicios de monitorización padres/hijos e información sobre restaurantes, cajeros automáticos, cines, etc., que se encuentren próximos.

▶ **Mensaje MMS:** Un mensaje enviado a través de un servicio MMS (*Multimedia Messaging Service*, Servicio de mensajería multimedia) que contiene objetos multimedia.

▶ **MMA (Mobile Marketing Association, Asociación de marketing móvil):** La organización mundial sin ánimo de lucro establecida para normalizar el crecimiento del marketing móvil y sus tecnologías asociadas. Más de 700 empresas son miembros de la MMA en más de 40 países de todo el mundo.

▶ **Anuncios de pago por visita en búsquedas móviles (Mobile Paid Search):** Anuncios en los resultados de las búsquedas en Google, Bing o Yahoo! realizadas desde dispositivos móviles.

▶ **NFC (Near Field Communications, Comunicación de campo cercano):** Tecnología inalámbrica similar al Bluetooth que permite las comunicaciones entre dispositivos situados a menos de 10 cm.

▶ **Iniciación/Cancelación de suscripciones (*Opt in/out*):** Cuando los usuarios han otorgado/retirado el permiso para recibir algún tipo de comunicación de parte de una empresa.

▶ **Pago por posicionamiento (Paid Placement):** El pago de una cantidad de dinero a una Web para que nuestro vínculo se muestre de forma prominente. Típicamente, se utiliza para posicionar en lugares destacados los vínculos entre los resultados de una búsqueda mediante un motor de búsqueda.

▶ **Texto predictivo:** Software inteligente que predice el texto que el usuario va a introducir a continuación mientras utiliza el teclado para escribir. Realiza, asimismo, sugerencias basadas en dichas predicciones. También se conoce como autocorrección o corrección automática.

▶ **Preroll:** El *streaming* publicitario de un anuncio que aparece antes de reproducir un videoclip o mostrar una señal de TV en un navegador móvil. Suele tener una duración inferior a 15 segundos.

▶ **Pull messaging:** Cualquier contenido que se nos envía después de solicitarlo. Por ejemplo, cuando solicitamos la información del tiempo que va a hacer en nuestra ciudad a un sitio Web. El contenido de dicho mensaje, anuncios incluidos, es lo que se conoce como *pull messaging*.

▶ **Push messaging:** Cualquier contenido enviado por anunciantes o empresas a nuestro dispositivo móvil sin haber sido solicitado inmediatamente antes. Se incluyen mensajes de audio, SMS, correo electrónico, MMS, imágenes, encuestas, etc.

▶ **SMS (Short Message Service, Servicio de mensajes cortos):** Servicio de mensajes cortos de texto.

▶ **Smartphone:** Teléfono móvil que incluye características asociadas comúnmente a ordenadores y PDA. Pueden almacenar información, enviar y recibir correos electrónicos, utilizar aplicaciones, etc.

▶ **Vanity short code:** Códigos numéricos cortos, usualmente entre 4 y 6 dígitos, que solicita explícitamente un proveedor de contenidos. El código suele definir un nombre, marca o palabra asociada, o es una secuencia numérica fácil de recordar. Por ejemplo: DISNEY=347639.

Ahora que comprende los conceptos clave y la terminología básica del marketing móvil, está listo para seguir adelante.

Haga lo siguiente

▶ Pregúntese qué compra realmente la gente cuando adquiere su producto o servicio. La gente no compra automóviles Porsche sólo por la ingeniería alemana, los compran porque les hacen sentir jóvenes y viriles. ¿Cuáles son las razones emocionales de la gente que adquiere sus productos o servicios?

▶ Póngase en la piel de su consumidor. ¿Qué obstáculos a la venta puede eliminar para mejorar el proceso AIDA?

▶ Siéntase confortable con la terminología y conceptos de este capítulo. Aparecerán una y otra vez por todo el resto del libro.

No haga esto

▶ No lleve el concepto de las compras por razones emocionales muy lejos. También hay lógica involucrada en el proceso de compra. Es simplemente que la motivación principal suele ser emocional con frecuencia.

▶ No se salte este capítulo. Es importante comprender estos términos y conceptos porque los utilizaremos a lo largo de todo el libro.

5. Nueve maneras en las que los negocios usan el marketing móvil

Mucha gente consideró en su tiempo los teléfonos móviles una novedad, pero hoy se tienen por imprescindibles. En muchos casos, los teléfonos móviles han remplazado el tradicional panorama informático compuesto por ordenadores portátiles y de sobremesa. Más aún, con los teléfonos móviles ocupando la mayor parte del tiempo libre de los usuarios, los efectos de esta tecnología se sienten ampliamente, en particular en los negocios y el marketing. Allí donde los clientes potenciales solían estar quietos leyendo anuncios publicitarios mientras esperaban su turno en la caja, el consumidor de hoy pasará con toda seguridad ese tiempo en línea. Con la variedad de dispositivos móviles hoy disponibles, que van desde *smartphones* hasta tabletas, las empresas, grandes y pequeñas, se están dando cuenta de que la movilidad ya no es algo novedoso, algo que tener en cuenta en el futuro. El marketing móvil está aquí y ahora, es el presente.

Los beneficios potenciales de la tecnología móvil van desde la captación de clientes a la facilitación de las ventas. No sorprende, pues, que los medios móviles se hayan convertido en una herramienta de marketing importante para empresas de todos los tamaños.

Echemos un vistazo a nueve maneras diferentes de enfocar el marketing móvil por parte de nueve empresas, que van desde aerolíneas internacionales hasta negocios familiares de concesionarios de coches.

MENSAJES SMS

La aplicación de datos más ubicua y con mayor alcance, el mensaje SMS, ha demostrado sobradamente ser la herramienta móvil más exitosa para los negocios. Con una estupenda relación coste/beneficio y muy fáciles de integrar, las capacidades propias de los SMS aportan una serie de beneficios a una gran variedad de aplicaciones específicas.

Entre estos beneficios se incluyen:

- ▶ **Ubicuidad:** La posibilidad de enviar y recibir mensajes de texto SMS está a disposición de millones de usuarios de todo el mundo. De este modo, los SMS son el medio de comunicación más simple y con mejor relación coste/beneficio tanto para sus clientes como en el seno de la propia compañía.

- ▶ **Compatibilidad:** Accesibles desde virtualmente cualquier red y dispositivo móvil, los SMS ofrecen una alcance mundial y posibilitan una flexibilidad máxima cualquiera que sea su producto, servicio, industria, mercado o país.

- ▶ **Personalizable:** Los SMS ofrecen una forma de comunicación que es tanto personal como interactiva y permiten involucrar al cliente en el proceso. De este modo, se logra generar una sensación de fidelidad con la marca mientras que, al mismo tiempo, se establece una reputación para la misma como canal válido para interacción móvil.

- ▶ **Respetuosos con el medio ambiente:** Prescindiendo de las comunicaciones en papel, los SMS permiten aliviar la presión que sobre el medio ambiente ejercen los medios impresos.

- ▶ **Buena relación coste/beneficio:** Los SMS son una alternativa de mensajería muy barata a otros tipos de campañas de marketing.

Las comunicaciones por SMS resultan útiles en una amplia variedad de aplicaciones internas y externas que incluyen:

- ▶ **Diálogo comunitario:** Cree una sensación comunitaria a través de conversaciones en vivo con sus clientes o colegas.

- ▶ **Contenidos:** Entretenga e informe a su audiencia con contenidos de fácil acceso (mediante un vínculo) que incluyan libros electrónicos, vídeos, música y juegos. Según sea su propósito, los SMS se pueden utilizar para informar de actualizaciones de contenido o de información sobre productos nuevos.

- ▶ **Campañas promocionales:** Diseñe concursos y competiciones que hagan uso de mensajes de texto o atraiga a sus clientes con descuentos personalizados y recompensas virtuales.

- ▶ **Información temporal:** Mantenga a sus contactos valiosos al tanto de sus cotizaciones en bolsa, reuniones, viajes y transacciones en sus cuentas.

- ▶ **Autenticación:** Securice el acceso a información sensible de los clientes mediante la validación de la identidad del solicitante.

MENSAJES MMS

Un nuevo estándar en el mundo de los mensajes móviles, MMS es otra forma de enviar un mensaje de desde un teléfono móvil a otro. La diferencia principal entre los mensajes MMS y SMS es que los primeros pueden incluir no sólo texto, sino también sonido, imágenes y vídeo. También es posible, esto es lo que los hace verdaderamente interesantes desde la perspectiva de un anunciante, enviar mensajes MMS desde un teléfono móvil a una dirección de correo electrónico.

Prácticamente, todos los nuevos *smartphones*, fabricados con pantalla a color, son capaces de enviar y recibir mensajes MMS estándar. Las marcas pueden enviar (a los móviles) y recibir (de los móviles) contenido enriquecido en un esfuerzo continuo por fomentar la fidelización, la participación y, en último término, los resultados.

Un ejemplo interesante de contenido generado en los móviles son las campañas para móviles de Motorola en los locales House of Blues (literalmente, Casa del Blues). La campaña combinaba publicidad en el móvil con publicidad in situ en un ejemplo único de ejecución en línea, lo que dio como resultado una tasa de participación del 99 por 100. Los consumidores enviaban sus fotografías móviles al monitor instalado en el local y los mensajes de texto se mostraban en tiempo real durante el concierto. Todo ello tenía como fin ganar interesantes premios como actualizaciones y pases para conocer a los artistas.

COMUNICACIONES DE CAMPO CERCANO (NFC) Y BLUETOOTH

NFC y Bluetooth permiten realizar transacciones simplificadas, intercambios de datos y conexiones con un solo toque. Muchos *smartphones* del mercado incorporan ya *chips* NFC y Bluetooth capaces de enviar datos cifrados a distancias cortas (de campo cercano) hacia un lector situado, por ejemplo, junto a una caja registradora.

El interés en las comunicaciones NFC ha surgido principalmente a causa de la reciente incorporación de Google a una agrupación de operadoras de comunicaciones, bancos y compañías de tarjetas de crédito encargadas de planificar el uso de esta tecnología para hacer pagos mediante los móviles en los Estados Unidos. En la actualidad, muchos consumidores pueden escanear códigos QR para conectarse mediante sus móviles a promociones y páginas Web. No obstante, a medida que la tecnología se haga más popular, no resultará extraño ver a gente agitando su móvil junto a carteles informativos, puntos de venta y cajas de centros comerciales que incorporen *chips* NFC.

Compruebe si su sitio Web está optimizado para móviles con una herramienta gratuita

HubSpot ofrece una herramienta gratuita para determinar, entre otros interesantes datos de marketing, si su Web estándar está optimizada para dispositivos móviles.

Visite `WebsiteGrader.com` e introduzca la URL de su Web en el campo de la parte superior de la página.

El informe Website Grader le ayudará a identificar áreas en las que mejorar y le indicará cuáles están perfectas.

SITIOS WEB PARA MÓVILES

Una presencia Web ya establecida no es suficiente para volver automáticamente móvil una parte de su campaña de marketing. Debe ofrecer a los usuarios de su Web móvil una experiencia ágil y amigable. Desgraciadamente, la Web estándar media no se adapta bien a las pantallas más pequeñas de los dispositivos móviles. El acceso móvil a Internet proporciona varias ventajas, tales como la capacidad de comunicarse por correo electrónico y de obtener información en cualquier parte. Algunas Web estándar requieren demasiados desplazamientos, tardan mucho en cargarse en los móviles, limitan el tamaño del mensaje o son incapaces de acceder a páginas que exigen una conexión segura. También pueden incluir Flash o tener archivos PDF, aunque el soporte móvil para estas tecnologías ha mejorado sensiblemente en los últimos tiempos.

El consumidor de hoy día preferiría acceder a información de productos y servicios en línea que llamar directamente o visitar una tienda en persona. Lo crea o no, las desventajas inherentes de visualizar una Web estándar, no optimizada para móviles, en un dispositivo móvil simplemente son demasiado frustrantes para que las aguanten los usuarios.

Cuando uno se detiene a considerar el crecimiento en el número de *smartphones* y cómo se espera que desplacen al resto de dispositivos informáticos en apenas un par de años, no tiene sentido arriesgarse a perder negocios por culpa de una experiencia Web móvil negativa.

Los requisitos principales de una Web móvil incluyen:

- ▶ El uso de páginas más pequeñas para mantener la información en la pantalla y fácilmente accesible para los usuarios del móvil.

- ▶ La creación de formatos más simples para minimizar los tiempos de carga de la página Web y, de paso, la frustración del usuario.

► Establecer la compatibilidad con los navegadores móviles de las distintas plataformas.

► Proporcionar información de forma rápida, clara y concisa.

► Codificar la Web estándar para que reconozca automáticamente a los usuarios de móviles y los transfiera de inmediato a la Web optimizada para ellos.

BANNERS Y ANUNCIOS DE PAGO POR VISITA EN MÓVILES

Con los clientes potenciales constantemente en movimiento, los *banners* móviles y los anuncios de pago por visita en búsquedas móviles interpretan un papel cada vez más importante en el mundo de los dispositivos móviles. Situando anuncios en las Webs móviles más relevantes y pagando para obtener el mejor posicionamiento en los motores de búsqueda, las empresas tienen más probabilidades de atraer a clientes potenciales en cualquier momento del ciclo de compra y de convertirlos en clientes reales.

Aunque estos métodos de marketing son similares a los utilizados en las campañas con pago por visita (pago por clic) estándares, crear una campaña específica para móviles permite al anunciante desarrollar un enfoque más adecuado a estos medios. Para obtener una imagen clara del mercado se pueden segmentar los anuncios basándose en la demografía, la localización e incluso por el dispositivo utilizado. Esto permitirá al anunciante lograr un grado de precisión sin precedentes.

Los anunciantes son capaces ahora de medir con claridad el grado de éxito de una campaña móvil. La relevancia de cara al cliente, es decir, si el contenido y el mensaje reflejan su estilo de vida, intereses y hábitos de compra, se determina en tiempo real mediante la interacción personal. Para lograr la máxima eficiencia, es importante tener siempre presentes las características de los usuarios de móviles.

Por ejemplo, los usuarios de móviles tienden a no introducir términos de búsqueda muy largos, así que resultaría útil poner énfasis en consultas más cortas para las búsquedas desde dispositivos móviles. Cuando se intenta aumentar el retorno de la inversión en marketing móvil, se debe competir por una de las primeras posiciones a la hora de mostrar los anuncios. Esto es debido a que el pequeño tamaño de las Web móviles sólo permite mostrar un pequeño número de anuncios cada vez.

Las búsquedas se están haciendo móviles. El número de personas que acceden a la Web desde sus teléfonos móviles se ha disparado. Buscar en un dispositivo móvil es diferente a hacerlo desde un ordenador portátil o de sobremesa. La pantalla es más pequeña e introducir los términos puede resultar una molestia.

Bajo el amplio paraguas de las búsquedas móviles, encontramos una gran variedad de servicios, entre los que se incluyen:

- ▶ **Motores de búsqueda optimizados para móviles:** Google, Yahoo! y Bing han presentado versiones adaptadas a los dispositivos móviles de sus motores de búsqueda.

- ▶ **Servicios móviles de preguntas y respuestas:** Un tipo orgánico de motores de búsqueda entre los que se incluye Question Mania, donde las preguntas son respondidas textualmente por una persona real, y el británico MyHelpa que envía mensajes SMS a cobro revertido para conectar con un agente de búsqueda humano.

- ▶ **Búsqueda móvil de empresas y negocios:** También conocido como "encuentra el más próximo" o como las "páginas amarillas móviles", este servicio utiliza tecnología de localización para situar al usuario móvil en cada momento.

- ▶ **Servicios móviles de guía o descubrimiento:** Similares a los motores de recomendación como Amazon.com, estos servicios ofrecen sugerencias a los usuarios de móviles sobre lo que podrían hacer después, como cuando recomiendan un restaurante similar al que se acaba de buscar.

- ▶ **Servicios de navegación móviles:** Definidos principalmente por las operadoras móviles, estos servicios proporcionan contenidos a los usuarios fuera de sus portales operativos.

- ▶ **Servicios de interfaz de selección móvil dinámica:** Una nueva categoría de búsqueda móvil es aquélla en la que un conjunto preseleccionado de posibles contenidos de búsqueda se descarga por anticipado y, luego, posibilita una búsqueda final. Piense en un simple botón, sin la necesidad de introducir texto, búsqueda, revisión de resultados o desplazamiento por la página.

MARKETING BASADO EN LA LOCALIZACIÓN

Las campañas de marketing basadas en la localización constituyen una forma estupenda de atraer a una variedad de clientes potenciales, ya vivan en la localidad, ya se encuentren de paso. No sólo se trata de un método particularmente ventajoso para atraer a nuevos clientes, sino que fomenta la fidelización de los clientes y la realización de negocios. La clave para iniciarse en esta área reside en proporcionar sitios de redes sociales basados en localización con información relevante y precisa para ayudar a los clientes potenciales a encontrar nuestros locales.

Una vez hayamos sido capaces de atraer clientes potenciales a nuestra misma puerta, contaremos con diversas formas de mejorar la experiencia de compra, incrementar el potencial para generar beneficios y fomentar la repetición de la transacción de negocio, que incluyen:

▶ Descuentos promocionales y regalos en las conexiones iniciales y en las visitas subsiguientes.

▶ Campañas de promoción en las que se ofrezcan descuentos acumulativos y premios especiales según el número de conexiones.

▶ Promociones dirigidas a través de las redes sociales como Twitter y Facebook.

Hacer uso de las campañas promocionales en tiempo real mientras los clientes se encuentren físicamente en la tienda puede ayudar al negocio gracias a los comentarios de los clientes, así como generar publicidad boca-a-boca cuando compartan la experiencia en las redes sociales.

Además de mejorar la experiencia de compras de los clientes, algo que todos queremos, el marketing basado en la localización también proporciona al anunciante una oportunidad de llegar a los clientes en el momento más propicio para que hagan una compra.

Además de lograr ventas y de establecer relaciones positivas con los clientes, el marketing basado en localización puede potenciar la imagen de nuestra empresa como de una marca en vanguardia que premia a sus clientes más avanzados tecnológicamente y lograr así que nuestros productos y servicios se diferencien claramente de los de la competencia. Es más, tanto los costes como los riesgos asociados a este aspecto del marketing móvil son despreciables, lo que lo hace destacarse si lo comparamos con las variaciones anteriores del mismo concepto: las típicas tarjetas de plástico para fidelización que cuelgan de los llaveros o llenan las carteras de los clientes.

APLICACIONES MÓVILES

Las aplicaciones móviles ofrecen unas posibilidades extraordinarias en lo que se refiere a su potencial de marketing, un hecho que las empresas no han tardado en reconocer.

Con un número de usuarios de *smartphones* que no deja de crecer y con unos dispositivos móviles que cada vez tienen más capacidades, las aplicaciones móviles ofrecen posibilidades casi ilimitadas en términos de expansión de oportunidades de negocio y de mejoría de la productividad personal.

Código QR /Código 2D

¿Sabía que 14 millones de personas escanearon un código QR en junio de 2011? Eso representa una subida de un 400 por 100 respecto al año anterior (véase la figura 5.1).

Figura 5.1. Un código QR con información del libro. http://blog.trakqr.com.

Visite SPARQ.it, descárguese su lector de códigos QR y escanee el código QR mostrado en la figura 5.1 si quiere aprender más datos interesantes sobre los códigos QR o 2D.

La clave para una aplicación con éxito es el valor aportado al cliente. Si la aplicación no es lo bastante atractiva y útil para sus clientes, se olvidará fácilmente o incluso será ignorada por completo entre las de la competencia que resulten mucho más interesantes. Por eso, merece la pena diseñar una aplicación que ofrezca información vital, pero de una manera que no sirva para saturar a quien la use por primera vez.

A medida que sus clientes se vayan adaptando, podrá modificar la aplicación de acuerdo con su evolución para ofrecer más valor, servicio y soporte. Por supuesto, es importante tener presente el viejo refrán que dice: "Aprendiz de todo, maestro de nada". En el mundo de las aplicaciones, desarrollar una que haga bien una sola tarea es mucho más valioso que lanzar otra que intente muchas y no haga ninguna bien.

Los usuarios actuales de *smartphones* tienen acceso a una amplia variedad de aplicaciones orientadas a las tareas cotidianas, que han afectado en último término a las operaciones diarias de los negocios de todo el mundo. El uso eficiente de estas aplicaciones puede mejorar las relaciones con el cliente y nuestra base de negocio. Considere los beneficios inherentes a algunas aplicaciones para *smartphone* orientadas a los negocios que ahorran tiempo y dinero:

► Llevar un registro de los gastos fiscalmente deducibles.

► Sincronización con ordenadores personales y de empresa para ofrecer un acceso instantáneo a toda la información importante relativa a los clientes y sus cuentas.

► Emisión de facturas o aceptación de pagos con tarjeta de crédito al instante.

► Llevar un registro de los balances de las cuentas y el efectivo, así como sacar partido a los mensajes de texto para las fechas de vencimiento de pagos o para actividades irregulares en las cuentas.

CÓDIGOS QR / CÓDIGOS 2D

Los códigos bidimensionales (2D) brindan la oportunidad a las empresas de ofrecer enormes cantidades de información en el espacio más pequeño posible. De forma similar a los códigos de barras unidimensionales, capaces de almacenar hasta 20 dígitos, los códigos 2D pueden comunicar miles de caracteres a los usuarios de *smartphones* implementando las capacidades de escaneo de las cámaras que la mayoría de ellos incorporan. Existen varios tipos de códigos 2D, entre los que se cuentan los códigos QR, los códigos SPARQ y las etiquetas Microsoft Tags. Estos códigos no sólo proporcionan información, sino que ofrecen a los clientes vínculos directos a contenidos Web a través del navegador móvil de su *smartphone*.

Las aplicaciones de los códigos QR/2D son numerosas y sorprendentes. Considere estas posibilidades:

► Dirija clientes potenciales a su tienda en línea o física.

► Haga que sus clientes tradicionales se conecten.

► Cree un sentimiento comunitario entre los clientes a través de vínculos a redes sociales y contenidos Web multimedia.

► Utilice códigos QR/2D como vehículo promocional para sus descuentos especiales a clientes.

► Proporcione información de productos, recomendaciones e información de contacto actualizada para mejorar su servicio al cliente.

Para asegurar el éxito de su campaña con códigos QR/2D, asegúrese de ser muy cuidadoso con la ubicación de sus códigos. Entre las ubicaciones más populares se incluyen:

► Tarjetas de visita.

► Literatura promocional, como folletos o boletines.

- ▶ Etiquetas de productos.

- ▶ Carteles y anuncios en ferias y exposiciones.

- ▶ Embalajes de productos.

- ▶ Publicidad impresa.

- ▶ Talonarios.

- ▶ Recibos.

- ▶ Carteles y anuncios en escaparates.

- ▶ Vehículos de empresa (coches, furgonetas o camiones).

Recuerde que no es necesario desbordar a los clientes con información. Los códigos QR/2D deberían servir para proporcionar un acceso rápido a la información que clientes reales y potenciales puedan encontrar útil, relevante y gratificante. Además, las páginas de aterrizaje o las que contengan las ofertas en su Web se podrán actualizar para ofrecer la información más reciente de los productos, servicios o promociones. Si se hacen bien, los códigos QR/2D pueden animar mucho las ventas y ofrecer un retorno de la inversión significativo.

TABLETAS

La comodidad está haciendo de las tabletas los dispositivos informáticos móviles preferidos de los directivos de todo el mundo. Permiten una interacción inmediata con la información de negocio más relevante y ofrecen todas las ventajas de los ordenadores portátiles sin el peso y las molestias en el transporte. Es más, presentan mayor durabilidad y potencia que los *smartphones* sin el inconveniente de las diminutas pantallas y teclados.

Los propietarios de las tabletas siempre hablan de sus numerosas ventajas, entre las que podemos encontrar:

- ▶ Mantener una conexión directa con el correo electrónico y otros contenidos basados en la Web, que incluyen redes sociales.

- ▶ Mantener la información de contacto y los calendarios actualizados y guardar otra información sensible.

- ▶ Disfrutar de acceso remoto a los ordenadores personales y de empresa con facilidad para comprobar el correo electrónico, documentos y otros programas que podrían no ser accesibles por otros medios.

- ▶ Crear documentos y presentaciones en el acto o introducir cambios de última hora para asegurarse de que la información es precisa y está completamente actualizada.

▶ Ver documentos, presentaciones y contenidos Web en la pantalla de las tabletas o conectarlas directamente a televisiones de alta definición por el puerto HDMI.

▶ Conectarse a una impresora para obtener copias físicas de los documentos (¡qué antiguo resulta eso!).

▶ Con la aplicación adecuada, convertir la tableta en un escáner o programar una videoconferencia gracias a la cámara incorporada.

▶ Llevar un registro de los activos financieros, tales como acciones y cuentas corrientes y de crédito.

Gracias a su pantalla de mayor tamaño, las tabletas ofrecen muchas de las ventajas de los *smartphones* y pueden acceder a todo el contenido. No importa el tamaño de su negocio ni el de su pantalla, el marketing móvil ofrece un amplio abanico de oportunidades que no puede, sencillamente, dejar pasar.

Haga lo siguiente

▶ Piense cuál de estas nueve formas de usar el marketing móvil tiene más sentido para las campañas de su negocio y, luego, elija una para comenzar. Cuide de seleccionar una que no vaya a hacer demasiado daño a su presupuesto ni a su salud.

▶ Asegúrese de comunicar sus objetivos y el éxito o el fracaso de su programa a todo su equipo. Para que la parte móvil funcione armoniosamente con el resto de la campaña de marketing, la claridad es fundamental. A menudo, las empresas olvidan a la audiencia interna cuando lanzan algo nuevo y sorprendente.

▶ Reúna sus fuerzas. Anime a que los empleados de su compañía, los miembros de su familia y los fans de sus productos y servicios participen en la nueva campaña.

No haga esto

▶ No trate de hacerlo todo, en especial al principio. Si su campaña de marketing no contempla ninguna acción en el ámbito móvil, debe incorporarlas poquito a poco. Se sentirá feliz de saber que lo intentó y tuvo éxito, paso a paso.

▶ No insista en realizar la tarea más difícil la primera, por ejemplo crear una aplicación nueva. Céntrese en averiguar cómo usan los móviles sus consumidores, encuentre algo novedoso que los ayude y entonces cumpla con su compromiso.

6. Errores típicos del marketing móvil que se pueden evitar

La definición tradicional de marketing móvil hace referencia a cualquier técnica que incorpore movilidad, tal como los cartelones anunciadores que, a veces vemos en camiones.

La definición actual de marketing móvil evoluciona en torno a técnicas de marketing adaptadas a dispositivos móviles tales como teléfonos móviles o smartphones.

En los últimos 25 años, la penetración en el mercado de los dispositivos móviles ha pasado de menos del 1 por 100 en 1985, a un 38 por 100 en 2000 y a un 96 por 100 en la actualidad.[1] El reconocimiento de la extraordinaria influencia de la tecnología móvil como plataforma de marketing es ya una realidad. Otra realidad, si bien desgraciada, es el mal uso que comúnmente se hace del pequeño espacio disponible y la ineficiencia inherente al uso de ese espacio como si fuera una enorme autopista.

Sus campañas de marketing serán más significativas con un sitio Web móvil que ofrezca compatibilidad, contenidos optimizados, usabilidad y un buen diseño.

Para lograr ese nivel de calidad, hay varios errores clásicos de marketing que conviene evitar durante la planificación de su estrategia de marketing. En este capítulo, hemos perfilado los más importantes y recomendamos que los tenga en mente mientras planifica su campaña de marketing móvil.

---

[1] http://gs.statcounter.com/#mobile_os-ww-monthly-201007-201107; http://blog.nielsen.com/nielsenwire/online_mobile/in-u-s-smartphone-marketandroid-is-top-operating-system-apple-is-top-manufacturer; consultada el 23 de octubre de 2011.

TRATAR IGUAL AL USUARIO MÓVIL QUE AL DE UN PC ESTÁNDAR

Así como hay diferencias entre en línea y fuera de ella, también las hay entre el marketing móvil y el tradicional de Internet y no reconocerlas podría producir resultados muy alejados de los óptimos. Las campañas de marketing móvil requieren un cambio de enfoque basado en la plataforma y el usuario.

El marketing móvil es:

▶ **Rápido:** Los usuarios van a absorber la información rápidamente y en movimiento. Así pues, la información debe ser breve. Puede tener sentido presentar un documento PDF de cinco páginas en la versión estándar de una Web, pero no resultaría sensato pretender que se descargue desde una Web móvil.

▶ **Sucinto:** Presente la información de un modo fácil de reconocer y comprender. En las pequeñas pantallas de los móviles no se valoran demasiado las descripciones largas de productos y servicios ni el exceso de palabrería.

▶ **Creativo:** La primordial y muy limitada disponibilidad de espacio requiere que usemos gráficos e imágenes que se puedan interpretar fácilmente en mensajes de marketing. Un uso cabal de los iconos forma parte del proceso creativo.

▶ **Localización:** Los consumidores que visitan la Web móvil desde sus *smartphones* están siempre en marcha. Muchos de ellos buscarán la dirección o un mapa de nuestra localización o un número de teléfono. Asegúrese de cumplir las expectativas de los clientes incluyendo iconos vinculados a mapas y a llamadas telefónicas en su Web móvil.

NO RECONOCER ADECUADAMENTE LAS DIFERENCIAS ENTRE LOS DISPOSITIVOS MÓVILES

Miles de palabras y descargas masivas de archivos desalientan a cualquier usuario de dispositivos móviles.

Así, no comprender y respetar puntualmente los límites de los dispositivos móviles es otro error potencialmente fatal a la hora de diseñar una campaña de marketing móvil.

Aquí le mostramos varios asuntos que debe tener en cuenta cuando planifique su estrategia:

▶ **Límites en el ancho de banda:** Minimizar el tamaño de los archivos es importante al planificar una campaña de marketing móvil. Muchos proveedores de acceso restringen el tráfico de datos y a veces también la velocidad.

▶ **Coste de la conexión:** Hay muchas operadoras que ya cobran tarifas planas de datos, pero muchas otras todavía cobran por byte enviado o recibido. Por eso, tenga en cuenta que los usuarios no desean malgastar su dinero en información inútil.

▶ **Teclado y ratón:** Aunque el dispositivo móvil podría contar con un puntero, lo que cada vez es menos probable, ningún *smartphone* incorpora ratón. Tampoco tienen un teclado completo. Esto significa que es preciso limitar los movimientos en la pantalla al desplazamiento vertical de la página, así como minimizar la necesidad de introducir texto; los formularios largos y prolijos no funcionan aquí.

▶ **Impresoras:** Siempre que sea posible, facilite que los usuarios completen una tarea sin abandonar el entorno móvil. Es mucho más probable que los usuarios completen un formulario de pequeño tamaño y pulsen el botón de enviar que decidan tomar el vínculo, copiarlo, enviárselo por correo electrónico, abrirlo en su ordenador personal, descargar e imprimir el formulario, rellenarlo, escanearlo... Está claro, ¿no?

OTROS ERRORES COMUNES AL USAR LA TECNOLOGÍA MÓVIL

Los límites en el diseño para dispositivos móviles se equilibran con las formas únicas de integrar sus capacidades en la plataforma de marketing móvil. Un *smartphone* es un teléfono, obvio, pero también una cámara de fotos y de vídeo, un GPS, un reproductor de música, un calendario, un reproductor de vídeo, una consola de videojuegos, un lector de libros electrónicos, etc.

La integración de tan dispares capacidades mediante vínculos a su Web móvil puede crear una experiencia rica e interactiva par el usuario. Esta integración es lo que forma la base para una experiencia holística en las campañas de marketing, lo que hace de los medios móviles unos elementos tácticos y estratégicos de primera magnitud.

Con la integración de técnicas en línea y fuera de ella, sitios Web móviles y tradicionales, páginas adaptadas a los móviles, códigos 2D y mensajería SMS, es posible desarrollar una campaña de marketing que no sólo animará a sus clientes más fieles a seguir la marca por las diferentes plataformas, sino que actuará como un imán para el resto de clientes potenciales.

Aquí puede encontrar una serie de errores adicionales que las empresas están cometiendo en la actualidad con sus campañas móviles, junto con unas pequeñas orientaciones para su corrección:

▶ **Esperar el éxito por arte de magia:** No hay campaña de marketing móvil en el universo que pueda producir resultados positivos instantáneos de la noche a la mañana. Construir una buena comunidad de seguidores que aporte beneficios lleva tiempo, paciencia y un esfuerzo continuado. Sí, resultaría estupendo tener una varita mágica, pero eso no es posible si se quiere un éxito a largo plazo. En vez de lanzar su campaña de marketing móvil contra un muro para ver si se pega, intente continuar con ofertas separadas y llamadas a la acción o bien con distintos tipos de campañas y canales únicos, en un esfuerzo para lograr progresos. Manténgase firme y la magia se producirá.

▶ **Perseguir la perfección:** Afrontémoslo: nada es perfecto. Lo intentará una y otra vez; perseguirá la campaña perfecta; tratará de pulirla, modificarla y darle énfasis..., sólo para abandonar, desalentado, poco tiempo después, cuando los resultados nos sean los esperados durante tanto tiempo. ¿Qué hacer? Tener siempre presente que el marketing, al menos el marketing de éxito, es un proceso continuo compuesto de objetivos tanto a corto como a largo plazo. Cada anuncio, cada oferta, cada campaña podrá tener algún grado de impacto medible, pero tiene que tener en cuenta la cobertura global que sus esfuerzos le proporcionan. Arriésguese y los resultados le servirán de medida para futuras campañas.

▶ **Poner todos los huevos (de la campaña de marketing) en el mismo cesto:** Asumimos que está leyendo este libro porque desea desarrollar campañas de marketing móvil. Sin embargo, la tecnología móvil no debería ser el único componente de los esfuerzos de su empresa en el ámbito del marketing. Considere reservar, para la campaña móvil, una parte de la estrategia global que debería incluir tácticas tales como páginas Web, correo electrónico y anuncios impresos. Piense en integrar códigos QR (*Quick Response*, Respuesta rápida) en anuncios impresos o en invitar al lector a su sitio Web para darle un cupón instantáneo o invitarlo a una visita virtual a su empresa.

▶ **Inundar con spam móvil a su audiencia:** Es relativamente fácil y ciertamente barato enviar frecuentes mensajes a los móviles de sus clientes, reales y potenciales. Pero, ¿a qué precio? Tenga en cuenta que el receptor medio está al cabo de la calle en cuanto al *spam* en el correo electrónico, así que, si recibe múltiples SMS o mensajes de texto de otro tipo de su empresa, no llegará siquiera a ser un cliente potencial. Piense, por el contrario, que debe crear una campaña bien pensada que envíe mensajes ocasionalmente. Enviar mensajes con menos frecuencia hará que el receptor esté más dispuesto a prestarles atención y a pasar a la acción.

▶ **No conseguir hacer "exclusivo" el medio:** La mayoría de la gente acaba por unirse a una lista de correo, ya sea correo postal, electrónico, de una red social, móvil o lo que sea, simplemente porque buscan información. Podría ser que el consumidor está buscando una oferta o alguna otra media promocional con valor añadido. O podría ser que el consumidor estuviera buscando el momento más adecuado para decidirse a comprar y, si se acertase a fomentar esta oportunidad, el cliente potencial se convertiría en un cliente real. Resulta tentador promocionar las mismas ofertas lanzadas a los cuatro vientos desde sus otras campañas de marketing, pero debe evitar caer en esa trampa. Si ofrece descuentos, contenidos, devoluciones de dinero, etc., en exclusiva, "sólo para móvil", podrá prescindir de campañas de marketing más antiguas y costosas y generar más ingresos.

▶ **Preocuparse por el tamaño de su lista de móviles:** ¿Qué es una "gran lista"? ¿Mil usuarios? ¿Diez mil? ¿Un millón? En serio, un gran número de nombres en su lista no se corresponde inmediatamente con un elevado nivel de ventas. Y, a la inversa, un pequeño número de suscriptores en su base de datos no significa unos ingresos cero. Veamos un ejemplo de HubSpot:

> *Mientras trabajaba para promocionar el World's Biggest Online Marketing Seminar (Seminario de marketing en línea más grande del mundo) junto con el lanzamiento del nuevo libro de Dan Zarrella, The Contagiousness of Ideas, el equipo de marketing de HubSpot ofreció una suscripción especial a un programa VIP de SMS. Como respuesta, 359 personas enviaron el mensaje opt in (Me suscribo) a un número especial. Dos días más tarde, cuando se liberó una copia gratuita en formato Kindle del libro de Zarrella, el 14 por 100 de las personas siguió el vínculo. Compare esa tasa de seguimiento desde el móvil con la proporción estándar de seguimiento de vínculos desde el correo electrónico, que está entre el 2 y el 3 por 100.*[2]

---

[2] www.lyris.com/e-mail-marketing/85-Average-E-mail-Click-Through-Rate; consultada el 23 de octubre de 2011.

En lugar de preocuparse por cuántos nombres tiene en una lista, dedíquese a trabajar en la fidelización y en mejorar la interacción con los que ya tiene. Haciendo crecer continuamente su lista con ofertas exclusivas, añadirá nombres al mismo tiempo que incrementa su alcance.

▶ **Tomar los medios móviles como un canal de una sola dirección:** Es relativamente sencillo enviar mensajes que no requieran respuesta y, por lo general, este tipo de marketing tiene sentido, en particular en el caso de cupones exclusivos o anuncios especiales. Sin embargo, si está buscando una mayor interacción, podría utilizar su lista de usuarios móviles para hacer preguntas, pedir opiniones y recabar información sobre la periodicidad de sus mensajes.

▶ **Creerse la propaganda:** Es posible ver esto con mucha frecuencia estos días en las campañas de marketing relacionadas con páginas de Facebook para negocios, en las que, en último término, la página en cuestión sirve para bastante poco. Recuerde que sería mejor empezar con algo pequeño, con un programa sencillo, para determinar el grado de interés de su audiencia antes de lanzarse a desarrollar una aplicación completa.

▶ **Olvidar la forma que tiene su audiencia de utilizar las búsquedas móviles:** Buscar productos y servicios en el ordenador de sobremesa es una experiencia completamente distinta a buscar en línea con un teléfono móvil. Una búsqueda móvil que resulta en descargas de información y documentos PDF no será una experiencia satisfactoria para la persona que lleve a cabo la búsqueda sobre su compañía. Normalmente, quienes hacen búsquedas móviles desean acceder rápidamente a la información relevante y, a menudo, a experiencias que tengan en cuenta su localización para actividades concretas. Mantenga su sitio Web ajustado y no ponga más que lo esencial en la página de inicio.

▶ **Olvidar que es un entorno móvil y no el correo electrónico:** De forma parecida al error anterior de marketing móvil, muchos anunciantes se mantienen dentro del esquema conceptual del PC de escritorio a la hora de diseñar campañas de marketing móvil. Cuando se envía un boletín por correo electrónico a los clientes, sean éstos reales o potenciales, lo normal es llenarlo de información valiosa que les sirva para ir conociendo todos sus productos y servicios, así como para cuidar su relación con ellos. Sin embargo, no se puede esperar lo mismo de un usuario móvil, con el que se debe tener una consideración especial. Piense "en breve".

▶ **Ignorar las limitaciones de los móviles:** Pantalla pequeña, sin ratón ni impresora, con un teclado limitado y con un ancho de banda restringido. Tenga siempre presentes estas restricciones a la hora de diseñar campañas para un dispositivo móvil y obtendrá como resultado un sitio Web móvil mucho mejor adaptado este entorno.

Veamos algunos consejos adicionales para sitios Web móviles:

▶ Utilizar el modo vertical en vez del apaisado.

▶ Utilizar una sola columna de texto justificado a la izquierda en vez de varias fichas y columnas de texto.

▶ Emplear un nombre de dominio de segundo nivel tal como GoMobileBook.mobi.

▶ Usar XHTML en la programación de la Web con el fin de que cualquier navegador Web la pueda mostrar correctamente.

Haga lo siguiente

▶ Compruebe su Web estándar antes de lanzar una campaña de marketing móvil para ver si está lista para este entorno. Utilice WebsiteGrader.com como medio para determinar si está preparada o no.

▶ Haga que su Web móvil sea fácil de buscar y encontrar con un motor de búsqueda. Un sitio Web móvil bien desarrollado permitirá que los motores de búsqueda indexen su contenido de una forma que haga fácil su lectura en un dispositivo móvil.

▶ Promocione su sitio Web móvil de manera que sus clientes, potenciales y reales, puedan encontrar valiosas ofertas con facilidad.

No haga esto

▶ No promocione su sitio Web como móvil si no está preparado.

▶ No trate a sus suscriptores móviles del mismo modo que a sus suscriptores de correo electrónico.

▶ No se rinda. Empiece con algo pequeño y establezca objetivos realistas.

Parte II
Preparándose para el éxito

7. Poniendo las bases para una campaña de marketing móvil con éxito

Cuando se va a construir una casa, ¿por dónde se empieza? ¿Por el tejado? ¿Por las puertas? ¿Por la chimenea?

De ningún modo. Lo primero que se hace es poner los cimientos. Si se ponen unos buenos cimientos, las puertas, la chimenea y el tejado permanecerán firmemente en su sitio.

Antes de que profundicemos en los puntos concretos del desarrollo de una campaña de marketing móvil, nos vamos a detener a poner los cimientos para su éxito repasando algunos conceptos fundamentales de marketing que nos servirán de ayuda por el camino.

El "Marketing Mix"

En español se conoce como "mezcla de mercadotecnia", *Marketing Mix*, "mezcla comercial" o "mix comercial". Se trata de un término acuñado en 1953 por Neil Borden[1] para denotar un concepto que daba cabida a varios aspectos del marketing, todos ellos orientados a destacar la imagen de marca y a generar fidelidad entre los clientes. Las cuatro "P", *Product, Price, Place and Promotion* (Producto, precio, plaza y promoción, según la traducción clásica) forman parte de esta mezcla.

---

[1] http://en.wikipedia.org/wiki/Marketing_mix; consultada el 24 de octubre de 2011.

LAS CUATRO "P" Y LAS CINCO "C"

Ya estará familiarizado con las cuatro "P" de la mezcla comercial antes mencionadas. No obstante, las repasaremos brevemente antes de pasar al concepto igualmente importante de las cinco "C".

▶ **Producto (Product):** La primera "P" es aquello que estamos vendiendo en realidad al consumidor. Esto puede ser algo tangible, como un libro, pasta de dientes o una camiseta, o bien algo intangible, como servicios de contabilidad, diseño de páginas Web o las vacaciones en un crucero.

▶ **Precio (Price):** Se trata, lógicamente, de la cantidad de dinero que paga el cliente por su producto o servicio.

▶ **Plaza (Place):** Es el lugar donde se puede adquirir el producto o servicio. Puede ser un local tradicional, de ladrillos y cemento, o bien un sitio Web de comercio electrónico.

▶ **Promoción (Promotion):** Representa todas las comunicaciones que podríamos usar para que la gente tuviera noticia de nuestro producto o servicio. Hay cuatro elementos diferentes en toda promoción:

   ▶ Publicidad.

   ▶ Relaciones públicas.

   ▶ Venta personal.

   ▶ Promoción de ventas.

Las cuatro "P" llegaron a ser una parte importante del vocabulario del marketing en los años sesenta y ayudaron a que los anunciantes permanecieran centrados en los cuatro aspectos más importantes de sus campañas. Debemos tener en cuenta las cuatro "P" durante el desarrollo de nuestras campañas, tanto si estamos usando los medios tradicionales del marketing, radio, televisión, prensa, etc., como si lo hacemos a través de las herramientas más novedosas, como las redes sociales, búsquedas o marketing móvil.

Ahora hablemos de otro concepto importante: las cinco "C". Éstas pueden ayudarle a analizar tanto los factores internos como externos que influyen en su campaña de marketing. Utilice las cinco "C" como medio de identificar dónde están sus puntos fuertes y también sus puntos débiles.

Vamos a revisar las cinco rápidamente:

▶ **Compañía (Company):** Se incluye aquí su línea de productos, imagen de marca, experiencia, cultura empresarial y sus objetivos. Esencialmente, será su "material de trabajo" durante mucho tiempo, puesto que cambiar los elementos de esta categoría suele llevar mucho tiempo.

▶ **Colaboradores (Collaborators):** Se trata de las compañías con las que hace negocios. Entre éstas se incluyen sus proveedores y distribuidores, así como también las alianzas que pueda establecer con otras empresas.

▶ **Clientes (Customers):** Los clientes son, por supuesto, las personas que adquieren los productos y servicios. Puede analizar a sus clientes en base a distintos parámetros. Por ejemplo, el tamaño del mercado, el potencial de crecimiento, los beneficios tangibles e intangibles, las motivaciones de compra o los valores de cada uno. Asimismo, si son quienes toman las decisiones o simplemente las informan, de dónde obtienen la información sobre su marca y cuál es su proceso y frecuencia de compra, así como otros factores que puedan influir en su comportamiento comprador.

▶ **Competidores (Competitors):** Se incluyen aquí tanto sus competidores directos como los indirectos. Sus competidores directos son las empresas que ofrecen productos o servicios muy similares a los suyos. Sus competidores indirectos son las empresas que ofrecen otros productos o servicios que compiten por su cuota de cartera del cliente. Por ejemplo, Pepsi es un competidor directo de Coca-Cola, pero ambas empresas podrían considerar a Popsicle un competidor indirecto, porque aquellos consumidores que estén buscando un refresco bien podrían elegir uno de esta última marca.

▶ **Clima (Climate):** Aquí se aglutinan todos los factores medioambientales que influyen en su éxito o fracaso. Por ejemplo la normativa vigente, el entorno político, el clima económico, el entorno social o el grado de avance tecnológico.

Hemos cubierto mucho terreno en las páginas anteriores mientras analizábamos las cuatro "P" y las cinco "C". Llega el momento de recapitular. Las cuatro "P" se inventaron en los años sesenta del siglo pasado como medio de mirar hacia los elementos clave de una campaña de marketing. Las cinco "C" se formularon más tarde con el fin de profundizar el entendimiento de su estrategia global de marketing. Ambos modelos son importantes, pero, si debiéramos centrarnos en uno, elegiríamos las cinco "C".

POR QUÉ COMPRA LA GENTE

Ya hemos hablado antes sobre el hecho de que la gente compra la mayoría de los productos o servicios por motivos emocionales y sólo después de hacerlo racionaliza las compras con lógica. Ahora vamos a profundizar en el comportamiento de los consumidores y exploraremos las diferencias que existen entre lo que la gente "dice" y lo que, luego, "hacen" cuando tienen que elegir entre dos marcas.

Si llevara a cabo una encuesta y preguntase a los participantes qué buscan en un banco, una de las respuestas más repetidas sería: "Seguridad financiera". Si preguntase a lo que buscan en un restaurante, un buen porcentaje diría: "Limpieza"

Todo eso está muy bien, pero si se decidiera a montar una campaña de marketing en torno a esas respuestas se llevaría una gran decepción con los resultados.

¿Por qué? Porque la gente "cuenta" con que los bancos sean financieramente sólidos y con que los restaurantes estén muy limpios. Ambas son condiciones básicas para participar en el mercado; el "precio de entrada", por así decir. Si hiciera un anuncio para un banco donde se dijera: "No tenemos solvencia financiera, pero damos cuentas gratis", estaría fuera del negocio casi inmediatamente.

Un mejor enfoque consistiría en analizar los factores diferenciadores del producto o servicio. Dichos factores serán los que hagan que tal producto o servicio destaque sobre los de la competencia.

Alan Deeter, director de estrategia de la compañía Dangerous Kitchen (literalmente, cocina peligrosa), ayudó en el desarrollo de un cuestionario con 20 preguntas para identificar esos "diferenciadores" en una marca. Es una gran lista que sirve para averiguar qué ayudará a nuestro producto o servicio a distinguirse claramente de los de nuestros competidores.

Veamos las preguntas. La mejor forma de beneficiarse de esta lista consiste en reunir un grupo de directivos claves en una habitación y analizar las respuestas. Se sorprendería de lo poco en común que tendrían entre ellas.

1. ¿Qué somos ahora?

2. ¿Qué queremos llegar a ser en cinco años?

3. ¿Cuál será nuestra mejor oportunidad en los próximos dos años?

4. ¿Por qué es una oportunidad tan estupenda?

5. ¿Qué necesitaríamos más allá de la fortaleza/posición/línea de productos actual de la compañía para aprovechar la oportunidad mencionada más arriba?

6. ¿Cuál es nuestra mayor amenaza?

7. ¿Se trata de una amenaza que podamos controlar? Si es así, ¿qué deberíamos hacer para controlarla?

8. ¿Qué hacemos mejor que nadie?

9. Cuando ganamos, ¿por qué lo hacemos?

10. ¿Cómo se benefician nuestros clientes de lo que vendemos?

11. ¿Cuáles son las tres principales razones por las que los clientes compran nuestros productos y servicios?

12. ¿Cuáles son las objeciones más típicas a las ventas? En otras palabras, cuando no captamos un nuevo cliente, ¿qué razones nos da?

13. ¿Qué porcentaje de beneficio del año próximo esperamos de los nuevos clientes frente al de los ya existentes?

14. Yendo más adelante, ¿cuáles son los atributos esenciales de nuestro cliente objetivo? Sector industrial, tamaño de la organización, demografía, categoría laboral, motivaciones, influencias internas y externas, hábitos de compra, puntos clave del mensaje, factores en las decisiones de compra, publicaciones, ferias, etc.

15. ¿Quiénes son nuestros competidores clave?

16. ¿Qué tipo de trabajo es el que más disfrutamos?

17. ¿A quién se dirige nuestra competencia?

18. ¿Cómo queremos que se nos vea en relación a nuestra competencia?

19. ¿Cuál es ciclo de ventas típico?

20. ¿Qué valores, personalidad y actitud queremos proyectar?

PONGA EN FUNCIONAMIENTO LOS ELEMENTOS QUE MARCAN LA DIFERENCIA

Averiguar cuáles son los elementos diferenciadores de su marca es un ejercicio importante, uno que puede tener un impacto significativo en su negocio.

En los años noventa del siglo pasado, la compañía Coca-Cola encontró hasta 35 elementos diferenciadores o atributos de su producto estrella. Estos atributos incluían varios diferenciadores, tales como: refrescante, sociable, moderno, a la moda, divertida, sencilla, fiable, consistente, emocional y "en todas partes".

Cada uno de estos atributos resultaba atractivo a un segmento diferente de la audiencia objetivo de Coca-Cola. Como resultado, la compañía creó anuncios para cada uno de ellos y los explotó simultáneamente. La consecuencia fue un incremento del 55 por 100 de las ventas pasados cinco años.[2]

---

[2] www.consumerpsychologist.com/marketing_introduction.html; consultada el 24 de octubre de 2011.

Admitámoslo, no todo el mundo puede permitirse 35 anuncios distintos para otros tantos atributos de su producto, pero la regla general prevalece: una vez se ha identificado qué hace a la gente elegir nuestra marca sobre otra de la competencia, es posible incrementar las ventas de forma consistente, tanto si nuestro negocio está orientado al consumidor como si lo está a otras empresas.

Hasta el momento, hemos cubierto las cuatro "P", las cinco "C" y la importancia de diferenciar nuestra marca. Ahora veremos otro elemento importante en el estudio del comportamiento de los consumidores, llamado "importancia establecida (*stated importance*) frente a importancia derivada (*derived importance*)".

IMPORTANCIA ESTABLECIDA FRENTE A IMPORTANCIA DERIVADA

Como mencionábamos antes, sólo porque alguien diga que la estabilidad financiera es importante para un banco no significa que ese aspecto sea un vehículo efectivo para captar clientes o asentar la fidelidad a la marca.

Para averiguar qué fomentará las ventas, lo mejor es establecer claramente lo que lleva en realidad a un cliente a adquirir nuestro producto o servicio. En los círculos de investigación en marketing, esto se denomina "importancia derivada", la cual establece cómo se correlacionan ciertos atributos específicos con el comportamiento del cliente.

Si alguien dice que el bajo precio es un motivo importante para comprar en determinada tienda de ropa y además compra ahí habitualmente, eso sería indicativo de que lo que esa persona dice, importancia establecida, y lo que hace, importancia derivada, presentan una elevada correlación. Eso es bueno.

Cuando se compara lo que la gente dice (importancia establecida) con lo que la gente hace (importancia derivada) se puede aprender mucho acerca de lo que realmente hace que nuestros productos o servicios se vendan.

Existen cuatro combinaciones diferentes de importancia establecida/derivada, que se pueden representar en un mapa parecido al de la figura 7.1.

Los motivadores clave son atributos que puntúan alto tanto en establecida como en importancia derivada. Si se logra un buen rendimiento en ambas áreas, se alcanzarán buenas cifras de ventas. Por ejemplo, la gente dice a menudo que "una buena relación calidad/precio" y "una comida de calidad excelente" son importantes para un restaurante (importancia establecida). Ciertamente, lo normal es que su comportamiento lo confirme (importancia derivada). En ese sentido, "una buena relación calidad/precio" y "una comida de calidad excelente" se pueden considerar motivaciones clave (*key drivers*) para un restaurante.

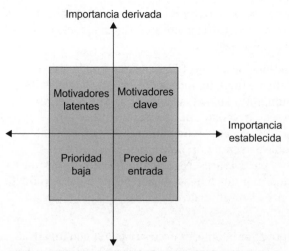

Figura 7.1. Cuadrantes de importancia establecida frente a importancia derivada.

Los atributos considerados "precio de entrada" son aquéllos con una elevada importancia establecida y una baja importancia derivada. En el ejemplo del restaurante, la gente dirá de forma casi unánime que unos cuartos de baño limpios son importantes, pero utilizar eso como diferenciador clave (*key diferentiator*) para nuestro restaurante no será de gran ayuda. En otras palabras, la gente espera que los baños estén limpios y, por tanto, eso se considera un "precio de entrada" para este tipo de negocio.

Motivadores latentes (*latent motivators*) son las razones ocultas por las que la gente adquiere un producto o servicio. Aquí está la verdadera mina de oro.

Veamos un ejemplo. No es habitual que los clientes, hombres y mujeres por igual, responda a una encuesta diciendo que frecuentan un restaurante porque encuentran atractivos a los camareros o camareras, pero puede estar seguro de que ése es precisamente uno de los diferenciadores clave en no pocos restaurantes. Un servicio atractivo es un motivador latente. La gente podría no mencionarlo como un atributo decisivo en una encuesta (importancia establecida) pero definitivamente es una razón por la que la gente frecuenta un restaurante (importancia derivada).

Estos motivadores latentes también funcionan en el mundo de los negocios entre empresas. Hay un viejo dicho que es como sigue: "Nunca despidieron a nadie por contratar a IBM". En los días en que IBM ejercía un control aplastante en el mercado de los grandes ordenadores, se trataba de "la" apuesta segura. La compañía contaba con la mejor de las reputaciones, con el mejor servicio y con el mejor producto.

Las alternativas podrían ser más baratas, pero también eran menos conocidas, es decir, implicaban un riesgo superior. Así que la gente contrataba los servicios de IBM porque sabían que era una apuesta segura.

Éste no es el único ejemplo de motivador latente. Si cuenta con una fuerza de ventas para empresas o para el cliente final, un motivador latente para el éxito de su compañía será algo tan intangible como el "atractivo". Es difícil definir con precisión qué hace que algo sea "atractivo", pero seguramente es una combinación de confianza, honradez, encanto y un enfoque de ventas de bajo nivel. El atractivo es el responsable de vender un montón de productos en el mundo de las ventas a empresas y particulares. No obstante, si entrevistáramos a los individuos y les preguntáramos por qué han adquirido determinado producto o servicio, el "atractivo" se encontraría muy abajo en la lista de razones por las que realizaron la compra.

Así pues, el "atractivo" es un motivador latente, es decir, un factor con una baja importancia establecida, pero con una importancia derivada muy estimable. Es importante aun cuando la gente no lo valore lo suficiente en las encuestas.

Los atributos de baja prioridad puntúan bajo tanto en importancia establecida como en derivada. Por ejemplo, si se dedica a vender zapatillas para correr, ofrecer cordones gratis con cada compra no va a suponer una gran diferencia a la hora de que la gente compre sus productos. En otras palabras, no aparecerá ni en la categoría de establecida ni en la de importancia derivada.

CONSTRUYA SOBRE LOS CIMIENTOS DE SUS CAMPAÑAS DE MARKETING

Los conceptos analizados en este capítulo son importantes porque representan la base para el desarrollo de su campaña de marketing móvil. En los próximos capítulos, hablaremos sobre cómo pensar estratégicamente sobre nuestras campañas de marketing. En pocas palabras, no tiene sentido desarrollar una campaña de marketing móvil si no se han pensado bien antes los objetivos, así como las estrategias para alcanzar esos objetivos.

Haga lo siguiente

► Reúna un grupo con los directivos más importantes de su empresa y utilice el cuestionario de veinte preguntas de Alan Deeter para establecer sus elementos diferenciadores.

► Lleve a cabo una investigación de mercado para cuáles son los atributos de su marca que aparecen en la categoría de importancia establecida (*stated importance*) o en la de importancia derivada (*derived importance*).

► Si su posición no le permite contratar una empresa especializada que lleve a cabo un análisis de importancia establecida frente a importancia derivada, entonces tendrá que hacerlo usted mismo basándose en sus propias experiencias.

No haga esto

► No asuma que tiene un conocimiento profundo de sus clientes. Hable con ellos directamente, de manera formal o informal. Asimismo, pida a su equipo de ventas que aporte sus ideas y pensamientos acerca del comportamiento de sus clientes.

8. Conozca el panorama del marketing móvil

Si está planeando utilizar el marketing móvil, necesita conocer en profundidad las distintas herramientas y plataformas que tiene a su disposición. Teniendo esto presente, pensamos que este capítulo sería un buen lugar donde volver sobre el marketing móvil para profundizar la comprensión de las tendencias actuales.

LOS SISTEMAS OPERATIVOS DE LOS DISPOSITIVOS MÓVILES

Todo dispositivo móvil necesita un sistema operativo para funcionar. Existen un buen número de ellos: Android de Google, iOS de Apple, BlackBerry de RIM, Symbian de Nokia y Windows Phone de Microsoft.

La tabla 8.1 muestra la cuota de mercado de los cuatro principales sistemas operativos en varios países. Esto debería aportarle una imagen actual de la popularidad de cada uno de ello en la zona del mundo en la que viva.

Veamos cuáles son los tres más populares en los Estados Unidos y en qué se diferencian unos de otros.

Tabla 8.1. Los cuatro primeros sistemas operativos.[1]

PAÍS	PRIMERO	SEGUNDO	TERCERO	CUARTO
Estados Unidos	Android (39 por 100)	iOS (28 por 100)	BlackBerry (20 por 100)	Windows (9 por 100)
Reino Unido	BlackBerry (41 por 100)	iOS (37 por 100)	Android (16 por 100)	Symbian (4 por 100)

---

[1] http://gs.statcounter.com/#mobile_os-ww-monthly-201007-201107; http://blog.nielsen.com/nielsenwire/online_mobile/in-u-s-smartphone-market-android-is-top-operating-system-apple-is-top-manufacturer; consultada el 24 de ocubre de 2011.

PAÍS	PRIMERO	SEGUNDO	TERCERO	CUARTO
Australia	iOS (72 por 100)	Android (18 por 100)	Symbian (7 por 100)	Windows (1 por 100)
Brasil	Symbian (42 por 100)	Desconocido (21 por 100)	Samsung (20 por 100)	Android (8 por 100)
Canadá	Apple (46 por 100)	Symbian (22 por 100)	BlackBerry (19 por 100)	Android (8 por 100)
China	Symbian (42 por 100)	Desconocido (37 por 100)	iOS (12 por 100)	Android (5 por 100)
Egipto	Symbian (76 por 100)	iOS (6 por 100)	Desconocido (5 por 100)	Android (4 por 100)
Francia	iOS (58 por 100)	Android (28 por 100)	Symbian (5 por 100)	Bada (2 por 100)
Alemania	iOS (54 por 100)	Android (29 por 100)	Symbian (7 por 100)	Sony Ericsson (3 por 100)
India	Symbian (69 por 100)	Samsung (15 por 100)	Desconocido (9 por 100)	Sony Ericsson (3 por 100)
Japón	iOS (48 por 100)	Android (42 por 100)	WAP (6 por 100)	Desconocido (3 por 100)
Rusia	Symbian (45 por 100)	Android (16 por 100)	iOS (14 por 100)	Desconocido (10 por 100)

ANDROID DE GOOGLE

Es difícil discutir la calidad de un sistema operativo creado por los genios de Google. Android es un sistema operativo centrado en las aplicaciones, lo que significa que, al igual que iOS de Apple, que veremos en seguida, las aplicaciones están presentes desde el principio y principalmente. En la parte inferior de casi todos los dispositivos Android hay varios botones hardware para determinadas funciones claves, como puede ser llamar a la pantalla de inicio.

Existen más de 100.000 aplicaciones para Android, que se pueden adquirir en varios sitios, pero sobre todo en Android Market. También hay mercados de aplicaciones de terceras partes, así como la posibilidad de descargarse las aplicaciones directamente desde la Web sin pasar por ninguna tienda virtual. Android carece de las políticas restrictivas sobre las herramientas de desarrollo que se pueden usar para crear sus aplicaciones. En su mayor parte, esta política abierta resulta positiva porque hace posible un ritmo de innovación más rápido por parte de los desarrolladores. Sin embargo, también puede tener aspectos negativos. Como adolece de una entidad central que fiscalice las aplicaciones, éstas pueden ser bastante deficientes. En determinado momento, se llegaron a retirar varias docenas de aplicaciones de Android del mercado porque incluían código malicioso.

Otra desventaja del sistema operativo abierto Android es que los fabricantes de terminales y las operadoras de telefonía tienen la libertad de personalizarlo a su antojo. Esto quiere decir que pueden permitirse inundar sus dispositivos con software basura totalmente carente de interés. No obstante, globalmente considerado, el enfoque de Google con Android tiene más ventajas que inconvenientes; no en vano, es el sistema operativo más popular en muchas partes del mundo.

IOS DE APPLE

Las aplicaciones para el sistema operativo iOS sólo se pueden instalar desde un único lugar: iTunes Store de Apple. Apple es mucho más cauta en su enfoque tanto de las aplicaciones como del sistema operativo. Apple sólo autoriza las aplicaciones tras un proceso de pruebas riguroso. Eso lleva mucho trabajo, pero los resultados suelen merecer la pena.

El sistema operativo iOS de Apple encarna lo mejor de lo que es capaz esta compañía: crea una experiencia simple, intuitiva y elegante que hace que sea muy fácil usar un iPhone. No obstante, esa simplicidad también tiene sus desventajas. Los usuarios de Android pueden personalizar sus dispositivos en un grado muy superior al de los usuarios de iOS. Asimismo, la insistencia de Apple en un enfoque simple y ordenado para la experiencia de usuario hace que su capacidad para adaptar las funcionalidades en base a lo que prefieran los clientes sea muy limitada. Dicho esto, iOS incorpora la aplicación Ajustes que permite al usuario configurar aspectos fundamentales del teléfono, como son el brillo de la pantalla, el uso de la red WiFi, los sonidos, etc.

Otra desventaja es que las estrictas directrices de Apple para dar su aprobación a las aplicaciones se aplican a veces de forma inconsistente. Por ejemplo, se dice que Apple ha prohibido aplicaciones por mostrar imágenes de mujeres en bikini, pero que, cuando llegó el turno de la aplicación de *Sports Illustrated*, le dio el visto bueno aun cuando hacía uso de imágenes similares. Otros desarrolladores se han quejado de que nunca les proporcionan recomendaciones fáciles de seguir para corregir las aplicaciones que han sido rechazadas.

No obstante, en último término, el sistema iOS de Apple es lo que es: un sistema operativo increíble que ha puesto patas arriba el significado de la palabra *smartphone*.

WINDOWS PHONE

En lugar del enfoque centrado en las aplicaciones de iOS y Android, Microsoft ha decidido organizar su sistema operativo Windows Phone en torno a la "información". Los usuarios contemplan grandes botones o mosaicos (*tiles*), diseñados para ofrecerles acceso a la información, más que a una aplicación concreta. En algunos casos, por ejemplo, los mosaicos pueden mostrar las actualizaciones de Facebook o la fecha de su siguiente reunión. En otros casos, muestran la información de sus contactos o, por qué no, del tiempo que hará hoy.

No hay, ni de lejos, tantas aplicaciones disponibles para Windows Phone, pero, con miles de ellas listas para usarse, ¿quién tiene tiempo de probarlas todas? Por otro lado, indicar que Microsoft ha seguido el ejemplo de Apple en cuanto a la disponibilidad de aplicaciones para su sistema operativo. Por el momento, el único lugar donde se pueden descargar aplicaciones para él es la tienda de Microsoft, aunque nada impide que esto pueda cambiar en el futuro.

Uno de los puntos fuertes de Windows Phone es que se integra suavemente con las aplicaciones y servicios en la nube de Microsoft. Este sistema operativo presenta una versión propia de Outlook, incorporada en su código, que funciona la mar de bien. Asimismo, la versión Mobile Office logra integrar magníficamente bien tanto Word como Excel y PowerPoint, además de otras aplicaciones, directamente en el teléfono.

CONOZCA A LAS OPERADORAS Y A LOS FABRICANTES

El papel de las operadoras y los fabricantes de terminales en una campaña de marketing móvil no es muy importante, así que no le dedicaremos demasiado tiempo. Dicho esto, no hace daño conocer un poco a las principales figuras de la industria.

AT&T, Verizon y Sprint son las tres operadoras más grandes de los Estados Unidos. Además, si incluimos a los clientes de T-Mobile entre los de AT&T, la cuota de mercado de esta última es de casi el 43 por 100. Verizon goza de un 34 por 100, mientras que Sprint tiene más o menos el 21 por 100.[2]

Entre los fabricantes se encuentran compañías como HTC, Motorola, Samsung, HP, Apple, RIM y Nokia. RIM y Apple fabrican todos los terminales que utilizan sus sistemas operativos. Google y Microsoft, por su parte, instalan sus sistemas en teléfonos de HTC, Motorola, Samsung o HP.

---

[2] `www.billshrink.com/cell-phones/carrier-compare/index.html`; consultada el 25 de octubre de 2011.

En última instancia, sirve de ayuda estar al tanto de operadoras y fabricantes, pero, como anunciante o propietario de una firma, hay bastantes cosas de las que preocuparse antes de tener que explorar con más detenimiento ese mundillo.

LAS APLICACIONES Y SU PROCESO DE DESARROLLO

Hay un montón de buenas razones por las que las compañías gastan su dinero en el desarrollo de aplicaciones. Podrían querer mejorar su imagen de marca entre los consumidores. Podrían buscar una mejora en la fidelización de los clientes. Incluso podrían querer expandir sus canales de ventas facilitando las compras desde el móvil. O también podrían, simplemente, pretender captar y mantener a los clientes durante más tiempo en sus tiendas físicas.

Ahora que ya se ha formado una imagen de porqué los negocios invierten en el desarrollo de aplicaciones, es un buen momento para conocer un poco mejor ese mundo.

En esta sección, encontrará una lista con docenas de las aplicaciones más importantes que se pueden descargar en su *smartphone*. Podrá, asimismo, acceder desde su teléfono móvil a una lista completa en la Web de 60 Second Marketer haciendo clic en el icono **100 Top Mobile Apps** (Las 100 aplicaciones móviles más importantes).

Hemos dividido la lista en las siguientes categorías: Noticias e información, Redes sociales, Juegos, Cultura y espectáculo, Compras, Aplicaciones de marca, Productividad, Herramientas financieras y Utilidades.

Écheles un vistazo para familiarizarse con ellas o, mejor aún, descárgueselas en su *smartphone* y utilícelas. Vamos allá.

- ▶ **Noticias e información:**

  - ▶ **ABC News Mobile:** Esta aplicación está destinada a todos aquéllos que adoren estar informados. Es posible programar mensajes de texto con alertas para las últimas noticias, ver vídeos, escuchar *podcast* o leer artículos Todo ello desde su *smartphone*.

  - ▶ **AccuWeather:** Esta aplicación le muestra una previsión del tiempo con dos días de antelación basándose en la información de su GPS.

  - ▶ **Caffeine Finder:** El nombre lo dice todo: buscador de cafeína. Ideal para los que no pueden seguir sin su café.

  - ▶ **ESPN Mobile:** Recientemente premiada como anunciante móvil del año, la oferta de ESPN de aplicaciones móviles tiene un poco de todo lo necesario para los aficionados a los deportes, como partidos, artículos o televisión en directo.

- ▶ **Fast Food Finder:** Este buscador de comida rápida es la mejor opción disponible hasta que salga el "buscador de comida saludable".

- ▶ **Google Books:** ¿Le interesa leer la Declaración de Independencia o el *Infierno* de Dante? Descargue Google Books en su *smartphone* y estará listo para empezar.

- ▶ **Google Maps:** ¿Cómo pudieron los hombres vivir alguna vez sin Google Maps? No tenían más remedio que preguntar las direcciones, lo que, por descontado, no hacían. Por fortuna, Google desarrolló su aplicación de mapas para los tipos que somos demasiado tozudos como para detenernos y preguntar una dirección.

- ▶ **The Huffington Post:** La versión móvil de esta popular publicación de noticias y opinión en línea ofrece las últimas noticias, *blogs* y contenidos originales.

- ▶ **Kindle:** Puede utilizar su *smartphone* para mirar libros que podría querer comprar más tarde. Limpia y personalizable, esta aplicación permite visualizar el primer capítulo de cada libro, así como añadir favoritos, notas y destacados.

- ▶ **Pandora:** ¿Es usted un amante de la música? Entonces puede que ya esté familiarizado con Pandora. Pandora le permite crear su propia emisora de radio de acuerdo con sus gustos personales. ¡No olvide sintonizar el canal de Liberace! Era broma.

- ▶ **Qik:** Una nueva y más rápida forma de compartir vídeos con todos nuestros amigos. Qik nos permite grabar y subir instantáneamente vídeos a Internet o bien publicarlos como *streaming* desde el teléfono móvil. También puede establecer un chat de vídeo o enviar un correo electrónico, igualmente de vídeo.

- ▶ **Stitcher:** Esta aplicación móvil le permite recibir las noticias mediante *streaming* de contenidos de audio actualizado sobre negocios, deportes, política y entretenimiento.

▶ **Redes sociales:**

- ▶ **Bump:** Ésta es una aplicación extraordinaria que nos permite intercambiar información de contacto, fotos, información de nuestras redes sociales y eventos de calendario con sólo hacer "*bumping*", es decir, tocando con nuestro terminal el terminal de otro usuario de Bump.

- ▶ **Facebook:** Esta versión móvil permite actualizar al vuelo la nuestra página de Facebook. Incluso se puede actualizar el perfil de Facebook Places, lo que permite a la gente saber dónde estamos comiendo, bebiendo, relajándonos o tomando algo.

▶ **Foursquare:** ¿Listo para conectarse a su restaurante, bar, centro comercial o tienda favorita? Es una forma estupenda de obtener cupones de descuento de las tiendas a las que frecuentamos más.

▶ **Gowalla:** De igual manera que Yelp, Gowalla nos permite navegar por los mejores restaurantes, bares y otros lugares de entretenimiento en nuestro vecindario.

▶ **HootSuite:** Utilizando HootSuite, usted podrá gestionar sus cuentas de Facebook y Twitter desde una interfaz de usuario limpia y elegante. HootSuite se destaca de otros gestores de cuentas en redes sociales por sus características extra: es posible programar actualizaciones, establecer columnas para monitorizar palabras clave y *hash tags*, así como traducir las actualizaciones a otros idiomas.

▶ **LinkedIn:** ¿Quiere permanecer comunicado con sus contactos de negocios? Si es así, la versión móvil de LinkedIn es para usted. Resulta perfecta para ferias y otros eventos, así como para la gente que viaja mucho.

▶ **Loopt:** Permite conectarse con sus amigos compartiendo su localización y estado en línea. Con Loopt, podemos encontrar a nuestros amigos sobre un mapa y ver su foto y actualizaciones de estado en tiempo real.

▶ **Skype:** Los usuarios de Verizon Wireless pueden ahora usar Skype a través de sus teléfonos móviles con las llamadas gratis Skype a Skype y el servicio de mensajería instantánea, utilizando sus minutos móviles. Los usuarios que tengan otras operadoras pueden obtener un número Skype To Go con el que llamar a cualquier teléfono móvil.

▶ **Twitter:** No es necesario estar tras un escritorio para actualizar su estado en Twitter. La versión móvil de Twitter le permite estar conectado dondequiera que se encuentre.

▶ **Plataformas de blogging WordPress, TypePad o Drupal:** ¿Interesado en escribir un *blog* desde su hamaca, desde su yate o desde su isla privada? Podrá hacerlo con estas aplicaciones móviles. Eso sí, antes tendrá que comprarse una hamaca, un yate o una isla privada.

▶ **Yelp:** Esta aplicación puede proporcionarle análisis de restaurantes en el momento. Mejor aún, su capacidad de realidad aumentada le permite mirar a la pantalla de su móvil y ver las etiquetas con los comentarios de los restaurantes de la calle en la que esté. En otras palabras, superpone información acerca de cada restaurante sobre su imagen en vivo que se muestra en su pantalla.

► **Juegos:**

   ► **Angry Birds:** Un juego altamente adictivo en el que hay que cobrar
   venganza de los cerdos verdes que robaron los huevos de los pájaros.
   Es el número uno entre las aplicaciones de pago en más de 60 países.

   ► **Tap Tap Revenge:** Similar a Guitar Hero, este juego comprueba su
   ritmo a medida que pulsa y sacude a izquierda y derecha mientras
   caen las flechas.

   ► **Words with Friends:** Este juego de crucigrama le permite medirse
   con sus amigos o con cualquiera de los millones de usuarios
   registrados en la comunidad de Words with Friends.

► **Cultura y espectáculo:**

   ► **Fandango:** Es una herramienta esencial para todo amante del cine
   que le permite buscar horarios, comprar entradas y ver tráileres.

   ► **Happy Hours:** Muestra las mejores ofertas de comida y bebida
   que hay cerca de usted en cualquier hora del día. Se pueden filtrar
   los resultados de varias maneras, por ejemplo por días, horas,
   localización, tipo de cocina o características especiales como WiFi o
   disponibilidad de terraza.

   ► **RunKeeper:** Permite registrar los entrenamientos de forma fácil y
   divertida y, luego, compartirlos con los amigos.

   ► **Shazam:** ¿Alguna vez se ha preguntado el nombre de la canción que
   sonaba en la radio? Shazam no solo la identifica, sino que le permite
   comprarla y descargarla inmediatamente a su teléfono.

   ► **YouTube:** Ahora puede ver los últimos vídeos de YouTube
   directamente en su teléfono móvil. Puede realizar búsquedas o grabar
   y subir sus propios vídeos.

► **Compras:**

   ► **Amazon:** Imagine que está en una feria y que alguien menciona las
   últimas novedades en libros de negocios. ¿No sería estupendo poder
   comprarlo en ese preciso momento? Eso es ahora posible gracias a la
   aplicación móvil de Amazon.

   ► **eBay:** No tiene por qué perder una subasta sólo por estar de viaje.
   Con la aplicación móvil de eBay puede buscar, comprar, pagar y
   comprobar el estado de sus actividades en eBay desde su teléfono.

   ► **Scoutmob:** Esta página Web le permite disponer de cupones para
   las tiendas y restaurantes locales en su teléfono móvil. Luego podrá
   hacerlos valer sólo con enseñarlos en caja.

▶ **ShopSavvy:** Puede utilizar la cámara de su teléfono para escanear cualquier código de barras y recibir una lista de precios e inventario del mismo producto en las tiendas locales y en línea y asegurarse así de que obtiene siempre el precio más bajo posible.

▶ **Aplicaciones de marcas:**

▶ **Bank of America:** La banca móvil ya está disponible desde BOA. Con su aplicación podrá comprobar el estado de sus cuentas, pagar los recibos, transferir dinero y localizar cajeros y sucursales.

▶ **Kayak:** La aplicación de Kayak.com le permite buscar con facilidad vuelos, hoteles y alquiler de coches. Incluye itinerarios de viajes e información de seguimiento de vuelos.

▶ **Netflix:** Como parte de su cuenta de Netflix, puede disponer de esta aplicación para tener Netflix en su iPad, iPhone o iPod Touch. Disfrute instantáneamente de *streaming* de TV y vídeo desde Netflix.

▶ **Travelocity:** La aplicación le permite comprobar vuelos y hoteles desde su teléfono móvil. Es posible verificar el estado de los vuelos, su programación y la información sobre los retrasos directamente desde la FAA. Esta aplicación toma sus coordenadas GPS para localizar los hoteles más cercanos y le permite leer comentarios, comprobar los precios de las habitaciones e incluso hacer una reserva desde su terminal.

▶ **Virtual Zippo Lighter:** Este mechero Zippo virtual realista se balancea cuando mueve el teléfono e incluso reacciona cuando intenta apagarlo soplando. Es posible elegir entre las imágenes de varios mecheros diferentes o personalizarlo a nuestro gusto.

▶ **Productividad:**

▶ **Evernote:** Esta aplicación le permite tomar notas en una variedad de dispositivos y, luego, almacenarlas todas en la nube. En otras palabras, puede guardar fotos, notas y documentos generados en una variedad de dispositivos, en su cuenta Evernote en la nube.

▶ **Instapaper:** A través de Instapaper podrá guardar artículos Web que haya visitado desde su iPhone para leerlos después. La Web de Instapaper reformatea sus artículos guardados sin anuncios ni clips Flash para que pueda leerlos rápidamente en su ordenador.

▶ **Yammer:** Yammer reúne a todos los empleados de una compañía en una única red social de empresa, segura y privada. Esta plataforma empresarial permite a los negocios establecer un servicio del estilo de Twitter para fomentar el libre intercambio de ideas, vínculos y documentos en la comunidad empresarial.

▶ **Herramientas financieras:**

  ▶ **Bloomberg Mobile:** Utilice esta aplicación para acceder a noticias financieras, cotizaciones, información de empresas, declaraciones de los líderes del mercado, gráficos de precios, análisis de las tendencias del mercado, listas personalizadas de acciones, etc.

  ▶ **CNNMoney:** Las últimas noticias económicas y análisis en profundidad de los mercados llegan a usted de forma personalizada en la aplicación CNNMoney, que además proporciona informes financieros en tiempo real y análisis, datos y gráficos.

  ▶ **iStockManager:** Permite un acceso y control continuos de su cuenta TD Ameritrade. Con esta aplicación puede negociar acciones y opciones, transmitir datos, balances y posiciones en tiempo real, así como noticias y más, en su dispositivo móvil.

▶ **Organizadores personales:**

  ▶ **Barcode Scanner:** Barcode Scanner maneja códigos de barras, incluidos los códigos 2D/QR, y le permite encontrar los productos o URL asociada para obtener el precio de forma instantánea.

  ▶ **Craigsphone:** Busque y navegue entre los artículos de Craigslist generados en las proximidades de su localización GPS. La aplicación tiene también herramientas para que pueda publicar sus propias listas con fotos y mapas.

▶ **Utilidades:**

  ▶ **AntiDroidTheft:** Si pierde su teléfono móvil, AntiDroidTheft enciende el seguimiento GPS remoto para determinar su localización. También puede encender la cámara para hacer una foto que pueda ayudarle a localizar el terminal.

  ▶ **Gas Buddy:** Localiza la gasolinera con mejor precio próxima a su localización, tanto en los Estados Unidos como en Canadá. Incluye mapas e información con las últimas actualizaciones de los precios del combustible.

  ▶ **HubSpot Website Grader:** ¿Está interesado en comparar su Web móvil, también la normal, con las de la competencia? Esta increíble herramienta gratuita de HubSpot analiza lo eficiente que es su Web en la generación de tráfico, vínculos y seguimientos. Es una herramienta indispensable para cualquiera que tenga una Web móvil o tradicional.

  ▶ **Photoshop.com:** La aplicación móvil Adobe Photoshop le ofrece un arsenal de herramientas para usar desde su móvil Android. Puede recortar, girar, corregir el color o cambiar las imágenes a blanco y negro a través de una interfaz bonita e intuitiva.

▶ **Wi-Fi Analyzer:** ¿Desea encontrar el canal WiFi menos saturado? Wi-Fi Analyzer muestra una representación gráfica de la fuerza de la señal WiFi SSID, además de información de los canales que estén en uso.

▶ **Wi-Fi Finder:** Herramienta imprescindible para los viajeros, Wi-Fi Finder es un directorio de puntos de acceso WiFi, gratuitos y de pago, con más de 280.000 localizaciones en 140 países. Es posible filtrar los resultados por proveedor o localización, por ejemplo restaurantes, cafés, etc.

Hemos recorrido mucho camino en este capítulo. Comenzamos analizando los diferentes sistemas operativos móviles y su cuota de mercado en todo el mundo. Después, revisamos las operadoras y los fabricantes de móviles. Finalizamos con la explicación de los motivos que llevan a las empresas a invertir en aplicaciones móviles y cuáles son las más importantes de ellas.

Todavía nos queda mucho camino por delante, pero, con la revisión de estos elementos básicos, estamos listos para aprender más acerca de las estrategias y la integración del marketing móvil.

¿Preparado?

Haga lo siguiente

▶ Familiarícese con los diferentes sistemas operativos móviles. Aprenda a usar Android, iOS, Windows y los demás sistemas operativos.

▶ La próxima vez que visite una tienda AT&T, Verizon o Sprint, pida que le enseñen terminales de varios fabricantes. Averigüe cuáles son los que producen los mejores teléfonos.

▶ Descargue varias de las aplicaciones mencionadas en este capítulo y, lo que es más importante, úselas. Recuerde que no puede entender la tecnología móvil si no la usa.

No haga esto

▶ No asuma que sólo porque ha leído cosas acerca del marketing móvil, ya lo entiende completamente. La mejor manera de comprenderlo genuinamente es experimentarlo. No sea tímido; pulse varios botones e iconos en la pantalla de su móvil y vea a dónde le llevan.

9. Estrategias para las campañas de marketing móvil

La importancia creciente del marketing móvil ha hecho que el desarrollo de una estrategia en dicho campo sea un requisito imprescindible para toda campaña de éxito.

Tenga en cuenta que una de las razones por las que está leyendo este libro es para aprender a hacer crecer su negocio con el marketing móvil. Limitarse a enviar masivamente mensajes de texto a los clientes no es la varita mágica que servirá para aumentar los ingresos. Para asegurarse de que las prácticas de marketing móvil crecen de manera efectiva, debe diseñar, planificar e implementar apropiadamente una campaña de marketing móvil que sirva para sus objetivos estratégicos.

Comencemos por revisar un par de conceptos importantes antes de iniciar la planificación de su campaña de marketing móvil.

El marketing móvil incluye la conexión y la comunicación con el consumidor, en el mercado del cliente final, o con el cliente, en el mercado del cliente de empresa, a través de dispositivos móviles tales como teléfonos móviles, *smartphones* y tabletas. El propósito de su campaña de marketing móvil podría ser enviar un sencillo mensaje de marketing, ofrecer nuevos productos y servicios, enviar a los usuarios a una Web móvil o pedir comentarios con sencillas encuestas.

Estos propósitos se pueden lograr por alguno de los métodos siguientes:

- ► **SMS o MMS:** Enviar mensajes de texto o multimedia a los consumidores para informarles de ofertas especiales, presentaciones de nuevos productos y otras informaciones.

- ► **Banners móviles:** Utilice *banners* móviles para enviar a los clientes a una Web diseñada específicamente para su visualización en un dispositivo móvil.

► **Redes sociales:** Utilice servicios como Twitter, Facebook y Google+ para compartir contenidos con los clientes móviles.

► **Anuncios de pago por visita en búsquedas:** Utilice Google, Bing o Yahoo! para dirigir a los clientes potenciales a su página de aterrizaje móvil.

► **Marketing basado en la localización:** Conecte con sus clientes potenciales y reales a través de servicios de localización, comunicaciones de campo próximo, Bluetooth o publicidad basada en localización.

► **Aplicaciones móviles:** Ofrezca aplicaciones que se puedan descargar e instalar desde una tienda de aplicaciones, tal como iTunes Store para iOS o Google Play para Android, y que los clientes puedan usar para satisfacer su interés en un producto o servicio.

BENEFICIOS DEL MARKETING MÓVIL

Para entender los beneficios del marketing móvil, es una buena idea explorar las formas únicas en las que los consumidores utilizan los dispositivos móviles como "tejido conjuntivo" entre los puntos de contacto en línea y en el mundo real de las empresas. En este caso, los dispositivos móviles se diferencian de otras técnicas de comunicación del marketing de varias formas:

► Los dispositivos móviles son personales y rara vez se comparten con otra persona.

► Los consumidores suelen llevar siempre consigo sus dispositivos móviles.

► Los dispositivos móviles están siempre encendidos.

► Los dispositivos móviles incorporan sistemas de pago.

► Los dispositivos móviles permiten una medición precisa de la audiencia.

► Los dispositivos móviles capturan el aspecto social del consumo de contenidos.

► Los dispositivos móviles tienen una presencia física en una ubicación concreta.

Registrar la eficiencia de una campaña de marketing móvil es más fácil que hacerlo en una campaña tradicional.

Seguir a un individuo con un número de teléfono único asociado a cada una de sus acciones es un proceso sencillo. Además, resulta fácil comunicarse instantáneamente con la audiencia.

Lo más probable es que los miembros de la audiencia lleven sus teléfonos móviles consigo, lo que significa que pueden recibir mensajes en todo momento. Esto supera a otras formas de marketing, en las que la audiencia debe estar en un lugar concreto para ver un cartel o un anuncio.

El marketing a través de los dispositivos móviles es también muy eficiente. Producir contenidos para verlos en los móviles, como audio o vídeo, resulta muy barato si se compara con los contenidos para los ordenadores de sobremesa. Sin embargo, el pequeño tamaño de las pantallas, la menor resolución y las transferencias de datos más bajas de los teléfonos móviles implican que el diseño y ejecución de los contenidos tiene que ser más simple.

Imagine la eficiencia del marketing móvil en consumidores que siempre llevan consigo cupones promocionales, vales y otros incentivos, puesto que estos incentivos se envían como parte de una campaña para móviles. Por ejemplo, los clientes que reciben un mensaje de texto con un cupón que les ofrece un 20 por 100 de descuento en un restaurante tienen muchas más probabilidades de llevar el móvil consigo al restaurante y utilizar realmente el cupón que los que tienen que recortar un cupón idéntico de un periódico.

DESVENTAJAS DEL MARKETING MÓVIL

Como hemos visto en detalle, el marketing móvil tiene muchas ventajas, pero no nos perdonaríamos dejar de advertirle de sus inconvenientes.

Aquí están:

- ▶ **Navegación difícil:** Cierto, los *smartphones* han mejorado mucho su capacidad de navegación por Internet, pero todavía están un poco atrás en cuanto a facilidad de uso respecto a un ordenador normal. Por eso, es muy importante diseñar el contenido móvil para que se pueda navegar fácilmente desde un dispositivo sin ratón ni teclado estándar.

- ▶ **Diferentes sistemas operativos:** Como vimos en el capítulo anterior, los dos sistemas operativos más populares actualmente en uso en dispositivos móviles son iOS y Android. Ambos se comportan y muestran los contenidos de manera diferente, así que es necesario comprobar bien que todo funcione correctamente en todos ellos.

- ▶ **Privacidad:** Los consumidores suelen tener un gran apego por los dispositivos móviles y las empresas tienen que respetar sus preferencias de uso en ese sentido. Así pues, tiene que ofrecer siempre instrucciones claras sobre cómo cancelar la suscripción a cualquier tipo de marketing que se les haya enviado.

A medida que desarrolle y ponga a prueba su estrategia de marketing móvil, experimentará otros tipos de ventajas e inconvenientes. No obstante, por ahora tenga presente las que se acaban de mencionar mientras avanzamos en el desarrollo de su campaña.

CÓMO DESARROLLAR UNA CAMPAÑA DE MARKETING MÓVIL

Ahora que cuenta con la información básica esencial del marketing móvil, está listo para empezar a planificar su propia estrategia móvil. Analizaremos ahora las etapas necesarias para crear y desarrollar una campaña de marketing móvil efectiva.

Realice una planificación adecuada

A la hora de comenzar cualquier campaña de marketing, debería empezar por hacerse las siguientes preguntas:

- ▶ ¿Cuál es el objetivo de esta campaña?
- ▶ ¿Quién forma el público objetivo?
- ▶ ¿Cuánto va durar la campaña?
- ▶ ¿Vamos a usar otros medios para apoyar o suplementar el marketing móvil?

Defina sus objetivos

¿Qué desea conseguir con su campaña? ¿Está intentando que su compañía sea más conocida, mejorar las ventas de un determinado producto o servicio, establecer su marca o algo por entero diferente? Identifique claramente qué es lo que desea conseguir a través de su campaña antes de avanzar con cualquier planificación futura.

Identifique a su público objetivo

Inmediatamente después de definir los objetivos de su estrategia de marketing, debería identificar a su público objetivo principal. Esto le permitiría asegurar que todos los elementos de su estrategia de marketing están dispuestos específicamente para su audiencia, lo que le proporcionaría una comunicación con esos clientes todo lo efectiva que fuera posible.

Una buena forma de identificar un público objetivo es crear el perfil de un miembro de ejemplo de tal grupo. Para empezar, responda a estas preguntas:

1. ¿Quién necesitaría el producto o servicio concreto que está intentando comercializar?

2. ¿Cuál es el tamaño ideal, manejable, de su principal público objetivo? Evite ser demasiado específico, como en "hombre de negocios de 31 años que viva en Manhattan", o demasiado vago, como en "adolescentes", a la hora de encontrar el público adecuado para su campaña.

3. ¿Qué métodos de comunicación funcionarían en conexión con su público? Utilice la información demográfica sobre los grupos de edad y los tipos de personas que utilizan móviles y de cómo los usan.

Los distintos grupos de gente responde de manera diferente a lo que observan y leen. Sus gustos y preferencias afectarán a cómo de bien responden al tipo de comunicaciones que reciben, así que debe asegurarse de investigar su público objetivo en profundidad antes de hacer otros planes.

Diseñe estrategias de campaña

Ahora que ha definido claramente sus objetivos e identificado su público objetivo, puede comenzar a planificar sus estrategias de campaña. Aunque esté planificando una campaña de marketing móvil, debería decidir qué métodos de comunicaciones móviles desea utilizar. ¿Audio? ¿Vídeo? ¿Sitios Web móviles? Asimismo, debería elegir si desea enviar información a sus clientes o atraerlos a su compañía para comenzar un diálogo.

Las campañas basadas en información enviada (*push*) significan que se mandan mensajes a los clientes y se confía en que ellos responderán comprando el producto o servicio. Los mensajes *push* pueden ser de texto, enviados a todos aquéllos que figuren en una lista de correo, para, por ejemplo, informar de un nuevo lanzamiento discográfico.

Las campañas basadas en el diálogo con el cliente requerirán más planificación y esfuerzo, pero también tienden a ser más efectivas para convertir a los clientes potenciales en ventas concretas. Las campañas basadas en diálogo o *pull-based* se centran en conseguir "tirar de" los clientes hacia la compañía.

Para ello, se puede enviar un vínculo a una Web por SMS o desarrollar una aplicación que los clientes puedan descargarse, con el fin de informarles sobre el producto.

Hay diversos otros factores a tener en cuenta cuando se está en la etapa de planificación estratégica de una campaña. ¿Estará la campaña orientada a la marca u orientada a una promoción? Una campaña de marca se diseña para crear una conexión a largo plazo con los clientes. Una campaña promocional se diseña para ofrecer al cliente una razón para comprar un producto o servicio de forma inmediata.

El diagrama de la figura 9.1 ilustra cómo distintos tipos de compañías podrían explorar la naturaleza de sus campañas. El eje Y indica si la campaña está orientada a la marca o a una promoción. El eje X indica si la campaña está centrada en la localización o no lo está.

Por ejemplo, si su compañía es un comercio con una ubicación física, su campaña estará centrada en la localización para atraer a la gente a su local. Si su organización no tiene ánimo de lucro, su campaña no estará centrada en la localización, puesto que, por lo general, no es necesario atraer a la gente a ningún local concreto.

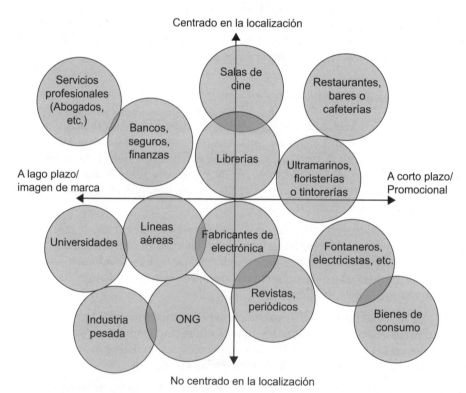

Figura 9.1. Cuando desarrolle su estrategia de marketing móvil, decida si necesita una campaña orientada a la marca o a una promoción. Asimismo, deberá considerar si su campaña va centrarse en la localización o no. Fuente: Dr. Reshma Shah y Jamie Turner.

DETERMINE LA DURACIÓN DE LA CAMPAÑA

Una vez haya especificado estrategias para su campaña móvil, el paso siguiente consiste en decidir cuánto va a durar. ¿Girará su campaña en torno a una única acción o, por el contrario, se basará en múltiples acciones? La duración y el alcance de la campaña afectarán a su diseño.

Si desea que esta campaña se desarrolle durante un período de tiempo extenso, asegúrese de "inyectarle" actividad publicitaria en repetidas ocasiones. De otro modo, la respuesta de los consumidores se irá deteniendo poco a poco.

Incorpore otros tipos de medios

Por último, tiene que determinar qué otros medios va a utilizar en la promoción de su campaña de marketing móvil. ¿Va a informar a los clientes acerca de una aplicación móvil a través del correo electrónico y anuncios en la Web? ¿Pedirá a la gente que se suscriba a mensajes de texto a través de anuncios en la radio? Cómo utilice otros medios tendrá un efecto profundo en su manera de diseñar su campaña.

De modo similar, los objetivos de su campaña y su público objetivo deberían influir en su selección de los otros tipos de medios para la campaña.

Las consideraciones precedentes son básicas, incluso pueden parecer obvias según sea su formación básica en marketing, pero merece la pena que las tenga en cuenta porque son muy importantes.

Sin respuestas claramente definidas a estas cuestiones y consideraciones preliminares, su campaña de marketing móvil no tomará la dirección adecuada, es decir, hacia el éxito.

PRESUPUESTO Y AGENDA

Ahora que la fase previa se ha completado, está listo para ocuparse del presupuesto y la agenda de la campaña. Hágase estas preguntas con el fin de determinar el presupuesto que necesitará para desarrollar su campaña, así como para su planificación en el tiempo.

- ► ¿Cuándo quiere que empiece la campaña?
- ► ¿Cuánto dinero tiene pensado invertir en medios móviles?
- ► ¿Cuánto dedicará a los otros tipos de medios?
- ► ¿Cuántos mensajes tiene pensado enviar?

Establezca una fecha inicial

Elija una fecha en la que desee que empiece la campaña y planee hacia atrás para bosquejar una agenda preliminar. Por ejemplo, si desea que su campaña empiece un 8 de junio y tiene que tener listos los materiales con una semana de antelación, fije la fecha máxima de entrega de los mismos el 1 de junio. Trabajar hacia atrás es la manera de actuar hasta que haya establecido todas las fechas de la campaña. No olvide incluir las fechas de otros tipos de medios si los está usando.

Evalúe el coste de los medios móviles

Hay varias consideraciones respecto al coste cuando se está planificando la tecnología móvil para la campaña. La creación, la promoción y los mensajes tienen sus propios costes. ¿Cuánto costará desarrollar una Web móvil o una aplicación? Es necesario determinar estos elementos antes de seguir adelante.

Calcule el coste de los otros medios

Si va a incorporar otros medios a su campaña de marketing móvil, por ejemplo anuncios impresos, anuncios en Internet, radio, etc., tiene que incluir esos gastos también. Los medios de comunicación de masas son muy caros. Asegúrese de que ese apoyo previsto en otros medios a su campaña merece el gasto en el que deberá incurrir.

Determine el número de mensajes

Por último, determine cuántos mensajes piensa enviar como parte de su campaña. Esto dependerá de su estrategia de campaña, como ya vimos antes. ¿Se va a centrar en el envío de mensajes (*push*), la solicitud (*pull*) o en el diálogo con el cliente? Decidir le ayudará a saber cuántos mensajes tiene que enviar y con qué frecuencia. Tenga en cuenta que el coste por mensaje decrece cuantos más mensajes envía. Por ejemplo, el coste por mensaje si se envían 5.000 podría ser de 0,04 euros, pero si enviase 20.000 sería de 0,03 euros.

Después de establecer su presupuesto y la agenda de la campaña, puede comenzar a planificar el mensaje que se transmitirá en la misma.

CONTENIDOS Y PRODUCCIÓN

Ya dispone de la información básica, del presupuesto y de la agenda, además de una idea razonable de la escala de la campaña, así que ahora puede empezar a planear el o los tipos de mensajes que enviará. Es importante esperar a esta fase para planificar los detalles del mensaje de forma que pueda valorar con precisión si es preferible enviarlos todos de una vez o en oleadas, si se va a dirigir a un público muy amplio o más limitado, etc.

Responda estas preguntas para obtener directrices válidas en la planificación del mensaje de su campaña.

- ▶ ¿Qué tipo de mensaje desea utilizar en esta campaña?
- ▶ ¿Cómo va a distribuir los mensajes?
- ▶ ¿Quién producirá los contenidos o desarrollará la aplicación?
- ▶ ¿Quién va comprobar la campaña?

Elija el tipo de mensaje

Decida qué tipo de mensaje va a utilizar como parte de su estrategia de marketing móvil. ¿Enviará SMS? ¿Usará *banners* móviles? ¿Desarrollará una aplicación móvil? Examine a su público objetivo y su información básica antes de decidir qué método de comunicación sería el más efectivo para conectar con sus clientes.

Asegúrese de tener en cuenta las fortalezas y limitaciones de cada tipo de mensaje. Por ejemplo, los SMS son muy baratos y se leen casi el 100 por 100 de las veces, pero están limitados a 160 caracteres. Examine los beneficios y las desventajas de cada método de comunicación.

Decídase sobre la distribución

Decida quién proporcionará la plataforma necesaria para implementar su campaña. ¿Va a ser un desarrollo interno o piensa externalizar la implementación de su campaña a otra empresa? Evalúe sus recursos, centrándose particularmente en el plazo de entrega y el nivel de su equipo de marketing, para determinar si hacerlo por sí mismo le reportaría mejor relación coste/beneficio o, por el contrario, es buena idea externalizar el trabajo.

ELIJA UNA ESTRATEGIA DE PRODUCCIÓN

Una vez haya decidido quién implementará y distribuirá su campaña, el siguiente paso será elegir cómo se producirán los mensajes que enviará. Si se decide por una aplicación móvil, ¿la desarrollarán en su empresa o piensa contratar un equipo externo de desarrollo? ¿Quién va a diseñar la campaña de SMS o la Web móvil? Nuevamente, es importante que evalúe todos sus recursos antes de tomar esta decisión.

Realice comprobaciones

Una comprobación adecuada de su campaña es, probablemente, el paso más importante. En pocas palabras, cualquier planificación será inútil si la campaña no funciona.

Debe reservar el tiempo suficiente para llevar a cabo pruebas exhaustivas antes de lanzar la campaña si quiere encontrar todos los posibles errores.

Tiene que comprobar todos los aspectos de la misma: SMS, aplicación móvil, Web móvil, etc.

Después de dar estos pasos, estará listo para dedicarse a las etapas finales de la planificación de su campaña móvil.

OTRAS CONSIDERACIONES

Llegados a este punto, ya cuenta con la información esencial sobre el marketing móvil, ha establecido un presupuesto y una agenda para su campaña y se ha hecho cargo de los contenidos y la producción. Es momento, por tanto, de afrontar los elementos finales de la campaña.

En este caso, existen tres preguntas que habrá de responder antes de llegar a la fase final.

▶ ¿Quién va a organizar y coordinar la implementación de todos los medios?

▶ ¿Dónde recibirá los contactos de sus clientes?

▶ ¿Qué métricas piensa aplicar?

Coordine la implementación de múltiples medios

Si va a utilizar múltiples medios de comunicación, debe decidir quién los coordinará. ¿Están bien planeadas las actividades que se llevarán a cabo en otros medios? Si su campaña móvil depende en gran medida del apoyo de otros medios, resulta de gran importancia asegurarse de que ese aspecto está solucionado.

Recoja información de sus clientes

Si planea utilizar SMS u otro medio basado en envíos (*push*) para comunicarse con sus clientes, ¿cómo piensa obtener esa información? En los Estados Unidos, comerciar con listas de suscripciones a servicios (*opt-in*) está prohibido por ley, así que, ¿de dónde piensa sacar la información de los clientes? Podría considerar la posibilidad de dirigir a los clientes a una Web en la que se puedan suscribir a mensajes de información o proporcionarles un número de teléfono para que envíen una clave de autorización para su inclusión en lista de envío.

Establezca unas métricas adecuadas

Otra parte muy importante de cualquier campaña de marketing consiste en determinar qué valores medirán cabalmente su éxito. En el ámbito del marketing móvil están disponibles numerosas métricas, tales como el número de mensajes enviados, número de mensajes entregados, número de mensajes "stop", número de clientes que siguen las instrucciones de un mensaje, etc.

Establezca todas las métricas necesarias para evaluar la eficiencia de su campaña con total precisión.

¿POR QUÉ SE DEBE PENSAR EN TÉRMINOS ESTRATÉGICOS?

El marketing móvil puede ser muy efectivo por tres importantes razones. En primer lugar, permite conectar con los clientes por un medio que siempre está conectado; en segundo lugar, siempre está disponible; en último término, es muy personal. Es más, una estrategia de marketing móvil puede implementar otras formas y medios de comunicación con facilidad, para llegar al público objetivo y convertir a los clientes potenciales en ventas efectivas. Hoy por hoy, casi cada hombre, mujer y niño de este planeta tiene su propio teléfono móvil.

Esto hace que sea más fácil que nunca llegar tanto a sus clientes actuales como a los potenciales nuevos clientes. ¿Por qué no implementar una estrategia móvil para su siguiente campaña de marketing? Vea lo efectiva que puede resultar esta nueva tecnología para llegar a los clientes.

Haga lo siguiente

- ▶ Trate la tecnología móvil como un canal de comunicación y pruebe herramientas concretas como SMS, aplicaciones o servicios basados en localización.

- ▶ Use lo móvil como "tejido conjuntivo" con potencial para unir las experiencias de usuario en línea y fuera de ella. Michael Becker, director gerente de la Mobile Marketing Association, utiliza la expresión "tejido conjuntivo" para describir la capacidad de las tecnologías móviles de convertirse en una parte indispensable y totalmente integrada del marketing y los negocios como un todo.

No haga esto

▶ No nombrar a un responsable interno del canal móvil. Sin un experto propio a cargo de todo esto en su empresa, la estrategia móvil no resultará efectiva.

▶ No sitúe las tecnologías móviles en un silo, aisladas de la estrategia global de marketing. Las comunicaciones interdisciplinarias en su empresa, no sólo en el ámbito del marketing, son cruciales para lograr el éxito a largo plazo con las tecnologías móviles.

Parte III
Las herramientas
de marketing móvil

10. Cómo desarrollar una Web móvil

Si su empresa es como la mayoría, su Web móvil o bien es inexistente o bien no es tan buena como debería.

Sea cual sea su caso, en este capítulo encontrará instrucciones sobre cómo diseñar, crear y utilizar una Web móvil. Después, indicaremos cómo dirigir el tráfico hacia su Web móvil. Después de todo, ¿qué sentido tiene contar con una Web móvil si nadie la visita?

El primer paso para desarrollar una Web móvil es meterse en la piel del cliente para poder ver las cosas desde su perspectiva. El resultado es que así seremos capaces de diseñar el sitio desde una perspectiva centrada en la experiencia de usuario y no desde una perspectiva centrada en la empresa. Es más, si se diseña la Web desde el punto de vista de la experiencia de usuario, se consigue profundizar la fidelización de los clientes y que vuelvan a visitarla más a menudo.

Normalmente, a causa del medio, la Web móvil será más ligera y directa que la corporativa de su empresa. La gente que visite su Web móvil lo hará, asimismo, desde dispositivos móviles y tendrá, por su parte, unas necesidades específicas, entre las que no está el deseo de leer un montón de información prescindible. Así pues, ahí puede prescindir de las notas de prensa, las biografías de los empleados, estudios de caso, filosofía de empresa y de las fotos de la última fiesta de los empleados.

En pocas palabras, debe mantener su sitio Web móvil lo más simple posible. Las más de las veces, esto quiere decir que no debe ocupar más de cinco o diez páginas. Sólo en muy raras ocasiones sería deseable un sitio Web móvil con más de diez páginas.

Pasemos a los detalles específicos. Vamos a profundizar y observaremos de cerca algunos negocios específicos, cuyos clientes analizaremos para demostrar cómo es posible ponerse en el lugar de nuestros clientes cuando visitan nuestra Web móvil.

PÓNGASE EN EL LUGAR DE SUS CLIENTES

El doctor Flint McGlaughlin, consejero delegado de MECLABS, un laboratorio de optimización de Internet, dice que el truco para definir campañas de marketing eficaces no pasa por optimizar las páginas Web, sino por optimizar el curso de los pensamientos de los clientes. Cuando alguien visita una Web, móvil o estándar, su mente sigue una serie de paso concretos que dependerán de su situación particular.

> ### La búsqueda por voz y su potencial impacto en su negocio
>
> Cada vez más gente utiliza la búsqueda por voz para obtener resultados en sus dispositivos móviles. Es algo importante, que se debe tener presente si se está empezando y la empresa aún no tiene nombre.

Analicemos ahora la mentalidad y los procesos de pensamiento de una variedad de personas que buscan determinadas compañías en la Web mediante sus dispositivos móviles. Observe que no se trata de una lista exhaustiva, pero, si revisa los diferentes tipos de empresa que se ofrecen, así como la forma en que los usuarios dan con ellas mediante sitios Web móviles, obtendrá una perspectiva adecuada de porqué es tan importante adentrarse en los pensamientos de sus clientes antes de desarrollar la Web.

RESTAURANTES, BARES Y CAFETERÍAS

Aquí encontramos dos tipos de clientes potenciales, básicamente: aquéllos que buscan un restaurante, cafetería o bar concreto, y aquéllos que buscan cualquier restaurante, cafetería o bar.

En el primer caso, los clientes probablemente hayan usado Google, Bing o Yahoo! desde sus dispositivos móviles hasta dar con su negocio. Una vez que hayan llegado a su Web móvil, estarán interesados en alguna de estas cinco informaciones (por orden de importancia): su ubicación (con un mapa configurado para la Web móvil), el menú (con los precios), su horario de atención al público, su número de teléfono y, posiblemente, si tiene o no acceso WiFi.

En el segundo caso, cuando la gente busca cualquier restaurante, bar o cafetería, están interesados en las mismas cinco informaciones, pero sería conveniente que la Web incluyera algún tipo de oferta como "gancho", que fuera del tipo: "Postre gratis para cualquier grupo que muestre este cupón móvil".

La clave aquí es configurar su Web móvil de manera que resulte atractiva a ambos tipos de consumidores. Haciendo esto, será capaz de reunirlos en su Web móvil y, de ahí, atraerlos hacia su local.

TIENDAS FÍSICAS

El hilo de los pensamientos de cualquier cliente potencial de un comercio de este tipo sería, más o menos, el siguiente: ¿Tiene esta empresa el producto que estoy buscando? Si es así, ¿cuál es su ubicación más próxima? ¿Cuál es el horario de atención al público de la tienda?

Puede que algunos clientes potenciales busquen cupones de descuento, así que incluir una suerte de "oferta del día" podría resultar una buena forma de llevarlos hasta su tienda. Asimismo, recuerde que mucha gente podría querer realizar las compras desde su propio dispositivo móvil, así que, si el comercio electrónico ya forma parte de su Web estándar, no estaría de más que lo implementara también en su Web móvil.

LÍNEAS AÉREAS, FERROCARRILES Y OTROS MEDIOS DE TRANSPORTE

Imagine que se encuentra en su coche y que encuentra el sitio Web de la línea aérea con la que va a volar en su dispositivo móvil. ¿Qué sería lo que probablemente primero le interesara comprobar? Si su vuelo llega a tiempo, con retraso o si ha sido suspendido.

Seguidamente, intentaría hacer *check in* desde su móvil para ahorrarse la cola del mostrador de facturación. Después de eso, lo más probable es que se interesara por el horario de los vuelos, por su equipaje y por reservar futuros vuelos.

DESPACHOS DE ABOGADOS, ASESORES Y OTROS SERVICIOS PROFESIONALES

Una de las principales razones por las que alguien visitaría la Web móvil de algún servicio profesional es, sin duda, para encontrar la dirección de sus oficinas. Así pues, conviene ponerla en un sitio bien visible junto con un vínculo a un mapa y a un botón de llamada para que la persona pueda entrar en contacto rápidamente.

A la hora de diseñar un sitio Web móvil para un servicio profesional, recuerde que una apariencia limpia y despejada, con una buena cantidad de espacio en blanco, da al visitante la sensación de que se trata de una firma de primera clase. Resista la tentación de utilizar demasiado color y peque siempre de clásico antes que de contemporáneo. Dicho esto, si su negocio es una agencia de diseño gráfico, de interiores o de contenidos digitales, o de alguna otra profesión creativa, lo contemporáneo resulta adecuado. Sin embargo, un despacho de abogados, una gestoría contable o una asesoría financiera deben optar por diseños clásicos.

ORGANIZACIONES SIN ÁNIMO DE LUCRO

Hay tres tipos de personas que visitan las Web de organizaciones sin ánimo de lucro: aquéllos que quieren donar, aquéllos que quieren recibir ayuda y los que sólo tienen curiosidad por saber a qué se dedica la organización.

Es posible acomodar a los tres tipos de visitante en un solo sitio Web. Un enfoque podría ser incluir un gran botón rojo con la leyenda "Done aquí" en la esquina superior derecha de la pantalla y, más abajo, proporcionar vínculos claros, minimalistas, a otras secciones del sitio. Recuerde que una de las formas más rápidas de proporcionar información a la gente sobre nuestra causa es mostrar una fotografía, así que no se avergüence de poner una imagen a todo color que cuente su historia. Aunque desaconsejamos que sature su Web móvil con muchas imágenes que demanden un gran ancho de banda, una fotografía ocasional, situada estratégicamente, puede contribuir mucho a hacer llegar su mensaje.

HOTELES, BALNEARIOS, SPAS, ETC

Si su negocio es de este tipo, la mayoría de sus potenciales clientes serán los que estén buscando un hotel para reservar una habitación o bien para cancelar una reserva. Seguramente, estarán interesados también en hablar con algún responsable. Hágaselo fácil: incluya botones grandes, simples y fáciles, centrados en su página Web. Asegúrese también de incluir un botón de llamada telefónica entre las primeras cosas que se vean. Mucha gente necesita atención personalizada porque, por ejemplo, se han dejado el móvil en la habitación o desean tratar del acceso para personas con movilidad reducida.

UNIVERSIDADES, ACADEMIAS Y OTRAS INSTITUCIONES EDUCATIVAS

Hay dos tipos de visitantes a la Web móvil de una universidad: estudiantes que se han perdido y futuros estudiantes que desean más información. Eso no quiere decir que no haya otras informaciones de interés, por ejemplo los requisitos de entrada o los gastos de matrícula. Sin embargo, los usuarios principales del sitio móvil de una institución educativa serán estudiantes perdidos y futuros estudiantes.

BANCOS, CAJAS, COOPERATIVAS DE CRÉDITO Y OTRAS INSTITUCIONES FINANCIERAS

En el caso de bancos, cajas, etc., se tratará sobre todo de la localización de cajeros y oficinas, y, posiblemente, de servicios de banca móvil. En el caso de otras instituciones financieras, se buscará sobre todo un acceso rápido a la información financiera.

OTROS NEGOCIOS

Hay miles de tipos diferentes de negocios y no podemos cubrirlos en su totalidad, pero creemos que hemos dejado clara la idea: el punto de partida para diseñar cualquier Web móvil consiste en ponerse en el lugar del cliente y diseñar hacia atrás a partir de ahí.

Una vez que invierte su pensamiento y comienza a ver las cosas desde la perspectiva de sus clientes, no le resultará difícil seguir la secuencia lógica del diseño y desarrollo de su Web móvil. Con eso en mente, recordaremos rápidamente cómo iniciar el proceso de diseño de una Web móvil.

Cubriremos algunos de los aspectos ya mencionados, además de presentar nuevos conceptos como el diseño orientado a la velocidad y los desarrollos para varios dispositivos. ¿Preparado? Vamos allá.

1. **Póngase en el lugar de sus clientes:** Como ya se ha dicho, el primer paso para cualquier campaña de marketing con éxito consiste en ponerse en el lugar de sus consumidores. Piense en su Web móvil desde su perspectiva. ¿Dónde suelen estar cuando acceden a su sitio Web desde sus dispositivos móviles? ¿Qué información es más probable que vayan a buscar? ¿Cuál es la manera más fácil de proporcionarles esa información?

2. **Analice la secuencia de pensamientos de sus clientes:** Cuando realiza dicho análisis, lo que hace es repasar las etapas que atraviesan sus clientes a fin de reunir información y procesarla. Podría descubrir que clientes de distintos perfiles visitan su Web móvil y que cada uno de ellos presenta procesos de pensamiento diferentes. Es posible diseñar un sitio adecuado a esos múltiples procesos de pensamiento, con tal de que proporcione un flujo de información simple y lógico para cada perfil de cliente.

3. **Minimice el número de elementos de diseño:** Resista la tentación de atiborrar su sitio Web con toneladas de información. No piense como quien diseña un folleto. En lugar de eso, piense en términos de un mensaje de texto. Sea breve y no incluya ningún elemento de diseño a menos que sea absolutamente necesario.

4. **Diseñe para la velocidad:** Las páginas se cargan más despacio en un sitio móvil que en un ordenador estándar. En consecuencia, la ratio de abandonos de la navegación suele ser mucho mayor. Asegúrese de que su diseñador Web hace todo lo que esté en su mano para optimizar la Web móvil. Evite utilizar Flash y vídeo en su Web móvil. Utilice imágenes JPEG y GIF en su lugar.

5. **Diseñe para múltiples dispositivos:** Ahora mismo, no existe un estándar para todos los dispositivos, así que no tendrá más remedio que diseñar su Web basándose en los cuatro o cinco modelos principales que usen sus clientes. Esto implica que su sitio Web no siempre se verá en condiciones óptimas, pero a estas alturas lo mejor que puede hacer es diseñar teniendo presentes a la mayoría de los consumidores y los terminales que hayan elegido.

LOS DETALLES DEL DISEÑO DE UNA PÁGINA WEB

Llega la hora de entrar en los aspectos más técnicos del diseño de una página Web. En un capítulo anterior, analizamos los tres enfoques diferentes que se pueden adoptar al crear una página Web móvil. Veamos un recordatorio rápido:

▶ **Sistemas automáticos:** Estos sistemas utilizan herramientas de software para leer el código de su Web existente y convertirlo a un formato compatible con los dispositivos móviles. Como se mencionó anteriormente, no se trata del mejor camino posible, puesto que estos sistemas automáticos no hacen más que reempaquetar el sitio Web sin tener en cuenta los matices de su diseño. Tenga cuidado si decide emplear este método.

▶ **Sistemas plug-and-play:** Numerosas compañías ofrecen buenos sistemas *plug-and-play* que le permiten crear un sitio Web móvil con diferentes grados de control. Entre estas compañías se encuentran las siguientes: Mobify, Wirenode, Mippin Mobilizer, Onbile, MoFuse y HubSpot. Si su sitio Web estándar está diseñado con WordPress o Drupal, existen varios *plug-ins* gratuitos que puede utilizar para crear versiones móviles del mismo.

▶ **Agencias de diseño:** Si la personalización de su Web móvil reviste una importancia capital para su empresa, lo mejor es que contrate los servicios de una agencia de diseño Web. Su coste será significativamente superior al de las soluciones de tipo *plug-and-play*, pero el grado de control que tendrá sobre elementos tales como la imagen de marca, la optimización para motores de búsqueda, las métricas de la Web y diversos otros factores será infinitamente superior.

Herramienta de redireccionamiento de navegadores móviles

Si está buscando una forma sencilla de crear código para que los navegadores móviles se redireccionen a su sitio Web móvil, Mobile Moxie ofrece una herramienta fácil de usar para llevarlo a cabo. No tiene más que visitar `MobileMoxie.com` y buscar la herramienta de redireccionamiento de navegadores. Siga las instrucciones y, antes de que se dé cuenta, tendrá el código que necesita.

Si decide adoptar el tercer enfoque, contratar los servicios de una agencia de diseño para que cree su Web móvil, esto es cosa fácil. Esencialmente, no tiene más que pedir a la agencia que incluya una línea de código en su página Web que detecte el tamaño de pantalla del navegador que intente acceder a sus contenidos. Si el navegador del visitante tiene una anchura inferior a 600 píxeles, casi seguro que está utilizando un dispositivo móvil.

Cuando éste sea el caso, se redirigirá al visitante hacia la Web móvil, que puede "residir" fuera del sitio Web estándar si utiliza determinados sistemas *plug-and-play* o en su interior si se trata de un diseño realizado por una agencia.

EL LENGUAJE DE INTERNET

Antes de que profundice en el desarrollo de su Web móvil, debemos definir unos cuantos términos importantes.

Este conocimiento le resultará práctico incluso después de haber construido su sitio Web, ya que estos términos se usan con frecuencia en reuniones y conversaciones.

- ▶ **URL (*Uniform Resource Locator*, Localizador uniforme de recursos):** Nombre técnico de las direcciones Web. Ejemplos de URL serían: `www.HubSpot.com` o `www.60SecondMarketer.com`.

- ▶ **Nombre de dominio:** La parte de la URL de su Web que va antes del último punto. En el ejemplo anterior, `HubSpot` y `60SecondMarketer` serían los nombres de dominio.

- ▶ **Extensión del dominio:** La parte de la dirección Web que incluye las letras que aparecen después del último punto. Por ejemplo: `com`, `org`, `mobi` o `edu`.

- ▶ **Subdominio:** La parte de la dirección Web que aparece antes del nombre de dominio. Por ejemplo, `www.m.ABC.com` es un subdominio de `ABC.com`.

- ▶ **Subdirectorio:** La parte de la dirección Web que viene después de la extensión del dominio. Por ejemplo, www.ABC.com/mobile es un subdirectorio de ABC.com.

Estos términos se muestran gráficamente en la figura 10.1. Algunas empresas deciden desarrollar sus sitios Web móviles como entidades separadas de sus Web estándar. Por ejemplo, una compañía llamada Green Widgets podría tener una Web estándar en www.GreenWidgets.com, mientras que su Web móvil estaría en www.GreenWidgets.mobi.

Protocolo   Nombre de dominio   Subdirectorio
http://www.60SecondMarketer.com/mobile
        Subdominio   Extensión

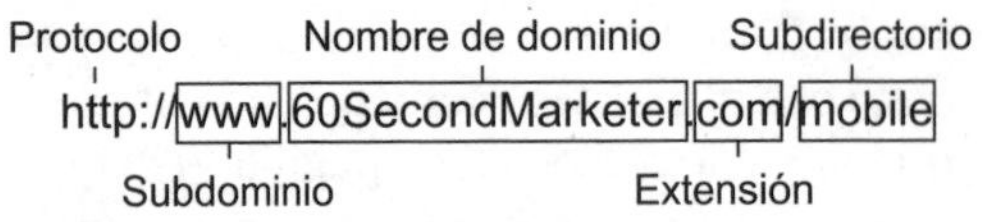

Figura 10.1. Probablemente no tenga que pasar demasiado tiempo preocupándose de protocolos, subdominios o subdirectorios. No obstante, nunca está de más conocer la anatomía de una URL.

Si el código específico, incluido en la Web estándar, detecta que un visitante llega desde un dispositivo móvil, se encargará de redirigirlo al sitio móvil en www.GreenWidgets.mobi.

La otra opción es construir su sitio móvil en el interior de su Web ya existente. Eso se puede lograr creando un subdominio, como en www.m.GreenWidgets.com, o un subdirectorio, como en www.GreenWidgets.com/mobile. Nuevamente, una vez que el código de la Web estándar se da cuenta de que el visitante llega desde un dispositivo móvil, lo redirigirá o bien al subdominio móvil, www.m.GreenWidgets.com, o bien al subdirectorio pertinente, www.GreenWidgets.com/mobile.

Todas estas opciones están bien, pero lo más fácil de todo es crear un subdirectorio y redirigir a los visitantes hacia allí. Cuando una versión móvil del sitio se incluye en un subdirectorio, resulta mucho más fácil de mantener porque toda ella está incluida en la Web estándar. Además, esto facilita el trabajo de registro de los motores de búsqueda, puesto que el subdirectorio m. les permite saber que está diseñado específicamente para los dispositivos móviles.

RECURSOS PARA EL DESARROLLO DE SITIOS WEB MÓVILES

Existen varias herramientas y recursos que le pueden servir de ayuda mientras desarrolla su sitio Web móvil. Estas herramientas le pueden servir para comprender mejor a los usuarios de móviles e incluso le proporcionan emuladores móviles con los que probar su sitio Web.

▶ **Comscore.com y Nielsen.com:** Ambas compañías ofrecen investigación sobre el uso de móviles. Asimismo, ofrecen un registro mensual de los principales terminales en uso tanto en los Estados Unidos como en Europa.

▶ **AdMob.com, MillennialMedia.com, GetJar.com y Netbiscuits.com:** Se trata de redes de publicidad móvil que ofrecen infinidad de datos sobre el uso de teléfonos móviles, incluyen informes gratuitos sobre los principales terminales en uso en todo el mundo.

▶ **MobileMoxie.com, DeviceAnywhere.com y MobiReady.com:** Ofrecen la posibilidad de comprobar la idoneidad de su sitio móvil y le proporcionan indicaciones sobre cómo mejorar su funcionalidad.

Hemos analizado un número importante de asuntos en este capítulo, por ejemplo, cómo diseñar una Web móvil desde la perspectiva del cliente, cómo construir una Web móvil utilizando sistemas automáticos, sistemas *plug-and-play* o agencias de diseño, cómo interpretar el lenguaje de Internet y cómo emplear los recursos externos para obtener datos y probar nuestra Web.

En el capítulo siguiente, vamos a analizar el uso de los mensajes SMS y de los mensajes multimedia MMS para atraer incluso a más clientes a nuestro negocio.

Haga lo siguiente

▶ Póngase en el lugar de sus clientes. Si lo hace, será capaz de diseñar su Web de acuerdo con sus necesidades particulares.

▶ Diseñe su sitio móvil para la velocidad y la funcionalidad. Optimizando el diseño del sitio Web, mejorará la experiencia de usuario.

▶ Compruebe su Web durante el desarrollo. Esto quiere decir que tendrá que usar los emuladores de sitios Web mencionados en este capítulo, así como realizar pruebas con clientes reales para verificar la funcionalidad del sitio y su facilidad de uso.

No haga esto

▶ No asuma que su sitio funcionará en todos los dispositivos. A medida que el tiempo pasa, los estándares de diseño de los sitios Web se irán definiendo, pero, por ahora, es imposible diseñar una Web que funcione a la perfección en el 100 por 100 de los terminales disponibles.

▶ No utilice sistemas automáticos para crear su Web móvil. En lugar de eso, confíe en los sistemas *plug-and-play* o bien contrate los servicios de una agencia de diseño.

11. Cómo usar SMS y MMS para atraer a los clientes a su negocio

Daremos comienzo a este capítulo centrándonos en el servicio de mensajes cortos o SMS, que nos servirá de introducción estelar para el análisis de los mensajes multimedia o MMS. De todas las herramientas de marketing móvil a su disposición, los mensajes SMS son los que le resultarán más familiares. En un capítulo anterior, le indicamos que la Cruz Roja de los Estados Unidos utilizó los SMS en una campaña de gran éxito para paliar los efectos del terremoto de Haití. Por otro lado, empresas como FedEx o UPS envían alertas a los consumidores a través de mensajes de texto acerca de sus envíos. Por supuesto, como cualquier padre de un adolescente sabrá, los mensajes de texto son la forma preferida de comunicación entre los chicos y las chicas de 12 a 17 años.

El servicio de mensajes SMS se concibió en los años ochenta del siglo pasado, pero no fue hasta el 3 de diciembre de 1992 que se envío el primer SMS comercial.[1] El mensaje, "¡Feliz Navidad!", lo envió un joven ingeniero de la empresa Airwide Solutions y con él abrió las puertas a cambios fundamentales en nuestra forma de comunicarnos.

El éxito de los SMS en el ámbito de los negocios se debe a varias razones.

> ▶ Los mensajes de texto se suelen leer en los cuatro minutos posteriores a su recepción, frente a las 48 horas del correo electrónico.[2]

---

[1] www.160characters.org/news.php?action=view&nid=2471; consultada el 24 de octubre de 2011.

[2] Mobile Marketing Association, *Mobile Marketer's Classic Guide to Mobile Advertising*, 3ª ed., 2010, p. 43.

▶ Virtualmente todos los *smartphones* tienen capacidad para enviar SMS.

▶ Los consumidores están muy familiarizados con el medio, no en vano, se envían 4.000 millones de mensajes de texto cada día frente, por ejemplo, a 2.900 de búsquedas diarias en Google.[3]

▶ Los SMS son relativamente baratos.

▶ El servicio de SMS es fácilmente escalable.

▶ Los datos de las campañas por SMS son fáciles de registrar, lo que facilita enormemente la evaluación del retorno de la inversión.

LOS SMS EN HECHOS Y CIFRAS

El proyecto Pew Internet & American Life Project informa de que los adolescentes en los Estados Unidos utilizan los mensajes de texto más que cualquier otro medio para contactar diariamente con sus amigos (54 por 100). Esto incluye hacer llamadas de teléfono (38 por 100), verse en persona (33 por 100) y utilizar el correo electrónico (11 por 100). No son los únicos. Un estudio reciente de Merkle encontró que el 63 por 100 de los adultos de Estados Unidos con edades comprendidas entre los 30 y los 39 años envían mensajes de texto. Cifra que se queda en el 49 por 100 de los adultos entre 40 y 49 años. Más aún, el 26 por 100 de los adultos estadounidenses se han suscrito a mensajes publicitarios mensuales de una media de tres compañías.[4]

Está claro que los mensajes SMS no van a desaparecer en el futuro inmediato.

Dicho esto, existen una serie de inconvenientes que se deben atender antes de utilizar los SMS para hacer negocios con los clientes. Para empezar, muchos consumidores temen empezar a recibir *spam* a través de SMS. Asimismo, temen el uso que las compañías harán de los datos que recojan mediante los mensajes SMS.

Por último, ciertos abusos con los SMS cometidos por determinadas organizaciones poco legítimas han vuelto a muchos consumidores reacios a utilizar esta tecnología.

También es importante recordar que los SMS no son más que una de las herramientas disponibles para nuestras campañas de marketing móvil y no es una que funcione óptimamente en solitario. Si opta por emplear los SMS, asegúrese de incorporarlos como parte de un conjunto de técnicas más amplio para fidelizar al cliente.

---

[3] `http://en.wikipedia.org/wiki/Text_messaging`; consultada el 24 de octubre de 2011.

[4] *Mobile Marketing Playbook*, 360i, 2010, p. 28.

CÓMO USAR LOS SMS PARA CONECTAR CON EL CLIENTE

El uso de SMS no está limitado más que por nuestra imaginación; es un medio que facilita la creatividad. Otra gran ventaja es que no resultan caros de implementar.

Con eso bien presente, vamos a revisar algunas de las formas creativas en las que distintas compañías y profesionales utilizan los SMS para conectar con sus clientes y hacer crecer sus ingresos.

▶ CNN, Mashable y ABC News envían notificaciones *push* mediante SMS, con alertas para los suscriptores a noticias e informaciones importantes. Las historias completas están disponibles en sus aplicaciones y sitios Web móviles.

▶ Médicos y dentistas utilizan los SMS para recordar a los pacientes las fechas de sus citas. Los pacientes pueden confirmar sus compromisos en el momento, con lo que se reducen considerablemente las ausencias a las citas y se incrementan en igual medida los ingresos de los médicos.

▶ Los profesionales inmobiliarios utilizan SMS para proporcionar información a los potenciales clientes. Éstos pueden, si están interesados, averiguar más sobre las ofertas enviando un ID concreto, de una lista, por SMS para recibir información detallada, rápidamente.

▶ Las gasolineras utilizan mensajes de texto para avisar a los consumidores de las inmediatas subidas en el precio de los carburantes.

▶ Las ferias, exposiciones y otros eventos utilizan mensajes de texto para avisar a los asistentes acerca de promociones especiales tanto dentro como fuera del recinto. También se emplean en votaciones, cuyos resultados se muestran a los asistentes durante las presentaciones.

▶ Symantec proporciona alertas de texto a suscriptores mediante su solución de flujo de trabajo. La compañía envía alertas a sus suscriptores cuando se ha descubierto alguna nueva amenaza de virus en Internet.

▶ British Airways y otras aerolíneas proporcionan alertas de texto a los viajeros que quieren estar al tanto de si su vuelo se retrasa o es cancelado.

▶ Walgreen's en los Estados Unidos y Lloyd's en el Reino Unido emplean los SMS para informar del envío de sus recetas. Asimismo, existen otros servicios que informan a los pacientes de cuándo llega la hora de tomar sus medicinas.

▶ Blue Shield of California incluye el servicio de SMS text4baby como parte de su educación programa de educación prenatal, lo que proporciona expectativas e información a las nuevas madres sobre los cuidados prenatales y posparto.

▶ Safaricom, en Kenya, ofrece una solución SMS llamada M-PESA que permite a los clientes pagar bienes y servicios mediante SMS. Los usuarios introducen la cantidad que desean pagar, escriben sus números PIN, confirman los detalles y pulsan la tecla de llamada. El vendedor les envía un recibo por la transacción en el mismo momento.

▶ Marriott Hotels ofrece una alerta de texto a los visitantes que se hayan dejado cosas como carteras, monederos, bolsos, etc., en sus habitaciones. Todos los visitantes reciben un mensaje de texto de agradecimiento cuando se marchan.

▶ Las universidades, institutos, etc., utilizan SMS para enviar alertas relacionadas con la meteorología o con situaciones de emergencia. Los mensajes se pueden enviar a grupos enteros de estudiantes al mismo tiempo.

▶ Los bancos y otras instituciones financieras envían mensajes de texto a los clientes que piden recibir alertas cuando sus cuentas se van quedando a cero.

▶ RentPayment, VacationRentPayment y StorageRentPayment ofrecen el pago por SMS a sus clientes. Una vez registrados los clientes, pueden abonar sus facturas con mensajes de texto fácil y rápidamente.

▶ ArmenTel realizó un concurso por SMS en el que pidió a los participantes que respondiesen a una serie de preguntas. Con cada respuesta se acercarían un poco más a un "tesoro" escondido. Durante los 90 días de campaña, se entregaron más de 8.000 premios y participaron más del 11 por 100 de los clientes de ArmenTel.[5]

CÓMO CONFIGURAR, PRESENTAR Y LLEVAR ADELANTE UNA CAMPAÑA DE SMS

Es importante entender los requisitos de una campaña de SMS antes de lanzarse a crear una. Un mensaje SMS está limitado a 160 caracteres, lo que significa que su anuncio tendrá que ser muy conciso y realmente efectivo a la hora de transmitir la información. Asimismo, tendrá que tener en cuenta las reglas que dada operadora impone a los SMS.

Hay cinco elementos clave en toda campaña de SMS que se deben tener presentes cuando se vaya a planificar:

---

[5] www.mmaglobal.com/studies/armentel-%E2%80%9Ctreasure-hunt%E2%80%9D-sms-contest-velti; consultada el 24 de octubre de 2011.

1. **Palabra clave:** Es la palabra que los usuarios escribirán antes del código corto (descrito más adelante). Tiene que ser fácil de recordar, fácil de escribir y muy relacionada con su marca. En general, está compuesta por ocho caracteres o menos. Es bueno que baraje una buena cantidad de palabras clave antes de decidirse por una. Incluso debería consultarlo con la almohada antes de tomar la decisión final.

2. **Código corto:** Los usuarios envían la palabra clave a un número de cinco dígitos llamado código corto. Por ejemplo, sus carteles o pósteres anunciadores pueden animar a los usuarios a que envíen el texto FREESTUFF (literalmente, PRODUCTOSGRATIS), la palabra clave, al número 12345, o sea, el código corto. Una decisión crucial en este punto es si le conviene utilizar un código corto personalizado, como COKE para la Coca-Cola, o bien uno compartido, del tipo de 54321. Los códigos compartidos tienen mejor relación calidad/precio, pero los códigos personalizados pueden resultar una inversión interesante para las marcas grandes.

3. **Llamada a la acción:** La llamada a la acción engloba la palabra clave, el código corto y el beneficio o valor añadido que se ofrece al usuario. El desafío consiste en lograr que el cliente actúe con una sola frase. Así pues, también querrá comprobar qué combinación es mejor para obtener resultados óptimos. Por ejemplo, podría querer comparar los resultados estas dos llamadas a la acción: "Envíe PALABRACLAVE al CÓDIGOCORTO para obtener una prueba gratuita" o bien "Envíe PALABRACLAVE al CÓDIGOCORTO para obtener audiolibros gratis".

4. **Medios de apoyo:** Esto incluye anuncios, pósteres, cuñas de radio, anuncios en televisión y *banners* digitales para animar a los usuarios a que envíen el mensaje de texto. La elección del tipo de medio, la ubicación y el equipo creativo tienen aún más influencia en el éxito de una campaña que la palabra clave, el código corto y la llamada a la acción. Para obtener los mejores resultados, hay que asegurarse de que la llamada a la acción ocupa un lugar preeminente en los SMS. Si se va a mostrar en un anuncio de televisión, es preciso mantenerla en imagen el máximo tiempo posible; idealmente, durante todo el anuncio.

5. **Respuesta:** Después de que los usuarios respondan, deberían recibir un mensaje de acuse de recibo por su parte. Ésta puede ser una nueva ocasión de diferenciar aún más su marca. Por ejemplo, si su negocio es un bar en Hawaii, responder: "Estupendo, chaval" estaría bien. Si es un banquero de Wall Street, utilizar "Estupendo, chaval", también estaría bien..., es broma, no utilice eso si es un banquero.

Las 14 palabras más poderosas del marketing

La investigación indica que los consumidores responden mejor a las siguientes 14 palabras.[6] Asegúrese de usarlas en sus llamadas a la acción:

- ▶ Gratis.
- ▶ Ahora.
- ▶ Usted o tú.
- ▶ Ahorrar.
- ▶ Dinero.
- ▶ Fácil.
- ▶ Garantizado.
- ▶ Salud.
- ▶ Resultados.
- ▶ Nuevo.
- ▶ Amor.
- ▶ Descubrimiento.
- ▶ Comprobado.
- ▶ Seguridad.

LE PRESENTAMOS AL HERMANO GUAPO DE LOS SMS: LOS MENSAJES MMS

Hemos hablado mucho hasta ahora de los SMS y de cómo usarlos para incrementar sus ventas e ingresos. Sin embargo, no debemos olvidarnos del servicio de mensajes multimedia, MMS, que tiene toda la potencia de los SMS junto con la capacidad de transmitir un mensaje con imágenes, sonido y vídeo. Incluso puede usar los MMS para escribir descripciones más largas, que podrían incluir vínculos a Webs móviles, porque carecen de la limitación a 160 caracteres que presentan los SMS.

---

[6] Denny Hatch, Don Jackson, 2,239 *Tested Secrets for Direct Marketing Success: The Pros Tell You Their Time-Proven Secrets* (Nueva York. McGrawHill, 1998), p. 88.

De los casi 250 millones de personas que envían SMS en los Estados Unidos, alrededor del 85 por 100 tienen también la capacidad de enviar y recibir MMS.[7] Si desea averiguar cuáles de sus clientes pueden enviar y recibir mensajes MMS, no tiene más que preguntarles si sus móviles pueden hacer fotos. Si la respuesta es sí, casi con seguridad que disponen de móviles capaces de usar MMS. Lo cierto es que sólo un puñado de modelos de terminales comercializados en los Estados Unidos carecen de la posibilidad de recibir MMS.

Qué se puede enviar con un MMS

Buena pregunta. Si se compara un MMS con un SMS, observará que aquél ofrece posibilidades muy interesantes de las que carece éste.

Veamos cuáles son:

▶ **Imágenes:** Es posible enviar imágenes e integrarlas directamente en los buzones de entrada de los terminales de sus clientes. Se pueden enviar imágenes del logo de su empresa, de un nuevo producto o hasta una fotografía de personas interaccionando con su marca.

▶ **Texto:** Como ya hemos mencionado, no es necesario preocuparse por las restricciones de caracteres en las campañas MMS. Puede escribir varios miles de palabras en su mensaje, aunque es poco probable que la mayoría de los destinatarios lean más que unas pocas docenas. Mejor aún, tiene la posibilidad de formatear el texto de muchas maneras, desde añadir color a cambiar la tipografía y los estilos.

▶ **Audio:** ¿Comercializa audiolibros? ¿Tiene un grupo musical? Tal vez se trate de captar suscriptores para su *podcast*. Si es así, querrá incluir cortes de audio en sus mensajes y los MMS resultan ideales para ello.

▶ **Animaciones:** Éstas pueden ir desde iconos animados hasta ilustraciones o dibujos animados. Incluir animación es una forma magnífica de hacer que su negocio destaque sobre la competencia.

▶ **Vídeo:** Casi todos los teléfonos MMS pueden recibir llamadas de vídeo, así que no tema a esta poderosa herramienta. Si utiliza Final Cut Pro, iMovie o QuickTime para codificar sus vídeos, su mensaje será compatible con la mayoría de los dispositivos móviles. Asegúrese, sin embargo, de que sus vídeos no van a más de 15 fotogramas por segundo y de que no duren más de 30 segundos, de este modo conseguirá que su contenido se entregue adecuadamente.

---

[7] `http://mobithinking.com/mobile-marketing-tools/latest-mobile-stats`; consultada el 24 de octubre de 2011.

Cómo realizar una campaña de MMS

Hay diferentes enfoques entre los que elegir a la hora de llevar a cabo una campaña con MMS. Si es de los que gusta de hacer las cosas por sí mismo, puede echar un vistazo a las aplicaciones que ofrecen compañías como Mogreet o CellySpace. El fundador de Mogreet, James Citron, ha colaborado en algún libro sobre marketing móvil.

También CellySpace, otra respetada compañía en la industria del marketing móvil, proporciona unas herramientas sólidas para cualquiera que busque ayuda en línea para aprovechar las virtudes de los SMS y MMS.

Si no es de este tipo de personas, lo mejor es que trabaje codo con codo con algún proveedor de servicio MMS. Ciertamente, si su campaña es larga, complicada o es necesario personalizarla, es la opción más oportuna. Aquí le mostramos algunos de los beneficios de trabajar con un proveedor de MMS establecido.

Cualquiera de estos proveedores podría:

- **Gestionar la entrega de sus contenidos a través de múltiples operadoras y terminales:** De ese modo, no tendrá que preocuparse sobre si su mensaje MMS se ejecutará en un iPhone de Apple o en un Samsung Galaxy.

- **Dirigirse a subgrupos de clientes:** Verá que el éxito de sus campañas mejora cuanto más segmente o personalice el mensaje. Los proveedores de servicio MMS podrían ayudarlo a hacer eso.

- **Adquirir códigos cortos en propiedad para usted:** Con un proveedor de servicio MMS, no tendrá que enfrentarse a las molestias de todas las variables en torno a los códigos cortos. No tendrá más que dar al proveedor una indicación de lo que está buscando y sus profesionales utilizarán este conocimiento y experiencia para ofrecerle el código correcto.

- **Controlar el éxito de su campaña:** ¿Qué sentido tiene llevar a cabo una campaña de marketing si no va a registrar sus progresos? Con la corriente de datos que puede recibir sobre su campaña, debería contratar una compañía capaz de analizarlos y de extraer las consecuencias oportunas para usted. Los proveedores de servicio MMS podrían ayudarlo a hacer eso.

- **Gestionar la aprobación de la operadora en su lugar:** Las operadoras tienen un montón de normas y regulaciones en torno al marketing móvil. Utilizando un proveedor de servicio MMS tendríamos más fácil defendernos en esas procelosas aguas.

Elementos de un mensaje de suscripción por SMS y MMS

Tim Miller, presidente de SUMOTEXT, dice que todo mensaje de suscripción consta de cinco partes:

1. El nombre del proveedor de contenido.

2. Una descripción de la campaña.

3. Frecuencia de mensajes prevista.

4. Coste del servicio.

5. Instrucciones para darse de baja en la suscripción o para obtener ayuda.

BUENAS PRÁCTICAS CON SMS Y MMS

Tanto si usa SMS como si es MMS para ofrecer información de producto, vínculos a sitios Web móviles o a mapas, vínculos a llamadas, vídeos de productos o cualquier otra forma de comunicación, querrá seguir estas buenas prácticas:

▶ **Pedir permiso:** Esto es lo más importante. Si alguna vez alguien le ofrece una lista de clientes que han dado su permiso para recibir sus mensajes en dispositivos móviles, simplemente diga que no. Lo que le están vendiendo es *spam* de la peor especie. Antes de enviar mensajes a sus clientes tiene que obtener "siempre" su autorización expresa. Los SMS y MMS pueden costar dinero, así que es importante que los destinatarios tengan una conciencia clara de haberse suscrito antes de enviarles los mensajes.

▶ **Ofrezca algo de valor:** Los dispositivos móviles son objetos muy personales, mucho más que las televisiones, los ordenadores u otras tecnologías. Así pues, es importante ofrecer algo de valor a los consumidores que hayan decidido suscribirse para recibir sus mensajes. No olvide nunca que le están dando sus datos personales y parte de su privacidad cuando conectan a través de un SMS o MMS, así que conviene que recompense su fidelidad de algún modo.

▶ **Utilice SMS y MMS para eventos dependientes del tiempo:** *American Idol* utilizaba mensajes de texto para recordar a sus fans las emisiones del programa. Delta Airlines utiliza SMS para informar a los viajeros sobre sus vuelos. Los consumidores suelen responder positivamente a los mensajes que proporcionan información que facilita sus vidas.

En resumen, tanto los SMS como los MMS son tecnologías interesantes y solventes que se pueden utilizar para conectar efectivamente con los clientes, potenciales y reales. Puede que no sean las herramientas más novedosas del marketing móvil, pero cuando se combinan con otros medios de marketing, como televisión, vallas publicitarias o radio, pueden resultar muy potentes.

Haga lo siguiente

► Antes de nada, establezca los objetivos de su campaña. ¿Qué está intentando conseguir? ¿Cuál es el resultado deseado?

► Realice un seguimiento de sus resultados. ¿Qué sentido tendría realizar una campaña de marketing móvil si no se registran puntualmente sus resultados? Como se suele decir, las cosas que se evalúan, mejoran.

► Integre su campaña. Encontrará que su campaña obtiene los mejores resultados cuando se integra en un programa de marketing más amplio. Las campañas de un solo medio no funcionan igual que los esfuerzos coordinados de varios medios a largo plazo.

No haga esto

► No promocione su campaña de SMS o MMS en zonas con una pobre cobertura móvil. No tendría sentido en el metro, en el interior de algunos edificios o en zonas aisladas.

► No espere resultados inmediatos. Las mejores campañas de marketing móvil se llevan a cabo a lo largo del tiempo. Es lógico pretender obtener una buena respuesta inicial tras el lanzamiento de la campaña, pero los mejores resultados llegan después de una explotación coherente a lo largo del tiempo.

12. Cómo utilizar los display ads para hacer crecer sus ventas e ingresos

Hemos abarcado un gran campo en los capítulos precedentes. En los primeros capítulos, aprendimos cómo introducirnos directamente en el marketing móvil. Desde entonces, hemos explorado un buen número de herramientas y técnicas de marketing móvil. Asimismo, hemos leído sobre algunas campañas concretas, muy exitosas, de marketing móvil y hemos analizado el uso de SMS y MMS en las Web móviles.

Ha llegado el momento de profundizar en el maravilloso mundo de los *display ads* o *banners* móviles. Para empezar, una aclaración: no confunda los *display ads* con los anuncios de pago por visita en las búsquedas móviles, ambos introducidos en el capítulo 5.

Los anuncios de pago por visita en búsquedas móviles son, esencialmente, vínculos que aparecen en los resultados de las búsquedas y por los que el anunciante paga siempre que el usuario hace clic sobre ellos. Los *display ads* son los pequeños *banners* que se ven en las Web, las aplicaciones e incluso en los juegos para móviles. Cubriremos en detalle los anuncios de pago por visita en búsquedas móviles en el capítulo siguiente.

De acuerdo con Borrell Associates, el gasto en *display ads* en los Estados Unidos crecerá desde los 250 millones de euros en 2010 hasta los 685 en 2011 y a más de 8.000 millones en 2015, de los que 1.200 vendrán de lo que se considera como "anunciantes locales".[1]

---

[1] www.borrellassociates.com/reports/marketdata/smmobile-lar; consultada el 25 de octubre de 2011.

Ya lo hemos apuntado antes, pero merece la pena repetirlo aquí: el marketing móvil resulta ideal para los negocios locales porque la mayoría de la gente que interacciona con una campaña de marketing móvil es, a su vez, móvil y suelen estar buscando dónde comprar algo en su zona en el futuro inmediato.

Un estudio de Millennial Media, una red de publicidad móvil que facilita la planificación y adquisición de campañas publicitarias móviles, indica que los dispositivos iOS y Android producen los mejores resultados en cuanto a tasas de respuesta a la publicidad. BlackBerry los sigue muy de cerca, con Windows Phone cerrando el grupo. Estos resultados son susceptibles de cambiar, claro está, pero por ahora iOS, Android, BlackBerry y Windows Phone informan de los mejores resultados con los *display ads*.[2]

REDES DE PUBLICIDAD MÓVIL

En los días gloriosos de Madison Avenue, allá por el siglo XX, cuando se quería lanzar una campaña publicitaria, el proceso era muy simple: se llamaba a un periódico, a unas cuantas emisoras de radio, alguna cadena de televisión y tal vez a un par de revistas, y se les pagaba para que exhibieran la campaña. Si tenemos en cuenta lo optimizado que estaba el proceso de planificación y compra en aquellos días de *Mad Men* (*Mad Men* es una serie de la cadena HBO que está ambientada en el mundillo de la publicidad de mediados del siglo XX), no resulta sorprendente que los creativos representados en la serie se pasen el tiempo en comidas de trabajo, no tenían otra cosa que hacer.

Hoy por hoy, la planificación y compra en este medio es mucho más compleja e interesante. Para tener éxito, es necesario familiarizarse íntimamente con las diferentes formas de distribución de la publicidad presentes en la actualidad. Estos canales podrían incluir decenas de emisoras de radio, centenares de canales de televisión por cable, miles de campañas en motores de búsqueda y millones de sitios Web diferentes. Quizás la única manera de manejar esta complejidad sea regresar a las comidas de trabajo con martinis de *Mad Men*. En serio, creemos que el tema está claro: el marketing en este siglo es tan complejo que requiere un estadístico para registrarlo todo.

Las redes de publicidad móvil se crearon precisamente para ayudar con todo eso. Una de estas redes proporciona una red de "canales", sitios Web, aplicaciones, juegos, etc., que atraen al tipo de persona en la que cada empresa está interesada, es decir, el público objetivo. Por ejemplo, digamos que trabajamos para *Sports Illustrated* y que deseamos llegar a los varones de 25 años con un gran interés en los deportes. Lo normal sería que contactáramos con una red de publicidad

---

[2] www.millennialmedia.com/research; consultada el 25 de octubre de 2011.

y dejáramos que sus profesionales planificasen y situasen los anuncios en centenares, miles o decenas de miles de Web diferentes, o bien en aplicaciones o juegos, en nuestro lugar.

Existen docenas de redes de publicidad móvil entre las que elegir. Entre las más grandes y conocidas están AdMob de Apple, iAd de Apple y la independiente Millennial Media. También merece la pena investigar BuzzCity, CellTick, JumpTap, HipCricket, Medio, Mobclix, y la red de publicidad de Microsoft. Además, algunas publicaciones en línea como *The Wall Street Journal*, CNN, *The New York Times* y otras venden igualmente publicidad móvil. Esto funciona muy bien si se cuenta con una campaña de marketing móvil muy sencilla o si se está adquiriendo uno de dichos canales sólo como complemento de una campaña de marketing estándar. Pero, si realmente desea lanzar una campaña de marketing móvil con garantías de éxito, tendrá que comprar más que un puñado de publicaciones, también deberá confiar en una red de publicidad móvil.

ESPECIFICACIONES TÉCNICAS DE LOS DISPLAY ADS (BANNERS MÓVILES)

Los *display ads* son de todas las formas y tamaños. En el momento de escribir esto, no se ha establecido ningún estándar para esta variedad, pero la información en esta sección debería darnos una idea de los más comunes.

Es posible mostrar *display ads* (o *banners* móviles) "estándar", que son análogos a los *banners* que podemos ver en las Web tradicionales. También es posible mostrar anuncios multimedia que usen vídeo para mejorar la experiencia del usuario. Asimismo, con la llegada del iPad y del resto de tabletas, existen ahora dos categorías generales de *display ads* móviles con las que familiarizarse: los *display ads* y *display ads* enriquecidos para *smartphone* y para tabletas. Veamos los detalles de cada uno:

Display ads para smartphones

- ▶ **Banner con imagen grande:** 320 × 250 píxeles. Las imágenes pueden ser GIF, PNG o JPEG, inferiores a 10 KB. Con GIF animados para las animaciones.

- ▶ **Banner con imagen estándar:** 320 × 50 píxeles. Las imágenes pueden ser GIF, PNG o JPEG inferiores a 10 KB. Con GIF animados para las animaciones.

- ▶ **Banner con imagen mediana:** 168 × 42 píxeles. Las imágenes pueden ser GIF, PNG o JPEG inferiores a 10 KB. Con GIF animados para las animaciones.

▶ **Banner con imagen pequeña:** 120 × 30 píxeles. Las imágenes pueden ser GIF, PNG o JPEG inferiores a 10 KB. Con GIF animados para las animaciones.

▶ **Etiqueta de texto (opcional):** Hasta 24 caracteres para extra grande, hasta 18 para grande, hasta 12 para mediano y hasta 10 para pequeño. No se utilizan en *banners* extra-extra-grandes.

Display ads enriquecidos para smartphones

▶ **Vídeo a pantalla completa:** 320 × 50/300 × 250 píxeles; tamaños de archivo inferiores a 3 MB; duración máxima de la animación: 30 segundos.

▶ **Slider video:** 320 × 50 píxeles; tamaños de archivo inferiores a 5KB (50 × 50) e inferiores a 15 KB (270 × 50); duración máxima de la animación: 30 segundos.

▶ **Superposición (overlay):** 320 × 50 píxeles que se expanden hasta 320 × 480; tamaños de archivo inferiores a 20 KB.

Display ads para tabletas

▶ **Banner horizontal extra grande:** 728 × 90 píxeles; las imágenes pueden ser GIF, PNG o JPEG inferiores a 40 KB. Con GIF animados para animaciones.

▶ **Banner cuadrado grande:** 300 × 250 píxeles; las imágenes pueden ser GIF, PNG o JPEG inferiores a 40 KB. Con GIF animados para animaciones.

▶ **Banner de tipo rascacielos:** 120 × 600 píxeles; las imágenes pueden ser GIF, PNG o JPEG inferiores a 40 KB. Con GIF animados para animaciones.

▶ **Banner horizontal extra grande:** 468 × 60 píxeles; las imágenes pueden ser GIF, PNG o JPEG inferiores a 40 KB. Con GIF animados para animaciones.

▶ **Banner extra grande:** 320 × 50 píxeles; las imágenes pueden ser GIF, PNG o JPEG inferiores a 10 KB. Con GIF animados para animaciones.

Display ads enriquecidos para tabletas

▶ **Vídeo in-line:** 300 × 250 píxeles; tamaños de archivo inferiores a 40 KB; duración máxima de la animación: 30 segundos. El usuario lo inicia con un clic.

▶ **Clic-a-vídeo:** 300 × 250/728 × 90/120 × 600/468 × 60; tamaños de archivo inferiores a 3 MB; duración máxima de la animación: 30 segundos. El usuario lo inicia con un clic.

▶ **Reproducción automática a pantalla completa:** 300 × 250/728 × 90/120 × 600/468 × 60; tamaños de archivo inferiores a 3 MB; duración máxima de la animación: 30 segundos. Reproducción automática.

Comprender las especificaciones técnicas de una campaña de marketing móvil es importante, pero lo realmente vital es lo que se hace con los anuncios. Una cosa es ejecutar un *banner* móvil tradicional, estático, y otra muy distinta es mostrar un *banner* capaz de atraer a sus clientes potenciales y convertirlos en reales.

Veamos algunas técnicas innovadoras para atraer más clientes a nuestro negocio:

▶ **Dirigir a los clientes a sus locales:** Si tiene interés en conectar los clientes potenciales con sus tiendas físicas, está de enhorabuena. Resulta muy fácil utilizar la tecnología GPS para identificar dónde se encuentra el cliente potencial. Una vez éste pulsa su anuncio, es dirigido a un mapa que identificará la tienda más próxima a su ubicación actual. Cuando haga clic en el mapa, la información de contacto de dicha localización se mostrará en su *smartphone*. Esta técnica resulta estupenda para librerías, concesionarios de coches, talleres, tiendas o cines. En realidad, esta técnica es magnífica para cualquier negocio basado en locales físicos.

▶ **Conectar a los usuarios con su marca:** Veamos una técnica muy sencilla para que los clientes, reales y potenciales, puedan interaccionar con su marca. Cuando pulsen en el anuncio, los clientes serán dirigidos hacia una pantalla que les animará a subir una foto suya interaccionando de algún modo con la marca. Más tarde, se pueden llevar a cabo promociones en las que, por ejemplo, la persona que suba una foto suya con un producto de la marca en la localización más exótica ganaría un año gratis de producto. Asimismo, es muy sencillo poner en práctica variaciones de esta técnica.

▶ **Llevar a cabo una promoción viral con cupones:** ¿Interesado en incrementar los negocios en su localización? ¿Por qué no mostrar un *display ad* que permita a los usuarios enviarse a sí mismos y a sus amigos un cupón electrónico con un código de descuento mediante un mensaje de texto SMS? Una vez recibido, los usuarios lo pueden conservar en sus teléfonos móviles hasta que lleguen a la tienda.

Lo mejor de todo es que lo podrán enviar a sus amigos, quienes podrán beneficiarse también de la promoción. No olvide, eso sí, incluir una fecha de caducidad para la promoción, de manera que limite la duración del descuento.

▶ **Pasar a formar parte de la lista de contacto de sus clientes
potenciales:** ¿No sería estupendo que pudiera añadir la información de
contacto de su compañía a las agendas de sus clientes potenciales? Pues
puede considerarlo cosa hecha. No tiene más que mostrar un *display ad*
que envíe una notificación *push* a la gente que lo pulse, la cual deberá
pedir permiso para incorporar su información de contacto en la agenda
del teléfono. De ahí en adelante, ya estará en la base de datos de su cliente,
con lo que tendrán fácil acceso a su información de contacto. Esto es
perfecto tanto para negocios orientados a empresas como orientados a
clientes finales que busquen abrir un canal de comunicación fácil con
sus clientes, potenciales y reales.

▶ **Realizar una promoción por correo electrónico:** Una de las mejores
características de las comunicaciones digitales es que, en muchos casos,
expandir su alcance resulta virtualmente gratis. Cuando los usuarios
pulsan sobre el anuncio, podrían recibir ánimos para correr la voz de la
promoción mediante correos electrónicos a sus amigos. Imagine el
impacto en su recaudación si, como dueño de un restaurante, desea
reunir a mucha gente en un evento concreto. O también si es el dueño
de una sala de espectáculos que desea vender muchas entradas para un
concierto. Animando a la gente a enviar correos electrónicos a sus amigos,
conseguirá ampliar el negocio de su compañía sin gastar ni un céntimo
extra en marketing.

▶ **Añadir un evento al calendario de los clientes potenciales:** Imagine
que piensa celebrar una venta especial durante varios fines de semana.
¿Le gustaría que sus clientes potenciales tuvieran marcadas las fechas en
sus calendarios? Piense también en el caso de una cadena de televisión
que desea promocionar la premiere de la nueva temporada de una serie
de éxito. Buenas noticias. Es posible mostrar un *display ad* que envíe a
los clientes potenciales una notificación *push* que añada las fechas a sus
calendarios. Una vez aprueban la notificación, las fechas se añadirán
a los calendarios automáticamente, seguidas por un recordatorio que
aparecerá en la pantalla unos días o unas horas antes del evento.

▶ **Incorporar las fotos del usuario a un anuncio:** ¿Desea profundizar su
relación con sus clientes, potenciales y reales? Una de las mejores formas
de hacerlo es incorporar una foto de los mismos en su publicidad. Todo
lo que hay que hacer es mostrar un *display ad* que les anime a sacarse una
foto, preferiblemente con nuestro producto, que podrán subir después a
una versión personalizada del anuncio. Ésta es una forma estupenda de
hacer que la marca forme parte de las vidas de los clientes.

Como ya hemos cubierto muchas de las formas más interesantes de utilizar
los *display ads* para conectar con los clientes, vamos a hablar de otro aspecto
realmente interesante de la publicidad móvil: el *targeting*.

OPCIONES DE TARGETING PARA DISPLAY ADS

Durante la investigación para este libro, entrevistamos a Raphael Rivilla, el director de medios digitales de BKV Digital y Direct Response. Raphael es un experto en tecnologías digitales, en particular en planificación y adquisición de medios móviles. Raphael dice que existen tantas opciones para dirigirse a la gente que use medios móviles que a menudo resulta difícil para los directores de marketing saber por dónde empezar.

¿Desea dirigirse (*target*) a la gente que sólo visita las 100 Web principales? Es perfectamente factible hacerlo. ¿Qué tal dirigirse a los clientes de AT&T? No hay problema. ¿Y dirigirse sólo a los usuarios de Android? También es fácil.

Mejor todavía: ¿desea dirigirse a la gente en base a su uso de la tecnología WiFi? Por ejemplo, ¿desea enviar un anuncio a los viajeros de negocios que acceden a Internet con sus dispositivos móviles a través de los puntos de acceso en los aeropuertos de todo el mundo? Pues podrá hacerlo. ¿Qué hay de los ricos que pasan sus vacaciones en los *resorts* de lujo? También se puede hacer, sí.

Es posible dirigirse a los clientes por la hora del día, dirigirse a aquellos clientes que acaben de cambiar de compañía o dirigirse a la gente situada en una localización concreta, lo que resulta ideal para los restaurantes, bares, cafeterías y otros pequeños negocios locales.

Pero hay más. ¿Qué pasa si está interesado en dirigirse a la gente que haya mostrado ciertos comportamientos? Por ejemplo, digamos que desea dirigirse a aquellas personas que estuviesen leyendo un artículo en la Web móvil de la CNN y que hubieran hecho clic anteriormente en un anuncio del último descapotable de Chrysler. También podrá hacerlo sin mayores problemas.

Seguidamente, le preguntamos esto a Raphael: "Si queremos llegar sólo a los doctores propietarios de un Mercedes-Benz, que vivan a menos de 10 km de la costa, que ganen más de 200.000 euros al año y que hayan descargado la aplicación Food & Wine en sus iPad, ¿podríamos hacerlo? ¿Sería eso posible?".

Su respuesta fue afirmativa. Nos explicó que la combinación de las técnicas de *targeting* móvil con los datos disponibles en compañías como Experian o TransUnion nos permitían dirigirnos a tales personas en concreto. Sin embargo, pasó por alto el hecho de que probablemente no haya más de 20 personas en los Estados Unidos que cumplan esos criterios, lo que haría muy poco práctica una campaña de ese tipo.

Pero eso no invalida el argumento: es posible el *targeting* selectivo de clientes utilizando *display ads*. Cuanto más estrictamente definidos estén los parámetros de su campaña, mayor será el interés que sus potenciales clientes tendrán en su producto o servicio, lo que, en último término, mejoraría el retorno de la inversión en su campaña.

COMPRAR DISPLAY ADS MÓVILES

Los *display ads* se pueden adquirir de múltiples formas: CPM (*Costper-thousand impressions*, Coste por mil impresiones), CPC (*Cost-Per-Click*, coste por clic) o CPA (*Cost-Per-Acquisition*, Coste por adquisición).

Vamos a ver cuál es el tipo de *display ad* móvil que funcionará mejor en su compañía:

▶ **CPM:** Cuando adquiere siguiendo el modelo CPM, básicamente está comprando un número garantizado de impresiones. En este caso, por "impresión" nos referimos al número de veces que su anuncio se mostrará a un individuo. Por ejemplo, si adquiere anuncios en la CNN y paga 2 euros CPM, estará pagando 2 euros por cada mil personas que los vean. Antes de que vaya a la CNN con sus dos euros, recuerde que éste le van a exigir un gasto "mínimo", es decir, mostrar los anuncios ante decenas o centenares de miles de personas, para que la economía de escala permita esos precios CPM. Comprar en base a un CPM es bueno cuando se está interesado en fomentar la imagen de marca para un producto o servicio. Es menos eficaz cuando se está interesado en llevar a la gente a una Web móvil donde puedan comprar algo, como un libro, una canción o entradas para un evento. En tales casos, suele ser aconsejable decantarse por comprar en base a CPC o CPA.

▶ **CPC:** Comprar en una base de coste-por-clic es la forma más adecuada en los anuncios que se muestran en las búsquedas de Google, Yahoo! o Bing, donde sólo se pagan cuando alguien hace clic en el anuncio mostrado en pantalla. En otras palabras, puede mostrar un anuncio en Google con la condición de pagar a Google 25 céntimos cada vez que una persona haga clic en el mismo. Podría ser necesario que 100 personas hicieran clic en el anuncio antes de vender un producto, pero suponga que ese gasto de 25 euros (25 céntimos por 100) supone la venta de un producto de 250, es un negocio redondo. Paradójicamente, CPC es también una buena idea cuando "no" se espera que muchos clientes hagan clic sobre el anuncio. ¿Por qué es esto así? Pues porque la imagen de la marca se exhibe en el anuncio aun cuando nadie haga clic en él. En otras palabras, decenas de miles de personas verán su marca en el anuncio y, si asumimos que no harán clic en él, no tendrá que pagar ni un céntimo. Es de locos, pero es cierto.

▶ **CPA:** El coste por adquisición, también coste por descarga, asegura que su campaña de marketing móvil realizará exactamente la acción que buscamos: sólo pagaremos cuando alguien compre efectivamente el producto. Ahora bien, antes de lanzarse a contratar un CPA, tenga en cuenta que no es oro todo lo que reluce. Las compañías que llevan a cabo programas CPA suelen cobrar por adelantado los costes de la configuración de la campaña, lo que suele suponer decenas de miles de euros. Nada, salvo quizás el aire, sale gratis. Aparte de eso, casi todo cuesta dinero.

VÍDEO MÓVIL

Los vídeos móviles se pueden mostrar antes, durante o después de que un visitante haga clic en el contenido de una Web móvil. También se pueden incluir dentro de los *display ads* móviles.

Un ejemplo magnífico en el uso eficaz del vídeo móvil es Pandora, la emisora de radio en línea que reproduce selecciones musicales basándose en los gustos individuales del usuario. En varios momentos de su interacción con Pandora, la emisora muestra pequeños anuncios de vídeo en el sitio. Estos pequeños anuncios ofrecen un medio estupendo para presentar nuevos productos a los clientes. Mejor aún, se pueden registrar los datos de los clientes que hacen clic en el vídeo para llegar a la empresa anunciante.

Animal Planet utilizó el vídeo móvil para fomentar la imagen de marca de su serie *River Monsters*. El vídeo formaba parte de una campaña integrada que se ejecutó sobre múltiples plataformas, incluido YouTube, que se vio más de 900.000 veces en las semanas previas a la premiere. Animal Planet creó anuncios interactivos de vídeo en la red AdMob que ofrecían a sus clientes la oportunidad de visualizar una previa del programa *River Monsters*, compartir el vídeo a través de los medios sociales, aprender más acerca de la Web móvil del programa y visualizar más vídeos. Todo desde el *banner* móvil.

La campaña de Animal Planet alcanzó un éxito rotundo. Los vídeos móviles que promocionaban el programa generaron más de tres millones de impresiones y un 84 por 100 de los usuarios los vieron hasta el final. Los anuncios interactivos con vídeo de AdMob generaron otros seis millones de impresiones y unos 75.000 usuarios interaccionar con uno de los elementos del anuncio.[3]

Si planea utilizar el vídeo móvil como parte de su campaña de marketing móvil, debería asegurarse de cumplir unas cuantas buenas prácticas. Para empezar, compruebe que su vídeo se verá bien en una pantalla pequeña. En este sentido, recuerde que las imágenes oscuras y con movimiento rápido no se ven con claridad en un dispositivo móvil. Asimismo, mantenga el vídeo lo más breve posible. Diez segundos ya se consideran una eternidad en un vídeo móvil, 15, el infinito, y 30..., bueno no hay que decirlo. En resumen, hágalos breves.

---

[3] www.google.com/adwords/watchthisspace/creative-corner/case-studies/animal-planet; consultada el 25 de octubre de 2011.

Otro factor a tener en cuenta es la experiencia post clic. Muchos negocios se concentran su atención en la producción del vídeo y olvidan enfatizar la experiencia post vídeo. Eso es un grave error.

LOS DISPLAY ADS MÓVILES: LA PARTE MÁS IMPORTANTE DE SU CAMPAÑA

Podría sentir la tentación de saltarse este contenido, pero eso sería un error. Mientras que las aplicaciones móviles, las Web móviles y los servicios basados en localización, como Foursquare, se llevan todos los titulares, el verdadero trabajo se lleva a cabo en el mundo de los anuncios móviles. Piénselo de este modo: los pilotos de los cazas se llevan toda la atención, pero las guerras las gana la infantería. Puede pensar en los anuncios móviles como en la infantería del marketing móvil.

Es decir, como su maquinaria interna, y una maquinaria interna importantísima.

Haga lo siguiente

▶ Visite las Web de las redes de anuncios móviles más conocidas. Allí encontrará mucha información útil. Después, decida con cuál entrará en contacto. Normalmente, le ofrecerán más información.

▶ Sea innovador en su enfoque de los anuncios móviles. La gente se terminará cansando de *display ads* que no hagan más que dirigir a páginas Web. Sea más creativo: dirija a los visitantes a una descarga gratuita de una canción en MP3, por ejemplo, o a un cupón.

▶ Aproveche las oportunidades de *targeting* que le ofrecen los anuncios móviles. Cuanto más atractivo resulte su anuncio a cierto sector, más probable será que sea un éxito.

No haga esto

▶ No centre toda su atención en las Web móviles, las aplicaciones y demás herramientas novedosas y atractivas. Los anuncios móviles son una parte importante de las campañas de marketing móvil más exitosas.

13. Cómo utilizar los anuncios de pago en búsquedas móviles para conseguir clientes

Con toda seguridad, las búsquedas móviles representarán un papel importante en su estrategia de marketing global. ¿Por qué? Porque una de las maneras más fáciles de conectar con los clientes móviles es a través de las búsquedas. Cuando la gente está en el coche o en un centro comercial y necesita localizar algún comercio próximo, lo normal es que agarren su terminal y realicen una búsqueda.

¿No le gustaría que su empresa apareciera en un lugar destacado cuando un cliente potencial realice una búsqueda móvil de productos similares a los que comercializa? La respuesta, lógicamente, sería que sí.

Lo que convierte las búsquedas móviles en aún más atractivas es que se trata de una herramienta infrautilizada en la actualidad. Con esto queremos decir que aún no ha alcanzado un punto de saturación tal que eleve desmesuradamente los precios de las palabras clave. En la actualidad, hay todavía posibilidades de obtener palabras clave a precios muy razonables. Más adelante, en el capítulo, trataremos de la adquisición de palabras clave.

Pero nos estamos adelantando. Antes de seguir, vamos a examinar los anuncios de pago en búsquedas desde una perspectiva general antes de entrar en la tecnología móvil específicamente.

¿SON PARA USTED LOS ANUNCIOS DE PAGO EN BÚSQUEDAS MÓVILES?

Este tipo de anuncios es una herramienta muy útil para compañías que venden productos en línea, que deben generar contactos para su fuerza de ventas o que tienen clientes que investigan nuevos productos y servicios en Google, Bing o Yahoo!

Veamos algunos ejemplos concretos. Esta técnica resulta ideal si su compañía se dedica al comercio electrónico de productos como cámaras, zapatos, ropa, libros u otros bienes tangibles. También es interesante si su fuerza de ventas tiene que colocar pólizas de seguro, coches, copiadoras, suministros de oficina o productos comparables. Y es muy buena si los clientes de su empresa buscan automáticamente en línea más información sobre productos y servicios relacionados con líneas aéreas, complejos de apartamentos, hoteles, residencias u hospitales.

Pero el enfoque difiere ligeramente cuando las compañías utilizan anuncios de pago móviles para vender sus productos y servicios. Cuando la gente utiliza sus dispositivos móviles, suelen estar buscando información rápida sobre productos y servicios baratos. Lo normal es que busquen información sobre dónde podrán cenar o encargar pizzas o comprar entradas de cine. No es probable que estén planeando comparar análisis sobre lavadoras ni que vayan a solicitar un crédito para comprar un coche.

También es importante constatar que, cuando los usuarios emplean sus dispositivos móviles, no suelen hacer búsquedas largas y detalladas. Este tipo de búsqueda larga y detallada, respecto a las palabras clave, sería, más o menos, así: "los mejores hoteles y spas de precio intermedio para personas mayores en París". En un dispositivo móvil, sería más habitual encontrar "spas en París para personas mayores" o, simplemente, "spas en París". Otro factor importante es que la gente que hace búsquedas en dispositivos móviles a menudo las realiza por voz, así que conviene estar prevenidos frente a los términos homófonos que podrían confundir los resultados.

¿Qué es una página de aterrizaje?

Hasta ahora nos ha oído hablar un montón de las "páginas de aterrizaje". Una de estas páginas sería la que aparecería cuando un cliente hiciera clic en un *banner* o en un anuncio de pago en una búsqueda. También se las conoce como páginas de captura.

Las páginas de aterrizaje están configuradas específicamente para corresponderse con el anuncio que sirvió para dirigir a los clientes hacia ella.

Un error común consiste en mostrar un *banner* o anuncio de pago en una búsqueda que dirija hacia una Web genérica. Esto no se puede hacer porque ofrece unos resultados pésimos.

CONFIGURAR UNA CAMPAÑA CON ANUNCIOS DE PAGO EN BÚSQUEDAS

Empecemos por repasar los fundamentos de este tipo de anuncios. El pago en búsquedas es, esencialmente, una subasta que le permite mostrar anuncios y pagar sólo por aquéllos en los que alguien haga clic. Se crean los anuncios y se eligen palabras clave relevantes con las que atraer visitas a los mismos.

En este contexto, una palabra clave es el término o frase que una persona introduce o dicta a un motor de búsqueda. Éste hace corresponder su búsqueda con las palabras clave relacionadas de sitios Web y anuncios.

En un ordenador de sobremesa, los anuncios de pago por visita aparecen en la parte superior y a la derecha de los resultados de la búsqueda propiamente dichos. En un dispositivo móvil, los anuncios de pago aparecerán sólo encima del resto de resultados.

Google, Bing y Yahoo! otorgan las posiciones más altas a los anunciantes en base a su "precio de puja" y a la "valoración de la calidad". La valoración de la calidad es, básicamente, una forma que tienen los motores de búsqueda de determinar si el anuncio fue relevante para los usuarios. Más concretamente, es una fórmula compleja que calcula cuántas personas hicieron clic en dicho anuncio y su grado de implicación en la Web, una vez que llegaron allí. Si los usuarios hicieron clic en el anuncio, pero luego abandonaron el sitio rápidamente, sería indicativo de que la página de aterrizaje carecía de relevancia para el usuario. Como resultado de ello, los motores de búsqueda disminuirían la valoración de la calidad del anuncio.

Si una persona permanece en la página de aterrizaje durante un periodo de tiempo extenso, será indicativo de que ésta es relevante para ella, en cuyo caso los motores de búsqueda incrementarán la valoración de la calidad del anuncio como reconocimiento de ese hecho.

Cuando su valoración de la calidad crece, también lo hace su clasificación dentro de la página de resultados. Esto es una buena noticia para su negocio, así que resulta importante asegurarse de que su página de aterrizaje cumple las expectativas despertadas por el anuncio. En otras palabras, si su anuncio dice: "¡Grandes rebajas en zapatos!", pero la página de aterrizaje no las menciona, la gente la abandonará rápidamente y, en consecuencia, la valoración de su calidad caerá. Mas si el anuncio dice: "¡Grandes rebajas en zapatos!" y la página de aterrizaje está dedicada completamente a dicha oferta, la gente permanecerá allí informándose de los diferentes modelos y precios, con lo que la valoración de su calidad crecerá.

Es importante estructurar su cuenta de forma adecuada durante la configuración de una campaña de anuncios de pago por visita en búsquedas móviles. Si acaba por usar esta tecnología con asiduidad, planificar con anticipación en esta etapa puede facilitar mucho la persecución de buenos resultados a largo plazo.

¿Cuál es la forma más adecuada de configurar su cuenta? Hay tres niveles en la estructura de una cuenta: el nivel de cuenta, el nivel de campaña y el nivel de grupo de anuncios. El nivel de cuenta es el más alto y no es más que una forma de identificar la compañía o marca propietaria de la misma. En otras palabras, si se trata de un negocio de artes gráficas llamado "Comunicación gráfica profesional", entonces su nivel de cuenta sería, lógicamente, "Comunicación gráfica profesional". Dicho esto, en el caso de grandes marcas como Procter & Gamble o Coca-Cola, el nivel de cuenta se identifica con una línea de producto, no con la compañía matriz.

Trucos para crear un grupo de cuentas bien estructurado

Veamos algunos consejos:

▶ Tenga siempre presente la estructura de su cuenta: el nivel de cuenta en la parte superior, seguido por las campañas y, luego, por los grupos de anuncios.

▶ Ponga a cada campaña un nombre fácil de recordar que identifique su objeto rápidamente, por ejemplo, "Promoción de primavera".

▶ Divida cada campaña en grupos de anuncios que sean subcategorías de la campaña principal, por ejemplo, "Promoción de primavera - Especiales de marzo".

▶ Lo normal debería ser contar con al menos tres grupos de anuncios por campaña. De ese modo, cada grupo estará más afinado y será más relevante para los clientes potenciales, por ejemplo: "Promoción de primavera - Especiales de marzo", " Especiales de abril" o "Especiales de mayo".

El siguiente nivel después de la cuenta es el de campaña. Aquí es donde se dividen las campañas en categorías que sirven para organizarse de cara al futuro. Cada campaña se debe centrar en una área específica de su negocio o en una campaña específica de marketing. Por ejemplo, si su negocio es una floristería, debería dividir sus campañas en ciertos criterios como: "Promociones del Día de San Valentín", "Promociones de bodas", "Promociones de Año Nuevo". Creando estas categorías de campañas, será capaz de mantener organizadas las cosas a medida que avanza.

Bajo el nivel de campaña se encuentra el nivel de grupo de anuncios. En este lugar, se sitúan los diferentes anuncios que podrá ejecutar en su campaña de de pago por visita en búsquedas móviles. Siguiendo con el ejemplo de la floristería, bajo la campaña de "Promociones del Día de San Valentín" podría tener tres diferentes grupos de anuncios: rosas, tulipanes y margaritas. Llevando el ejemplo más lejos, podríamos crear grupos de anuncios en torno a las necesidades de los destinatarios: para esposas, para novias o novios, para la familia, etc.

Una cosa que definitivamente querrá hacer en una campaña con anuncios de pago por visita en búsquedas es crear una campaña separada que se dirija exclusivamente a los dispositivos móviles.

Hacerlo le reportará tres beneficios:

1. Será capaz de controlar qué anuncios se muestran a los usuarios de móviles.

2. Sus pujas por palabras clave sólo se aplicarán a búsquedas móviles.

3. Podrá comparar con facilidad el rendimiento de su campaña de anuncios de pago por visita con otras campañas de su cuenta.

Una vez que ha establecido la estructura de su cuenta, está listo para pasar a la parte divertida: contactar con los clientes apropiados, es decir, con su público objetivo. Para esto, lo primero que debe hacer es construir una lista de palabras clave orientadas a un entorno móvil.

PALABRAS CLAVE: LA BASE DE SU CAMPAÑA

Las palabras clave son lo que atrae la atención de los clientes potenciales y les interesa por su anuncio. A pesar de lo que pueda pensar, un pequeño grupo de palabras clave bien escogidas funcionará mejor que un gran grupo de palabras clave elegidas sin ton ni son. Por ejemplo, un grupo de anuncios con el tema "Rosas para el Día de San Valentín" sólo debería contener palabras clave relacionadas específicamente con ese tema, y no con el día de San Valentín en general.

¿Cuántas palabras clave deberíamos tener en cada grupo? No hay en esto reglas fijas, pero Google indica que el número óptimo se sitúa entre 5 y 50. No debe olvidar que las búsquedas móviles son diferentes de las búsquedas desde ordenadores personales. El teclado de los móviles es pequeño, sus usuarios suelen ir con prisa y actúan sobre la información que obtienen en el momento, así pues, lo mejor es elegir palabras clave cortas.

Es aconsejable utilizar la herramienta de palabras clave de Google (Google's Keyword Tool) para investigar los términos que la gente utiliza en sus dispositivos móviles.

Las búsquedas móviles son diferentes de las búsquedas estándar

La herramienta de palabras clave de Google le permite investigar las palabras clave que la gente utiliza con más frecuencia en sus dispositivos móviles, frente a las más usadas en ordenadores de sobremesa y portátiles.

Cuando desarrolle palabras clave para su campaña con anuncios de pago por visita en búsquedas móviles, recuerde que la gente suele utilizar este tipo de búsquedas para obtener información que desea utilizar de inmediato.

Teniendo esto presente, asegúrese de añadir los términos siguientes a su lista de palabras clave: "ubicación", como en "ubicación de Pizza Hut", direcciones, como en "Hipercor de Valderas", códigos postales y términos de emergencia, como en "cerrajero de emergencia".

Cuando esté eligiendo sus palabras clave, puede igualarlas utilizando "correspondencias amplias" (*broad match*) o "correspondencias negativas" (*negative match*). Estas opciones le proporcionarán más control sobre cuándo aparecerán sus anuncios.

- ▶ **Correspondencias amplias:** Le permiten llegar al máximo número posible de usuarios y mostrar su anuncio siempre que se realice una búsqueda con su palabra clave o una variación de la misma. Por ejemplo, si su palabra clave es la frase "Rosas para el Día de San Valentín", su anuncio aparecerá cuando se introduzcan las siguientes: "rosas para San Valentín", "rosas rojas día San Valentín" o bien "enviar rosas en San Valentín".

- ▶ **Correspondencias negativas:** Éstas evitan que su anuncio aparezca en búsquedas que incluyan términos concretos. Por ejemplo, si seleccionamos "sintético" como correspondencia negativa, su anuncio no se mostrará cuando alguien busque por "rosas sintéticas para el Día de San Valentín". En un aparte diremos que, si alguna vez se le ocurre comprar rosas sintéticas para San Valentín, puede ahorrarse la molestia. La persona que las reciba no apreciará en absoluto tan sintético regalo. Estamos seguros de ello.

CREAR UNA LISTA DE PALABRAS CLAVE MÓVILES

Cuando vaya a crear una lista de palabras clave para su campaña móvil, es una buena idea tomar en consideración qué podría estar haciendo la gente en el momento de buscar desde sus móviles. Ya dijimos que suelen estar "en movimiento", pero podemos precisar más esto.

Por ejemplo, lo más probable es que deseen información rápidamente y tengan previsto actuar sobre la misma en cuanto la reciban. No están buscando respuestas largas y enjundiosas acerca de su filosofía empresarial, por poner un ejemplo. Lo que desean son respuestas rápidas y concisas sobre, por ejemplo, la dirección física de su local o el número de teléfono de su servicio de atención al cliente.

Veamos cómo plantearse la adquisición de palabras clave móviles de Google, Bing o Yahoo!

1. **Haga una lista con todas las palabras clave relevantes para su campaña:** Volviendo al ejemplo de la floristería, habría que recopilar todas las palabras y frases clave que pudieran atraer a personas que estuvieran realizando búsquedas sobre floristerías. Esto incluiría términos tan obvios como "florista" o "flores para cumpleaños", pero también incluirían términos más amplios como "regalos de aniversario" o "ideas para regalar en un cumpleaños".

2. **Divida sus palabras clave en grupos temáticos:** Las floristerías suelen tener temporadas en las que sus ventas se disparan, como en San Valentín, pero también tienen picos no estacionales. Siguiendo con nuestro ejemplo, trataríamos de dividir los grupos de palabras clave por temas. Por supuesto, un tema sería "San Valentín", pero otros podrían incluir "regalos de cumpleaños", "ofertas especiales" o "promociones de verano".

3. **Refine su lista:** Completados los dos primeros pasos, llega el momento de revisar y refinar la lista. Por ejemplo, no debería contratar términos como "flores", porque su anuncio saldría cada vez que un jardinero, estudiante de horticultura o pintor floral hiciera una búsqueda por dicho término. También debería evitar el uso de la misma palabra clave en múltiples grupos de anuncios de la misma campaña, ya que eso tendría el efecto hacerse la competencia uno mismo. Eso no es bueno porque lo único que se consigue así es elevar el precio de la palabra clave. Asimismo, utilizar palabras clave de correspondencia negativa, como "gratis", evitará que su anuncio aparezca en búsquedas de gente que busca cosas gratuitas. La gente que busca cosas gratuitas no forma parte, desde luego, de su público objetivo. No en vano, de lo que se trata aquí es de ganar algún dinero, ¿verdad?

Tasa de clic sobre vínculos frente a tasa de conversión

La tasa de clic sobre vínculos (CTR, *Click-Through Rate*) indica la cantidad de gente que realmente ha hecho clic en su anuncio. La CTR se calcula tomando el número de clics y dividiéndolo entre el número de impresiones, es decir, entre el número de personas que ven el anuncio en primer lugar.

La tasa de conversión (CR, *Conversion Rate*) es una indicación del número de personas que hicieron clic en el anuncio y después adquirieron el producto. La CR se obtiene tomando el número de compras y dividiéndolo entre el número total de personas que hizo clic en el anuncio y visitó la página de aterrizaje.

ESCRIBIR LOS ANUNCIOS ES LA PARTE DIVERTIDA

El tráfico se dirigirá a su Web móvil en parte gracias a los anuncios que escriba para su campaña de búsquedas móviles. Por tanto, cuanto mejor sea el anuncio, más trafico generará. Está claro, entonces, que merece la pena tomarse en serio la escritura de los anuncios.

Uno de los aspectos más importantes de los anuncios de pago en búsquedas móviles, o de cualquier tipo de búsqueda si a eso vamos, es que podemos aplicarles el proceso de *A/B testing*. ¿Qué es el *A/B testing*? Es el proceso de crear dos versiones del mismo anuncio e introducir un cambio mínimo en una de ellas. Por ejemplo, podríamos escribir un anuncio cuya cabecera fuese "Especial de San Valentín", junto con otro que tuviese el mismo cuerpo, pero con una cabecera que indicase "Flores para San Valentín". Con este cambio mínimo, obtendríamos información de cuál funciona mejor.

Comprobando los anuncios de esta forma, seremos capaces de determinar qué versión es la que obtiene más clic y conversiones. Podría parecer que el anuncio con el "Especial..." en su cabecera sería el mejor, puesto que indica claramente que habrá descuentos, pero nunca se sabe. En cuanto uno piensa que lo sabe todo sobre el marketing móvil, aparece algo nuevo para mantenerlo con los pies en el suelo.

Consejos para organizar su campaña móvil

Asegúrese de separar su campaña de búsquedas estándar para ordenadores personales de la específica para móviles. De ese modo, tendrá la capacidad de registrar sus resultados y mejorar la eficiencia.

Asimismo, puede dirigir sus anuncios por operadora, así que asegúrese de comprobar varias para ver si los de cada una se comportan de manera diferente.

El mejor enfoque a la hora de comprobar los anuncios consiste en escribir tres o cuatro variaciones del mismo anuncio, es decir, realizar un *A/B/C/D split test*. No olvide colocar los anuncios con el mismo conjunto de palabras clave, porque su propósito no es otro que comprobar éstos, no las palabras clave. También tiene que estar atento si tiene más de un anuncio en cada grupo, porque Google y otros motores de búsqueda le ofrecen la posibilidad de rotarlos sin coste adicional.

Debe dejar que las variaciones de cada anuncio se muestren durante el tiempo suficiente antes de analizar los clics que reciban. ¿Cuánto es "el tiempo suficiente"? Como regla general, se recomiendan de cinco a siete días antes de realizar un análisis detallado. En último término, los anuncios que presenten la mejor tasa de clic sobre vínculos serán lo que mejor han funcionado. Dicho esto, no sólo debe interesarse por la CTR, sino que también debe tratar de determinar qué anuncio logró mayores tasas de conversión de clientes potenciales en ventas reales.

Si su intención era medir sus tasas de clics y de conversión, asegúrese de comprobar sólo una variable. En otras palabras, cuide de intercambiar sólo la cabecera, sólo la oferta o sólo la llamada a la acción. Recuerde que, para nuestros propósitos, va a mantener la página de aterrizaje exactamente igual que estaba, puesto que va a realizar un *split test* sobre los anuncios, no sobre aquélla. Cuando esté listo para llevar a cabo un *split test* sobre páginas de aterrizaje, puede crear dos de estas páginas y comprobar cuál de ellas funciona mejor.

Consejos para escribir anuncios

A medida que aprenda más sobre el uso de los anuncios de pago por visita en búsquedas móviles para dirigir a los consumidores a su negocio, irá dándose cuenta de qué funciona y qué no. Los resultados de de sus esfuerzos en la escritura de los anuncios le saltarán a la vista a diario cuando compruebe los números.

Para mejorar las posibilidades de que lo que vea sea de su agrado, debería seguir estos consejos:

▶ **Escriba titulares que se centren en su producto, no en su empresa:** Un error bastante común a la hora de escribir el primer anuncio de pago por visita es centrarse en la empresa en vez de en el producto o servicio que se pretende promocionar. Recuerde: la gente no va a comprar su empresa, sino su producto o servicio. Además, suelen preferir comprar lo que venda con algún tipo de descuento. Así pues, asegúrese de centrar el anuncio en su producto u oferta especial, no en su empresa. Correcto: Ofertas especiales para San Valentín. No tan correcto: Floristería el Melocotonero.

▶ **Describa las ventajas en el cuerpo del anuncio:** Su anuncio debería ayudar a que la gente entendiera por qué su producto o servicio es exactamente lo que buscan. Céntrese en las ventajas concretas que obtendrían si adquiriesen el producto o servicio, no utilice términos demasiado generales. Correcto: Entregamos el mismo día. No tan correcto: Rosas bonitas.

▶ **Incluya siempre una llamada a la acción:** La investigación muestra que los anuncios funcionan mejor cuando muestran una llamada a la acción específica en un lugar destacado. En su llamada a la acción, asegúrese de transmitir una sensación de urgencia. Por ejemplo, obtendrá mejores resultados marcando un límite temporal. Correcto: Haga clic ahora para obtener su descuento. No tan correcto: 25 años en los negocios. 25 años..., y ¿a quién le importa? Los clientes quieren saber lo que podrá hacer por ellos "ahora mismo".

▶ **Asegúrese de añadir vínculos a una página de aterrizaje específica, no a su página de inicio estándar:** Para continuar con el ejemplo de la floristería, el objetivo sería asegurarnos de que la persona que haga clic en el anuncio llegue a una página de aterrizaje que venda flores con descuento para el día de San Valentín. Dirigir a la gente a una página Web estándar es tirar el dinero. Correcto: Un vínculo (URL) específico para la promoción. No tan correcto: Un vínculo (URL) a una página Web estándar.

▶ **Incluya palabras clave en su anuncio:** De acuerdo con Google, los anuncios que funcionan mejor son aquéllos en los que las palabras clave se emplean en las cabeceras. Por ejemplo, si va a mostrar un anuncio que tenga como frase clave "Descuentos en San Valentín", dicha frase deberá estar también en la cabecera o titular del anuncio de pago por visita. De esta manera, el consumidor sabrá que el anuncio se corresponde específicamente con lo que estaba buscando. Correcto: Utilizar palabras clave en la cabecera. No tan correcto: No utilizar palabras clave en la cabecera.

CÓMO MEDIR EL ÉXITO DE SU CAMPAÑA

Una de las grandes ventajas del marketing móvil es que es digital y lo digital es fácil de rastrear. De hecho, lo primero que debe hacer cuando configure una campaña con anuncios de pago por visita en búsquedas móviles es averiguar cómo va a registrar sus resultados.

Con eso en mente, hay métricas estadísticas de suma importancia que debería conocer y utilizar en su campaña:

▶ **Tasa de clic sobre vínculos (CTR):** Como mencionamos antes, la CTR es una de las métricas fundamentales que debería controlar. Como regla general, toda CTR inferior al 1 por 100 significa que su anuncio no tiene el *target* adecuado. En otras palabras, el anuncio que ha escrito no se corresponde con las palabras clave que la gente está buscando. Si su CTR es inferior al 1 por 100, entonces deberá comprobar que las palabras clave, por ejemplo "Rebajas en San Valentín", se correspondan con lo que se promociona en sus anuncios.

▶ **Posición media:** Asegúrese de comprobar su posición media para comprobar en qué lugar de los resultados de la búsqueda aparece su anuncio. En una campaña estándar con anuncios de pago por visita en búsquedas, se suelen mostrar hasta once anuncios en cada página de resultados. En cambio, en una búsqueda móvil, no se incluyen más de dos o tres. Si la posición media en su campaña móvil no es mejor que tres, quiere decir que su anuncio no se está mostrando donde debería estar.

▶ **Valoración de la calidad:** Google utiliza una valoración de la calidad para calcular la relevancia que su anuncio tiene para los usuarios de las búsquedas. Cuanto más alta sea la valoración de la calidad, más arriba se encontrará su anuncio y menores serán sus costes. Se puede asegurar una valoración de la calidad muy elevada haciendo que sus anuncios sean completamente relevantes para el consumidor. Cuanto más relevantes son, más clic reciben y mayor es la valoración de su calidad.

▶ **Seguimiento de la conversión:** Lo ideal sería que cualquier camino en las búsquedas de pago originasen conversiones. Una conversión, en el sentido clásico del término, es cuando un cliente adquiere su producto. A los efectos de los anuncios de pago por visita en búsquedas móviles, deberá proporcionar un cupón para poder registrar las conversiones. En otras palabras, como muchos usuarios de móviles buscan emplazamientos físicos de negocios más que sitios de comercio electrónico, no se les puede vender nada "directamente" desde la página de aterrizaje, en realidad. ¿Qué se puede hacer entonces? Simplemente, proporcionar un cupón móvil en la página de aterrizaje que se pueda escanear y, por tanto, registrar en la tienda. Esto le permite tanto llevar gente a su negocio como medir los resultados de su campaña, gracias al escaneo del cupón. Si su empresa realiza negocios con otras empresas, también puede registrar los resultados mediante vínculos para llamadas telefónicas o desarrollando formularios "muy simples" en los que la gente pueda solicitar que un comercial los llame.

Como dijimos al principio del capítulo, los anuncios de pago por visita en búsquedas móviles están infrautilizados, por cuanto los anunciantes dirigen casi todos sus esfuerzos a las Web y a las aplicaciones móviles. En consecuencia, esta tecnología no recibe el respeto que merece. Sin embargo, esto le beneficia en realidad. Mientras la atención no se centre en los anuncios de pago por visita en búsquedas móviles, no le faltarán palabras clave baratas con las que construir su campaña para atraer a los clientes a las páginas de aterrizaje.

¿A qué está esperando? Pruebe con Google, Bing o Yahoo!

Haga lo siguiente

▶ Configure su cuenta adecuadamente. Cuando se construye una casa, se suele pasar mucho tiempo echando unos cimientos firmes. ¿Por qué? Porque de todos es sabido que una base firme resulta crítica para una casa sólida. La estructura de su cuenta es como los cimientos de una casa. Cualquier esfuerzo extra en este punto traerá consigo grandes beneficios a largo plazo.

▶ Realice un seguimiento de sus resultados. No tiene sentido llevar a cabo una campaña con anuncios de pago por visita en búsquedas móviles si no se es capaz de comprobar los resultados. Asegúrese de monitorizar su tasa de clic en vínculos, así como su tasa de conversión. Haciendo esto, será capaz de calcular con exactitud el retorno de su inversión.

▶ Incluya una llamada a la acción. Todos los anuncios eficientes incluyen llamadas a la acción importantes. Asegúrese de utilizar frases como "Compre en línea ahora" o "Encargue el suyo hoy mismo".

No haga esto

▶ No gaste su dinero en palabras genéricas. Si su negocio fuese una floristería, por ejemplo, que estuviera promocionando rosas para San Valentín, la palabra clave "rosa" atraerá a cualquiera, desde estudiantes de jardinería hasta pintores. Sea más específico: "Rosas para San Valentín" o "Rosas de aniversario" serán frases clave mucho más eficientes.

14. Marketing basado en la localización. LBS, NFC, Bluetooth y LBA..., ¡una sopa de letras!

¿No sería estupendo poder enviar un descuento especial a los individuos que pasaran cerca de su tienda? ¿No sería magnífico poder enviar un mensaje de bienvenida a un cliente tan pronto éste pusiera sus pies en la entrada de su oficina? ¿No le gustaría también poder recompensar a sus clientes más fieles con cupones móviles de descuento instantáneo?

Pues está de suerte. Todo eso y más es posible con las técnicas de marketing basado en la localización, que incluyen servicios basados en la localización, comunicaciones de campo próximo, marketing Bluetooth y publicidad basada en la localización.

El marketing basado en la localización está destinado a tener un enorme impacto en la manera en que los anunciantes llegan a los consumidores.

Eso es debido a su capacidad de personalizar los mensajes de marketing basándose en la localización y preferencias del cliente potencial (véase la figura 14.1).

Con eso en mente, vamos a revisar cada una de las herramientas que acabamos de mencionar.

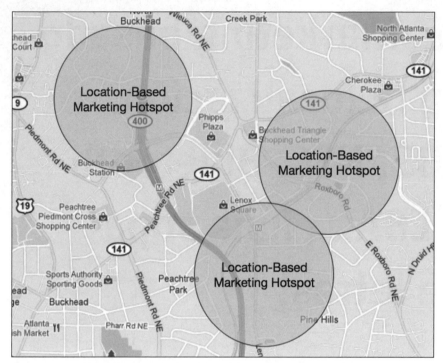

Figura 14.1. El marketing basado en la localización permite hacer publicidad a los clientes basándose en su proximidad a ciertos puntos de interés. Resulta ideal para las tiendas tradicionales interesadas en atraer clientes a sus ubicaciones físicas.

HERRAMIENTAS DE MARKETING BASADO EN LA LOCALIZACIÓN

LBS (Location Based Services, Servicios basados en la localización)

Se trata, por lo general, de aplicaciones móviles que ofrecen información o entretenimiento a los usuarios basándose en su ubicación física. Algunas de las aplicaciones LBS más conocidas son Foursquare, FriendsAround y SCVNGR, que permiten a los usuarios conectarse en una localización y obtener cupones o descuentos como resultado. Otras aplicaciones LBS incluyen Localmind, que permite a los usuarios saber lo que acontece en bares, restaurantes y otros tipos de comercios de su vecindario, y Ditto!, que les permite intercambiar recomendaciones sobre películas, restaurantes y otros locales de ocio.

Uno de los ejemplos mejor conocidos de una promoción LBS de éxito es el uso que Chili's hizo de Foursquare para enviar cupones canjeables por crema de queso gratis a cualquiera que se conectase en alguno de sus restaurantes. Recuerde del capítulo 1, donde describimos en un primer momento esta promoción, que Chili's dio un paso más y ofreció dicho cupón a cualquiera que se conectase en algún punto a menos de 200 metros de uno de sus restaurantes. El resultado fue que la cadena pudo hacer una oferta especial a clientes potenciales que se encontraban prácticamente al lado de cualquiera de sus locales.

NFC (Near Field Communications, Comunicaciones de campo próximo)

¿Interesado en intercambiar información de contacto rápidamente entre su dispositivo móvil y el de otra persona? ¿Le gustaría compartir fotos familiares de forma inalámbrica con un amigo? NFC le permite hacer todas esas cosas.

La tecnología NFC permite que dos dispositivos que se encuentren muy próximos, entre 2 y 20 centímetros, intercambien información. Si se tiene cargado Google+ en determinados modelos de smartphone, será posible intercambiar información de contacto con otros usuarios simplemente situando los teléfonos unos junto a otros.

Además de eso, un dispositivo con capacidades NFC permite hacer pagos mediante la tecnología Google Wallet o Paypal. No tendrá más que aproximar su teléfono al transmisor NFC de la tienda y, después de introducir su información de seguridad, podrá pagar sus compras.

Marketing a través de Bluetooth

Esta tecnología, al igual que NFC, permite la transmisión de datos en distancias cortas. Si alguna vez ha utilizado un manos libres inalámbrico, probablemente estaría usando la tecnología Bluetooth. Tal vez haya intercambiado información de contacto mediante una aplicación móvil llamada Bump, en tal caso, también habría usado Bluetooth.

Bluetooth se puede comunicar a distancias mayores que NFC. Donde NFC, como ya se ha dicho, tiene un alcance de entre 2 y 20 centímetros, Bluetooth puede alcanzar los diez metros. Además, Bluetooth puede intercambiar más información por segundo que NFC.

En pocas palabras, NFC es ideal para intercambiar pequeñas cantidades de información rápidamente, pero Bluetooth es mejor para informaciones de mayor duración a distancias más largas.

LBA (Location Based Advertising, Publicidad basada en la localización)

LBA no es tanto una tecnología como una forma de publicidad. ¿Qué queremos decir con eso? LBA utiliza varias herramientas, tales como GPS y geoperimetraje (*geo-fencing*) para localizar a personas que podrían ser futuros clientes y enviarles mensajes.

Por ejemplo, digamos que tiene a su cargo el marketing de una tienda de ropa y que desea mostrar un *display ad* en los móviles de los potenciales clientes cuando éstos se encuentren en las proximidades de su ubicación. Podrá hacerlo utilizando LBA. Todo lo que tendrá que hacer es darle a su red de publicidad móvil una lista con las ubicaciones de sus tiendas. Por medio del geoperimetraje, la red de publicidad sabrá cuándo alguien se encuentra en las proximidades de uno de sus locales. El resultado es que los clientes potenciales que se encuentren navegando por Internet desde sus móviles en las proximidades del local verán un *banner* que les informará de que en su tienda de ropa, a menos de 500 metros de distancia, hay unas rebajas del 25 por 100 en zapatillas deportivas.

PARA NO PERDERSE EN EL LABERINTO DEL MARKETING BASADO EN LA LOCALIZACIÓN

Es fácil sentirse un poco confundido cuando uno se inicia en los vericuetos del marketing basado en localización. Para empezar, hay que conocer las tecnologías LBS, NFC, LBA y Bluetooth, que acabamos de mencionar, sin olvidar las relacionadas de WiFi y RFID.

Para aliviar su confusión y, al mismo tiempo, obtener una pequeña introducción sobre cuándo y cómo utilizar estas herramientas, le recomendamos que lea las descripciones siguientes.

▶ **LBS:** Si su negocio desea atraer clientes a su local físico o si desea ofrecer descuentos a clientes que frecuenten sus tiendas, deberá familiarizarse con las técnicas de LBS. Estas herramientas han sido adoptadas por una multitud de jóvenes, familiarizados con los móviles, así que resultan particularmente efectivas para un público objetivo de entre 18 y 34 años de edad.

▶ **NFC:** Si su negocio está interesado en proporcionar opciones de pago por móvil a sus clientes o si está buscando una alternativa a una ligeramente engorrosa campaña con códigos QR, le interesará la tecnología NFC. Los pagos móviles utilizando NFC están siendo adoptados por los consumidores constantemente. En un futuro no muy lejano, los carteles en las tiendas, los anuncios en el metro e incluso las lápidas incluirán chips NFC que transmitirán información a la gente que les acerque sus móviles.

▶ **Marketing por Bluetooth:** Si necesita intercambiar información de contacto, archivos de música o fotografías con otras personas, o si su negocio desea facilitar la transmisión de información a sus clientes de forma inalámbrica, entonces la tecnología Bluetooth es lo suyo. Bluetooth es capaz de transmitir grandes cantidades de información a distancias superiores a las que alcanza la tecnología NFC, así que resulta magnífico para una gran variedad de negocios. Es particularmente útil en el mundo de los negocios con empresas que desean transferir grandes documentos o archivos a sus clientes.

▶ **LBA:** Si las tecnologías LBS, NFC y Bluetooth le resultan ahora demasiado complejas y absorbentes, no se preocupe. LBA es una alternativa perfectamente válida y, lo mejor de todo, fácil de poner en práctica. LBA resulta ideal para empresas que desean atraer clientes potenciales que se encuentren en sus proximidades, tales como concesionarios, agentes inmobiliarios o de seguros y comercios en tiendas tradicionales. No tiene más que consultar con su red de publicidad móvil y ellos le mostrarán los detalles para realizar una de estas campañas.

CÓMO UTILIZAN LAS COMPAÑÍAS EL MARKETING BASADO EN LOCALIZACIÓN PARA CONECTAR CON CLIENTES

Las empresas utilizan de muchas formas el marketing basado en la localización para contactar con los clientes. Algunas tienden a conformarse con una de las herramientas para simplificar las cosas. Otras utilizan todas las herramientas a su alcance como medio de estar conectadas con sus clientes en diversos frentes.

La mejor manera de explicar los diferentes enfoques que están tomando las compañías para en el ámbito del marketing basado en la localización es compartir estudios de caso de un número de ellas que hay empleado esta tecnología con éxito.

Utilizar para mejorar la fidelización del cliente

En el Reino Unido, la cadena de restaurantes Subway lanzó una campaña de marketing basad en la localización que se llamó "You Are Here" (Estás aquí). La campaña utilizó LBA y MMS para dirigirse a los usuarios que estuvieran en las proximidades de algún restaurante Subway. Los usuarios tenían primero que conectarse, paso siempre importante en una campaña de marketing basado en la localización, y, una vez que lo hubieran hecho, recibían mensajes MMS para alertarlos de descuentos especiales cuando pasaran cerca de algún local de Subway.

En cierto sentido, Subway se dirigió a sus clientes actuales y les dijo: "¡Hey! La próxima vez que estéis cerca de uno de nuestros restaurantes, ¿os gustaría recibir un mensaje de texto con una descuento especial para vosotros?". Confirmando su interés en recibir los mensajes, los clientes estaban, en esencia, dando su consentimiento a Subway para que les enviasen descuentos siempre que se encontraran en las proximidades de la ubicación de uno de sus locales.

Utilizar LBA para crear expectación pública

El diseñador de zapatos Jimmy Choo se unió a Foursquare para crear una búsqueda por todo Londres. Los participantes se conectaban para seguir los *check-ins* de Foursquare dirigidos por los empleados de Jimmy Choo.

Si los participantes eran capaces de llegar a las tiendas antes de que los empleados las abandonasen, ganaban un par de zapatos de la talla y el estilo que prefirieran.

Los ganadores sólo tenían que acercarse a los representantes de Jimmi Choo y decir: "Te he estado siguiendo." Utilizando esa frase "secreta", se ganaban el par de zapatos.

Usar las comunicaciones NFC para mejorar la experiencia del cliente y potenciar la fidelización a la marca

Zuma Fashions desplegó una campaña NFC que se basó en colocar chips en los carteles de los puntos de venta. Se animaba a los consumidores a descargarse la aplicación de Zuma Fashions desde iTunes Store o Android Marketplace (ahora Google Play). Una vez cargada, los clientes no tenían más que "pasar" sus terminales sobre el chip NFC y se les animaba a completar una pequeña encuesta. Una vez rellena, recibían un descuento digital que podían canjear en ese mismo instante.

La campaña se reveló tan exitosa que Zuma la amplió. Los clientes pudieron, por ejemplo, pasar los móviles por etiquetas acopladas a la ropa para obtener detalles sobre el precio de cada prenda y los materiales utilizados en su fabricación, así como ver un pequeño vídeo del proceso. En último término, la aplicación hizo posible que Zuma alumbrara un programa de fidelización para los clientes que frecuentaban sus tiendas.

Usar una aplicación LBS para mejorar la fidelización de los clientes y animarlos a volver a comprar

Cuando la mayoría de la gente piensa en aplicaciones de servicios basados en la localización, las dos que le vienen a la mente son Foursquare y SCVNGR. Sin embargo, la cadena de pizzerías Domino's desarrolló su propia aplicación para potenciar las ventas por ubicaciones concretas. Descrita por vez primera en uno de los primeros capítulos, merece una mención más detallada en éste.

¿Cómo funciona la aplicación de Domino's? En primer lugar, hagamos cálculos para saber cuántas combinaciones tendría que contemplar la aplicación de Domino's. Con 4 tamaños diferentes de bases, 4 salsas diferentes, 22 ingredientes distintos y diversos otros añadidos, resultan 522.000 millones de combinaciones posibles. Con tal cantidad de combinaciones, se puede imaginar la complejidad de crear una aplicación capaz de gestionar toda esa carga de trabajo. Pero Domino's lo hizo; logró afinar al máximo el procesamiento de los pedidos haciéndolo, de paso, lo más sencillo posible. Desde el punto de vista de la fidelización del cliente, la aplicación es una genialidad. Una vez que los clientes la han descargado, introducido sus datos y encargado una pizza, ¿qué posibilidades hay de que vayan a empezar de nuevo con una aplicación de la competencia? Escasas, ciertamente. La aplicación de Domino's prueba un punto importante: el marketing basado en la localización no tiene que incluir únicamente "marketing", sino que en ocasiones puede llevar aparejada la capacidad de realizar "transacciones", lo que a largo plazo servirá para mejorar la fidelización del cliente.

Usar LBS para mejorar la fidelización a la marca y fomentar que los clientes repitan sus visitas

El proveedor LBS SCVNGR ha presentado un programa llamado LevelUp (literalmente, subir de nivel) orientado a que los clientes repitan sus visitas. La empresa de Boston, Southwest Day Spa, decidió utilizar el programa para animar a sus clientes a que los visitaran una y otra vez. Veamos cómo funciona. Cada vez que un cliente visita Southwest Day Spa, utiliza la aplicación LevelUp de SCVNGR para pagar dicha visita. Para ello, los clientes ingresan un cierto saldo en la aplicación LevelUp antes de utilizarla para abonar productos. Cuando pagan con LevelUp por primera vez, obtienen 5 euros de descuento para su segunda visita. La idea es que cada vez que un cliente vuelva, obtenga un descuento superior, con lo que se busca fomentar la fidelidad a la marca y la repetición de las visitas. Por ejemplo, los clientes obtienen 5 euros de descuento tras su primera visita, 10, tras la segunda, y 15, después de la tercera. Cuando se calculan los ingresos obtenidos con todas las visitas, se llega a la conclusión de que los descuentos se cubren con creces.

Usar marketing con Bluetooth para crear excitación y fidelidad a la marca

Lynx, un fabricante británico de desodorantes, es famoso por sus innovadoras campañas de marketing. Para promocionar el lanzamiento de un nuevo espray en tamaño de bolsillo, la agencia de publicidad de la compañía instaló grandes carteles de vinilo en el suelo, muy visibles, en zonas de gran densidad peatonal de los campus de varias universidades. Se animaba a los estudiantes que permanecían sobre o en las proximidades de los vinilos de suelo de Lynx a que se descargaran una sencilla aplicación de agenda por Bluetooth. La campaña resultó todo un éxito para la marca no sólo por la gran expectación que despertó, sino también porque diariamente más de 500 estudiantes descargaron la aplicación durante toda la campaña.

Usar LBA para fortalecer la fidelización e incrementar los ingresos

El proveedor de ropa y complementos para actividades al aire libre, REI, empleó ShopAlerts para fidelizar a los clientes mediante mensajes vinculados a periodos de tiempo y lugares. Cuando los consumidores que se habían inscrito previamente para recibir mensajes se encontraban cerca de un local de REI, recibían mensajes SMS con descuentos especiales para utilizar en la tienda. Una encuesta a clientes de ShopAlerts concluyó que el 69 por 100 de ellos estaban convencidos de que ShopAlerts incrementaba las posibilidades de que visitasen una tienda. Más aún, el 65 por 100 declaró que habían comprado a causa de ShopAlerts, mientras que un 73 por 100 dijo que con toda seguridad, o con gran probabilidad, utilizaría el servicio en el futuro.[1]

BUENAS PRÁCTICAS EN EL MARKETING BASADO EN LA LOCALIZACIÓN

Se deben contemplar un cierto número de buenas prácticas a la hora de preparar una campaña de marketing basado en la localización. Algunas de ellas están relacionadas con aspectos básicos del marketing, mientras que otras son más específicas de este nuevo campo emergente.

---

[1] `www.mobilemarketer.com/cms/news/research/7262.html`; consultada el 25 de octubre de 2011.

▶ **Atienda la confusión del consumidor:** La mayoría de los consumidores presentan una tendencia natural a rehuir las campañas LBS, NFC, LBA o Bluetooth. Está en la naturaleza humana resistirse a lo que no se entiende por completo. Su trabajo será explicar la naturaleza de la campaña y garantizar a los clientes que es segura.

▶ **Proporcione instrucciones claras para suscribirse:** Puede que usted viva en un mundo en el que el marketing móvil sea moneda corriente, pero la mayoría de la gente no. Así, tendrá que explicar a sus potenciales clientes lo más clara y rápidamente posible la manera de suscribirse a su campaña de marketing basada en la localización. Asimismo, debe invertir un esfuerzo extra en asegurarles que podrán darse de baja en cualquier momento.

▶ **Explique claramente qué se puede esperar:** A la gente que se ha suscrito no le importa recibir mensajes de marketing. Pero sí que les molesta que los saturen de mensajes con ofertas confusas o poco claras. Explique detalladamente a sus consumidores qué pueden esperar tras inscribirse en la campaña. De ese modo, evitará sorpresas desagradables entre su público objetivo.

▶ **Pruebe su campaña con candidatos sin prejuicios:** Naturalmente, querrá comprobar su campaña por sí mismo. Pero la forma más eficaz de hacerlo es probarla en alguien que no sepa qué esperar. Esto no quiere decir con su mujer o su marido, porque ellos estarán predispuestos naturalmente a darle su aprobación. La idea es probarla en un individuo totalmente objetivo, o en dos o en 50. Acercarse al éxito mediante pruebas es un buen enfoque para cualquier negocio.

▶ **Haga que les merezca la pena:** Está pidiendo a sus clientes que se suscriban a su campaña de marketing basado en la localización, así que debe recompensarlos por tomarse la molestia. No hay nada más frustrante que suscribirse a una campaña y comprobar que hay mejores descuentos en un anuncio impreso o en una publicidad por correo. Si la gente se toma la molestia de formar parte de su campaña, debe recompensar su fidelidad con descuentos especiales.

En el momento actual, las aplicaciones y sitios Web móviles, junto con los códigos 2D, dominan el panorama del marketing pero, según vaya pasando el tiempo, el marketing basado en la localización los eclipsará a todos. ¿Por qué? Porque el marketing basado en la localización hace posible personalizar la experiencia de usuario con una marca.

Las compañías más sofisticadas han entendido que hacer eso fortalece la fidelización y anima las compras.

Cuando los consumidores se familiaricen con LBS, NFC, LBA y Bluetooth, éstas se convertirán en las tecnologías dominantes. En el futuro, será habitual observar un anuncio en nuestro móvil que diga, por ejemplo, "David, estamos encantados de que estés de vuelta en McDonald's otra vez esta semana. ¿Te gustaría tener un descuento especial en la ensalada César especial que tomaste en tu visita anterior? ¿O preferirías un 10 por 100 de descuento en un batido de plátano?

Esos días no quedan muy lejanos. Además, la perspectiva es realmente interesante.

Haga lo siguiente

► Llame a su agencia de publicidad o red de publicidad móvil, porque ésa es la manera más fácil de iniciarse en el marketing basado en la localización. Explíqueles que desea lanzar una campaña de publicidad basada en la localización. A buen seguro que lo guiarán por todo el proceso.

► Diríjase a algún proveedor de servicios basados en la localización como Foursquare o SCVNGR para llevar a cabo una promoción con ellos. Éste es el segundo paso más sencillo que se puede dar. Hasta cierto punto, lo llevarán de la mano y lograrán que la campaña se realice con sencillez.

► Una vez que haya ejecutado sus campañas LBA y LBS, prepárese para lanzarse al mundo de NFC y Bluetooth. Los *chips* NFC se pueden incluir en promociones en el punto de venta y los transmisores Bluetooth pueden servir para campañas en las que los datos transmitidos deban salvar distancias superiores a los 20 centímetros.

No haga esto

► No evite el marketing basado en la localización. Realmente se trata del futuro del marketing móvil. Puede que los consumidores tarden un poco en adoptarlo, pero al final lo harán con todas sus consecuencias y es mejor que esté ahí para encontrarse con ellos.

► Proporcione siempre un mecanismo claro para que los clientes se suscriban antes de enviarles mensajes. Los dispositivos móviles son aparatos muy privados y la gente no suele tener simpatía a las empresas que se aprovechan de su uso.

15. Aplicaciones móviles: Una forma estupenda de hacer que los clientes vuelvan a por más

Una de las primeras preguntas que se hace la gente cuando decide presentar una campaña de marketing móvil es si realmente necesita su propia aplicación móvil. La respuesta es no. No es obligatorio tener una aplicación para aprovecharse del marketing móvil. De hecho, la mayoría de los negocios deciden no hacerlo, porque se trata de una tecnología compleja que requiere mucho trabajo por parte de personal especializado en su desarrollo. Dicho esto, existen formas sorprendentemente fáciles de implicarse en el desarrollo de aplicaciones. Antes de comenzar, sin embargo, recuerde que hay centenares de miles de aplicaciones disponibles ya para el iPhone, Android, BlackBerry o Windows Mobile. Así pues, si piensa invertir en una aplicación para su negocio, asegúrese de reservar una buena cantidad para promocionarla entre sus clientes potenciales.

¿CUÁL ES LA DIFERENCIA ENTRE UNA WEB MÓVIL Y UNA APLICACIÓN?

Es una pregunta que se hace mucha gente hoy por hoy. La respuesta sencilla es que una Web móvil no es más, ni menos, que una Web estándar, sólo que diseñada específicamente para dispositivos móviles. Una aplicación es un programa software que se instala en un dispositivo móvil.

Vamos a profundizar en esta distinción un poco más. Existen unas cuantas formas diferentes de acercarse a las Web móviles. La primera simplemente consiste en crear una versión móvil de una Web estándar. Ésta podría incluir una página Acerca de (*About us*), una página Contactar (*Contact us*), un *blog* y alguna otra característica más.

El segundo enfoque para abordar una Web móvil pasa por crear un sitio que tenga algún tipo de funcionalidad adicional. Por ejemplo, si es el propietario de un restaurante, podría desear crear una Web móvil que se orientase completamente a la realización de pedidos para llevar. En tal caso, no habría necesidad de *blogs*, ni de páginas Acerca de, sino que bastaría con ofrecer el menú de la mejor forma posible a los clientes para que pudieran seleccionar sus pedidos y enviar el encargo.

Una aplicación (en el ámbito móvil se las conoce en España también como *apps*), por su parte, es un programa que se instala en un dispositivo móvil de forma similar a como se instala Microsoft Office, por ejemplo, en su ordenador personal. Las aplicaciones se deben crear individualmente para cada plataforma. En otras palabras, si desea que su aplicación se ejecute en iOS, Android, BlackBerry y Windows Mobile, tendrá que crear cuatro aplicaciones, en realidad.

Otro desafío de las aplicaciones consiste en que se debe recibir la aprobación previa de Apple, Google, RIM o Microsoft. En muchos casos, esto no es más que un trámite, pero en otros supone una verdadera tortura. Es más, para que los usuarios puedan emplear su aplicación, tendrán que descargarla desde la tienda de aplicaciones apropiada, lo que supone otra barrera de entrada adicional. En último lugar, cada vez que deseamos introducir cambios o actualizar la aplicación, tenemos que pasar nuevamente por el proceso de validación, el cual, aunque simplificado, puede constituir un desafío todavía.

¿QUÉ TIPO DE APLICACIÓN ES LA MÁS ADECUADA PARA USTED?

Existe una amplia variedad de aplicaciones móviles y cada una presenta sus propias ventajas e inconvenientes. Aquí tiene una lista parcial de los tipos de aplicaciones móviles disponibles en la actualidad:

▶ **Utilidades para los negocios:** Escáneres para tarjetas de visita, calculadoras, programas de hoja de cálculo, lectores PDF, grabadoras de voz, registros de gastos, seguimiento de tiempos para facturar, etc.

▶ **Herramientas financieras:** Aplicaciones para seguimiento y *trading* de valores, conversores de divisas, noticias, etc.

▶ **Educativas:** Mapas, libros, calculadoras, diccionarios, etc.

▶ **Noticias e información:** Televisión, noticias, prensa del corazón, juegos, información bursátil, etc.

▶ **Información meteorológica:** Mapas del tiempo, predicciones, alertas, informes de alergenos en suspensión, concentraciones de ozono, etc.

▶ **Viajes y navegación:** Mapas de tráfico, información de vuelos, cotizaciones de divisas, rutas alternativas, etc.

▶ **Compras:** Amazon, eBay, Scoutmob, venta de entradas, librerías, etc.

▶ **Entretenimiento y juegos:** The Onion News Network, la revista *People*, Fandango, el Monopoly, Spin the Coke o *America's Got Talent* (América tiene talento), por nombrar unos cuantos.

▶ **Redes sociales:** Facebook, LinkedIn, Twitter y el resto de sospechosos habituales, además de aplicaciones que le permitirán transferir información simplemente juntando dos *smartphones*.

En la figura 15.1 podrá ver una división del uso de acuerdo con las diferentes categorías.

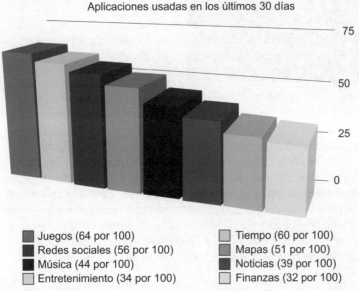

Figura 15.1. Las categorías más populares entre las aplicaciones son juegos, meteorología, redes sociales, mapas, música, noticias, entretenimiento y finanzas. Fuente: Creado por Jamie Turner. Nielsen, The State of Mobile Apps. http://blog.nielsen.com/nielsenwire/online_mobile/the-state-of-mobile-apps, 1 de junio de 2010.

CÓMO UTILIZA COCA-COLA LAS APLICACIONES MÓVILES PARA CONECTAR CON SUS CLIENTES

Coca-Cola presentó su aplicación PUSH&Play como parte de su estrategia de marketing móvil. La aplicación es muy fácil de usar. Los clientes ven una serie de tapones de botellas de varios refrescos pertenecientes a la Coca-Cola, que incluyen Fanta, Pibb, Sprite y, por descontado, Coca-Cola. A la gente que usa la aplicación se le pide que memorice el orden en el que los tapones se iluminan y pitan (véase la figura 15.2). Tras cada ronda, se añade una nueva botella con su pitido. Los usuarios juegan contrarreloj para ver cuántos tapones son capaces de recordar antes de quedarse sin tiempo.

Figura 15.2. Coca-Cola utiliza aplicaciones como PUSH!&Play para conectar con sus consumidores y promocionar su imagen de marca por todo el mundo.

El juego es efectivo porque es fácil de jugar y crea hábito. Cualquier aplicación que quiera tener éxito debe crear hábito o al menos ofrecer una razón a la gente para que la ejecute repetidamente. El juego muestra también un aspecto viral que le permite mantenerse frente a nuevos jugadores. Pero lo que hace a la aplicación particularmente útil para Coca-Cola desde el punto de vista del marketing es que profundiza las relaciones del cliente con la marca presentándole un sencillo juego de preguntas y respuestas sobre productos de Coca-Cola entre cada partida. Cada vez que un jugador pulsa el botón de reinicio, observa una pregunta sobre Coca-Cola del tipo siguiente:

> *La primera vez que Coca-Cola fue patrocinador en unos juegos olímpicos fue en Amsterdam, en 1928.*

> *Beberemos de aquí: la primera vez que Coca-Cola se vendió en botellas fue en 1894.*

> *Fanta se introdujo en Italia antes de llegar a los Estados Unidos.*

El resultado tiene una doble consecuencia. La aplicación ofrece la felicidad marca de la casa de Coca-Cola y da al usuario información interesante sobre la historia de la marca.

Ésta no es la primera ni la última aplicación de Coca-Cola. De hecho, es una más entre las tres docenas de aplicaciones diferentes diseñadas para las distintas marcas de The Coca-Cola Company. Está claro que los directivos de la sede de Coca-Cola en Atlanta han decidido que las aplicaciones son una manera estupenda de mantener el contacto con sus clientes de todo el mundo.

CÓMO GENERAR INGRESOS CON PUBLICIDAD EN LAS APLICACIONES

Una cosa es crear aplicaciones que fortalezcan la imagen de marca y otra completamente distinta es crear una aplicación que logre generar ingresos. Eso es exactamente lo que hizo la revista *AutoWeek* con su aplicación para iPhone.

Cómo saber si una aplicación es lo más adecuado para su negocio

¿Está su negocio preparado para desarrollar aplicaciones? Sí, en caso de que:

▶ Es una gran marca que busca el modo de profundizar sus relaciones con los clientes; por ejemplo, Coca-Cola.

▶ Es un proveedor de contenidos en busca de nuevos canales de distribución; por ejemplo, *AutoWeek*, CNN, etc.

▶ Ha creado el concepto para un juego con el potencial de convertirse en viral; por ejemplo, Angry Birds, ABC Go, etc.

▶ Tiene una utilidad que ayuda a que la gente realice tareas desde sus dispositivos móviles; por ejemplo, Charles Schwab, Dragon Dictation, etc.

▶ El "negocio" es una persona famosa interesada en aprovechar su imagen de marca; por ejemplo, Jamie Oliver, Martha Stewart, etc.

▶ Es una compañía que hace negocios con empresas buscando nuevas formas de conectar con los clientes; por ejemplo, UPS, FedEX, etc.

▶ Es una compañía que hace negocios con clientes finales y busca nuevas fuentes de ingresos; por ejemplo, Netflix, *New York Times*, etc.

AutoWeek es un editor de revistas tradicionales que se dio cuenta de la necesidad de fidelizar a sus lectores a través de sus móviles. El desafío fue que los usuarios de dispositivos móviles a menudo son reacios a pagar por el contenido que reciben desde una Web o aplicación móvil. Para superar este obstáculo, *AutoWeek* se asoció con AdMob, la red de publicidad de Google, y creó una aplicación que generaría ingresos mediante publicidad. El objetivo de *AutoWeek* no era otro que recuperar los costes de desarrollo de su aplicación mediante los ingresos obtenidos de los anuncios mostrados en su aplicación.

Para ponerlo en marcha, *AutoWeek* empezó a mostrar *display ads* que dirigían a los usuarios directamente a páginas de aterrizaje situadas en la propia tienda de aplicaciones. *AutoWeek* también decidió mostrar publicidad en más de 3.000 aplicaciones disponibles en la red para iPhone de AdMob. Como nota de interés, diremos que la palabra inglesa que se ha acuñado para este tipo de publicidad incrustada en las aplicaciones es *appvertising*, que deriva de *app*, aplicación, y *advertising*, publicidad. Aquí, el objetivo consistía en lograr el máximo número de descargas en un período de tiempo tan breve como fuera posible para que la revista pudiera elevar su clasificación en el seno de la tienda de aplicaciones.

¿Cómo fueron sus resultados? *AutoWeek* pudo recuperar los costes del desarrollo de su aplicación y obtener ingresos en los dos primeros meses de explotación de su campaña de *appvertising*. La campaña para elevar la clasificación de la aplicación en la propia tienda de aplicaciones también funcionó. En el Reino Unido, la aplicación pasó del número 18 al número 5, mientras que en Australia pasaba del 90 al 2.

Dicho esto, es importante darse cuenta de que las posibilidades de hacerse rico mostrando publicidad en las aplicaciones son muy escasas. Recuerde que el doble objetivo de *AutoWeek* era: en primer lugar, recuperar la inversión inicial para, en segundo lugar, poder fidelizar a sus lectores en una plataforma nueva y emergente. En ese sentido, la campaña fue un gran éxito.

Si decide invertir en una aplicación, su objetivo principal debería ser profundizar su relación con los clientes, no convertirse en millonario al instante. Eso no quiere decir que no se pueda ganar muchísimo dinero con una aplicación que resulte tremendamente popular. De hecho, es algo que ocurre de vez en cuando. Sin embargo, si tenemos en cuenta que por cada aplicación que hace rico a alguien hay decenas de miles de aplicaciones que no generan ingreso alguno, está claro que el aspecto más importante que subyace a las aplicaciones no es hacerse rico, sino proporcionar nuevas formas de conectar con los clientes. Siempre con el propósito último de afianzar su relación con la marca.

CÓMO DESARROLLAR SU PROPIA APLICACIÓN

Si decide que tiene una buena razón para desarrollar su propia aplicación, tiene que saber que existen varias formas de hacerlo. El primer paso es averiguar qué plataforma le gustaría utilizar. La tabla 15.1 le ayudará a formarse una imagen clara de los protagonistas del mercado de las aplicaciones.

Tabla 15.1. Principales plataformas de aplicaciones.

	ANDROID	IOS	BLACKBERRY	WINDOWS
Lanzamiento	Noviembre de 2008	Julio de 2008	Abril de 2009	Noviembre de 2009
Cuota de mercado	39 por 100	28 por 100	20 por 100	9 por 100
Número de aplicaciones	250.000	500.000	25.000	18.000

Antes de adentrarse en el campo del desarrollo de las aplicaciones, le recomendamos que se familiarice con algunas de las herramientas más avanzadas para desarrolladores. Aquí encontrará algo de información básica sobre cada plataforma.

▶ **Desarrolladores de Android OS:** Se pueden crear aplicaciones con Java para Android; para ello, hay que descargar su SDK (*Software Development Kit*, Kit de desarrollo de software) gratuito. El SDK incluye ejemplos, código fuente, herramientas de desarrollo y emuladores para probar su aplicación. Android proporciona incluso vídeos formativos, artículos técnicos e instrucciones para desarrollar aplicaciones, por si se siente desbordado por todo esto. Además, tendrá que pagar una cuota de desarrollador única de 25 euros para poder distribuir aplicaciones en Google Play (antes Android Marketplace).

▶ **Apple iOS:** Si desea crear una aplicación para iPhone en la plataforma iOS, tendrá que desembolsar 79 euros. Lo que no es mucho si se tiene en cuenta la elegancia y funcionalidad del programa. La Web de desarrolladores de Apple, iOS Developer Center, ofrece una gran selección de herramientas, consejos, herramientas de depuración y guías para crear aplicaciones para casi cualquier propósito imaginable. En último término, será capaz de llegar a millones de usuarios de iPhone, iPad e iPod touch a través de la tienda de aplicaciones de Apple, iTunes Store.

▶ **BlackBerry OS Developer Zone:** La plataforma BlackBerry soporta diferentes formas de desarrollar aplicaciones, sitios Web móviles, temas e incluso *widgets*. Cada enfoque exhibe sus propias ventajas y todos ellos tienen la capacidad de aprovechar al máximo las características fundamentales de BlackBerry: su conectividad y seguridad. Para distribuir aplicaciones en la tienda de BlackBerry, App World, deberá pagar una cuota por cada 10 aplicaciones que envíe para su aprobación. No obstante, BlackBerry suele ofrecer promociones que le evitarían ese coste, de forma regular.

▶ **Windows:** La plataforma Windows podría no ser la mayor del mundo, pero su interfaz de usuario es fácil de usar y, en consecuencia, proporciona una sólida experiencia de usuario. La plataforma de desarrollo de Windows Phone ofrece una buena cantidad de documentación valiosa sobre las buenas prácticas de marketing para su aplicación. Asimismo, no tiene que preocuparse de que su aplicación o juego sean rechazados después de haber invertido tiempo y esfuerzo en ellos (queja común en el proceso de aprobación de Apple). Windows proporciona una documentación muy clara acerca de qué pasará y qué no su proceso de aprobación.

PROCESO DE DESARROLLO DE APLICACIONES PARA SIMPLES MORTALES

¿Qué pasa si no es un programador? ¿Qué sucede si su idioma materno no es el código fuente de los programas? Bien, tenemos buenas noticias. Existen numerosas herramientas de programación para la gente normal.

▶ **AppMakr:** Es una plataforma basada en el navegador, diseñada para facilitar la creación rápida y sencilla de aplicaciones para iPhone. Puede utilizar contenido existente junto con aportaciones a las redes sociales para producir una variedad de enfoques distintos para su aplicación. Incluye funcionalidades tales como notificaciones *push*, software de localización GeoRSS, CSS personalizadas y funcionalidad JavaScript. Algunas de las compañías que trabajan en la actualidad con AppMakr son *Newsweek*, PBS *NewsHour* o *Inc.Magazine*. La única desventaja es que, en el momento de escribir este libro, AppMakr sólo funciona en el sistema operativo iOS.

▶ **GENWI:** Esta plataforma de edición para *smartphones* y tabletas nos permite crear y gestionar nuestra presencia en todos los dispositivos móviles más populares, como iPad, iPhone, Android y con aplicaciones HTML 5. Ofrece riqueza de gráficos, fotos, vídeo, audio y otras formas de interactividad. Asimismo, nos permite revisar las aplicaciones tan a menudo como se desee. Las aplicaciones pueden incluir también capacidades generadoras de valor añadido para los negocios, tales como cupones y suscripciones.

▶ **MIPPIN:** Una de las principales fortalezas de la plataforma Mippin es su facilidad de uso. Nos permite crear aplicaciones para Android, iOS o Windows y nos proporciona una flexibilidad respetable a la hora de diseñar la aplicación. Incluso podemos pedir a Mippin que distribuya la aplicación en las tiendas de iTunes, Android, Windows o Amazon.

► **MOBBASE:** ¿Es usted un cantante o toca en una banda? Si la respuesta es sí, MobBase es para usted. Este constructor de aplicaciones le permite utilizar una fuente RSS para mantener informados a sus fans de las noticias y eventos relacionados con su banda. Asimismo, le permite actualizar pistas de audio para sus fans y les ofrece información sobre futuras actuaciones, compra de entradas y direcciones de las salas. Más aún, U2.

► **MOBICART:** ¿Tiene una tienda de comercio electrónico que le gustaría convertir en móvil? Entonces MobiCart es justo lo que estaba buscando. MobiCart trabaja con PayPal para permitir a cualquier negocio o consumidor con una dirección de correo electrónico enviar y recibir pagos en línea de una forma segura, cómoda y barata.

► **MYAPPBUILDER:** Por solamente 20 euros al mes, MyAppBuilder creará una aplicación iPhone o bien Android por usted. Todo lo que debe hacer es proporcionar el contenido (vídeos, libros, etc.) y sus profesionales trabajarán a partir de ahí. No necesita conocimientos técnicos para desarrollar una aplicación con MyAppBuilder. Hasta le eliminan la molestia de subir las aplicaciones a la tienda y lo hacen por usted.

► **RUNREV:** Puede utilizar LiveCode de RunRev para desarrollar su aplicación. Está basado en lenguaje natural (en inglés) para programar aplicaciones iPhone y Android. Con esta plataforma para múltiples dispositivos podrá construir prototipos interactivos que utilicen todas las capacidades de iOS y Android y distribuirlos a cualquier plataforma que necesiten sus clientes. El sitio Web está, asimismo, repleto de tutoriales para ayudarle a empezar.

► **SHOUTEM:** Otra plataforma fácil de utilizar se encuentra disponible a través de ShoutEm, que está configurada para *bloggers*, estudiantes, aficionados a los deportes y editores locales. No es necesario que tenga conocimientos de programación para configurar su aplicación y ShoutEm se encargará hasta de su publicación en las tiendas iTunes y Android.

► **SWEBAPPS:** Proporciona una forma simple y económica de construir, registrar y actualizar una aplicación móvil nativa para su negocio. Sólo tiene que crear una aplicación iPhone o Android en línea y, cuando esté disponible para su descarga a través de iTunes o Android, podrá actualizar su contenido en tiempo real mediante SwebApps. Deberá hacer una pequeña inversión para utilizar SwebApps, pero es un precio muy bajo por lo que parece un servicio muy profesional, respaldado por gente que sabe lo que se hace.

¿DEBERÍA DESARROLLAR UNA APLICACIÓN PARA SU NEGOCIO?

En último término, las aplicaciones pueden constituir una magnífica manera de diferenciar su marca, de abrir nuevos canales de ingresos y de profundizar las relaciones con sus clientes. No obstante, su desarrollo supone un desafío cuando es la propia empresa la que pretende desarrollarlas. Una opción consiste en utilizar alguno de los sistemas *plug-and-play* mencionados en este capítulo. Aunque no le ofrecen la misma flexibilidad que un desarrollador profesional, proporcionan formas más fáciles y simples de desarrollar, aprobar y distribuir su aplicación.

Haga lo siguiente

- ▶ Si va a desarrollar la aplicación usted mismo, asegúrese de presupuestar una buena cantidad de tiempo y dinero para el proceso.

- ▶ Si utiliza un sistema *plug-and-play*, tenga en cuenta que no podrá contar con tanta flexibilidad como al desarrollar la aplicación de forma nativa.

- ▶ Piense en construir un sitio Web móvil que incorpore la apariencia de una aplicación. Tendrá el beneficio añadido de que no requerirá una descarga para que la gente la vea.

No haga esto

- ▶ No se lance al proceso de desarrollo de una aplicación pensando que va a tener lista una en una hora. Incluso si utiliza uno de los sistemas Plug-and-Play más simples, siempre ayuda establecer un plan de antemano.

- ▶ No piense tácticamente, sino de forma estratégica. ¿Cuáles son sus objetivos para con la aplicación? ¿Cómo piensa medir su éxito?¿Cómo va a calcular el ROI de su aplicación?

16. Cómo usar los códigos 2D para conectar con los clientes

Hay un truco a la hora de usar códigos 2D que mucha gente ignora. La mayoría de los negocios creen que lo mejor de los códigos 2D es que la gente puede escanearlos y acceder directamente a una página Web. Pero eso no es lo mejor. Lo mejor viene después de que la gente llega a la página Web y ahí es donde fallan muchas empresas.

Piénselo de este modo: una televisión, en sí misma, no es para tanto. Es el contenido al que podemos acceder a través del aparato lo que cuenta. Lo mismo sirve para los códigos 2D. Es lo que pasa "después" de haber escaneado el código lo que los hace interesantes como herramientas de marketing.

En realidad, los códigos 2D llevan mucho tiempo entre nosotros. Los códigos de barras, que también se conocen como códigos 1D, se desarrollaron hace 40 años para facilitar el seguimiento de la información de los productos.

Luego, en 1994, una subsidiaria de Toyota llamada Denso Wave introdujo el primer código 2D como forma de seguir la pista a las piezas para la fabricación de los vehículos. Denso Wave tuvo mucho éxito con los códigos 2D, pero no alcanzaron al gran público durante más de una década tras su introducción.

Nota: El término "código 2D" se utiliza para describir la categoría en general, no para un tipo específico de código. Algunos de los tipos de código 2D más comunes incluyen Datamatrix, EZ Code, Microsoft Tag, QR, SPARQCode y ScanLife (véase la tabla 16.1).

Tabla 16.1. Códigos 2D comunes.

	FORMATO DE CÓDIGO 2D	VÍNCULO PARA DESCARGA
SPARQCode	QR, UPC/EAN	SPARQ.it
BeeTagg Reader	QR, DataMatrix, BeeTagg	Get.BeeTagg.com
AT&T Code Scanner	QR, DataMatrix, UPC/EAN	Scan.Mobi
ScanLife	EZCode, QR, DataMatrix, UPC/EAN	GetScanLife.com
Microsoft Tag	Tag	GetTag.mobi

Un código 1D tradicional almacena hasta 30 números, mientras que un código 2D puede almacenar hasta 7.089 números, lo que le da capacidad para guardar texto, hipervínculos, números de teléfono, mensajes SMS, correos electrónicos, vCards o eventos de calendario.

La capacidad de almacenar hipervínculos significa que los visitantes pueden hacer más que simplemente cargar una página Web. También pueden reproducir un vídeo, descargar una aplicación, hacer *check in* en Foursquare, actualizar su estado en Twitter, hacer clic en **Me gusta** en Facebook, mostrar direcciones en un mapa y muchas otras cosas.

Los códigos 2D se pueden imprimir en casi cualquier ubicación o superficie: periódicos, pósteres, anuncios de televisión, etiquetas de ropa, menús..., hasta en tartas. Es importante tener en cuenta que la localización debe ser apta para dispositivos móviles. Así, el metro, un ascensor o zonas rurales con poca cobertura, no son lugares idóneos para escanear un código 2D.

Microsoft Tag, ScanLife, SPARQCode y otros códigos 2D para seguimiento de datos. Algunas herramientas sólo registrarán el número de escaneos, mientras que otras proporcionan métricas detalladas como información demográfica, escaneos repetidos, geolocalización y mucho más.

Los códigos 2D (véase la figura 16.1) incluyen una función de corrección de errores que facilita el escaneo de códigos "dañados". El nivel de tolerancia a errores puede llegar al 30 por 100, lo que nos otorga un gran margen creativo para diseñar códigos 2D.

Se han llegado a utilizar cosas como gominolas, castillos de arena y todo tipo de embalajes para los códigos. Esto es posible porque, con tal de que haya suficiente contraste, la función de corrección de errores permite que el mecanismo de escaneo se adapte a las deficiencias del código.

Figura 16.1. ¿Quiere probar los códigos 2D? Descargue un lector de códigos QR de SPARQ.it y, luego, escanee este código. Lo llevará a un blog de la Web móvil de 60 Second Marketer llamado 101 Mobile Apps for Business.

CÓMO SE EMPLEAN LOS CÓDIGOS 2D PARA ATRAER A LOS CLIENTES

Más del 25 por 100 de las empresas de la lista Fortune 50 ya han utilizado códigos 2D como herramienta de marketing.[1] Vamos a ver algunos de los mejores ejemplos de este uso. Puede que le sirvan de inspiración:

▶ Los agentes de la propiedad inmobiliaria utilizan códigos 2D para proporcionar acceso a vídeos de los inmuebles a las personas interesadas. De este modo, podrán ver el interior sin tener que concertar una cita y esperar para verlos.

▶ BestBuy ha incorporado códigos 2D a sus etiquetas descriptivas en sus tiendas para que los clientes puedan acceder a información detallada de sus productos.

Los clientes pueden, asimismo, guardar la información para revisarla después en casa o comprar el producto instantáneamente a través de su *smartphone* y recibirlo en su domicilio ese mismo día.

▶ Delta y otras aerolíneas utilizan códigos 2D junto con sus aplicaciones móviles. Los usuarios reciben sus tarjetas de embarque a través de las aplicaciones y utilizan el código 2D para la facturación en el aeropuerto.

▶ Las ferias, exposiciones, eventos y conferencias utilizan códigos 2D en las tarjetas de identificación. Los participantes pueden escanear los códigos y descargar la información de contacto de una persona de forma instantánea. Ya no hay que intercambiar más tarjetas de visita.

---

[1] www.burson-marsteller.com/Innovation_and_insights/blogs_and_podcasts/ BM_Blog/Lists/Posts/Post.aspx?ID=243; consultada el 25 de octubre de 2011.

▶ La revista *Esquire* utiliza códigos 2D para dar más información de los artículos de moda que aparecen en sus números a sus clientes. Los usuarios pueden ir a la Web de un diseñador para encargar el producto que hayan visto en la revista.

▶ El programa de la BBC 1, *The Good Cook*, ofrece códigos 2D para que los espectadores puedan acceder a la lista de ingredientes y a la receta utilizada por el chef.

▶ Los hoteles proporcionan códigos 2D en las habitaciones para destacar las atracciones locales, junto con cupones para restaurantes y parques temáticos.

▶ El Ministerio de transportes de los Estados Unidos y la Agencia de protección medioambiental proponen el uso de etiquetas 2D para economizar combustible en las ventanas de cualquier vehículo nuevo en los concesionarios.

▶ *The New York Times Magazine* puso un código 2D formado enteramente por globos en la cubierta de uno de sus números. Los usuarios que escaneaban el código 2D eran dirigidos a una página Web móvil para promocionar su número especial "10th Annual Year in Ideas".

▶ McDonald's utiliza códigos 2D en Japón para proporcionar información adicional de sus productos y promociones para sus menús.

▶ La marca VitaFresh Refrigerators de Bosch en Alemania puso grandes paquetes de carne, supuestamente de dinosaurios, mamuts y tigres de dientes de sable, en sus congeladores en los supermercados. Los códigos 2D de estos paquetes incluían vínculos a información de producto acerca de los frigoríficos de la empresa, lo que tuvo como resultado más de 75.000 visitas de clientes desde las tiendas.

▶ Un banco irlandés ofrecía mapas de la Isla Esmeralda a sus clientes. El mapa hacía referencia a una lista de restaurantes de todo el país. Cada uno mostraba un código 2D que llevaba al público a un mapa de Google con la ubicación de los restaurantes.

▶ Bigmouthmedia, de Edimburgo, Escocia, incluye un código 2D en su localización en el mapa de Google, lo que da acceso a su Web a los usuarios de móvil.

CÓDIGOS 2D: ESTUDIOS DE CASO

Uno de los mejores ejemplos del uso de códigos 2D llega de la Smithsonian Institution en Washington, DC. El museo Smithsonian's Natural History Museum incorporó códigos 2D en su exposición sobre hombres de Neanderthal.

Los neandertales fueron unos homínidos que habitaron en Europa hace entre 50.000 y 130.000 años antes de ser remplazados por el *Homo sapiens*, el hombre moderno.

Cómo generar su propio código 2D

Si hace una búsqueda por **2D code generator** (generador de códigos 2D) en Internet, encontrará un montón de opciones. Otra posibilidad es visitar el *blog* 60 Second Marketer y bajar hasta la parte inferior derecha de la página. Allí encontrará un generador de códigos 2D rápido y fácil de usar.

Para que los visitantes puedan aprender cosas sobre los neandertales, el museo de Historia natural creó una exposición llamada "Meanderthal" (y no, no es un error tipográfico). Es muy difícil caminar por una exposición con un código 2D y una placa que nos pide que tomemos parte en ella.

¿Cómo funcionaba? Se solicitaba a los visitantes que escanearan el código 2D en sus *smartphones*. El código los dirigía a la Web de Meanderthal, donde se les pedía que se hicieran una foto. Luego, la imagen de la persona recibía una sobreimpresión con rasgos faciales de neandertal directamente en la propia exposición. En otras palabras, cualquiera podía ver cómo habría sido su cara como hombre de las cavernas.

Lo que hacía más divertida esta exposición era su capacidad viral. Se animaba a los usuarios a que compartiesen sus imágenes "meanderthales" con sus familiares y amigos a través de Facebook y Twitter. El resultado fue que el museo logró atraer a los visitantes e interesarlos en la exposición mucho más tiempo de lo normal. Como las imágenes se distribuyeron a escala viral, la noticia de la exposición se extendió por todo el mundo mucho más rápido que si se hubiera promocionado por los medios tradicionales.

Esto nos lleva al punto más importante que destacamos al principio del capítulo: los códigos 2D no son interesantes por sí mismos, sino que lo son porque dirigen al usuario hacia una experiencia mayor y más completa de la que, de otro modo, hubiera sido posible.

Otro buen ejemplo en el uso de códigos 2D es Six Star Pro Nutrition, una empresa que produce suplementos nutricionales para maratonianos, levantadores de pesas y otros atletas.

El desafío de Six Star es que los suplementos nutricionales pueden resultar confusos a menudo para los clientes, puesto que se deben enfrentar a una gran variedad de opciones. Hay tantas marcas entre las que escoger y tantos productos de cada una de ellas que puede resultar difícil elegir.

Six Star Pro Nutrition convirtió el desafío en una oportunidad para diferenciar su marca del resto y añadió códigos 2D a cada una de las etiquetas de sus productos. Los códigos hacen más que dirigir a los compradores a un cupón de descuento o una Web estándar. Dirigen a los consumidores hacia una serie de páginas específicas, muy bien diseñadas, que les permiten elegir el producto más adecuado para sus necesidades.

Si es un maratoniano, ¿necesitará proteína de suero? ¿Creatina? ¿O tal vez algún otro tipo de suplemento? Además, ¿cuándo debería tomarlo? ¿Antes de empezar la carrera? ¿Después de terminar? No tendrá más que escanear el código 2D para averiguarlo. Si es un levantador de pesas, ¿debería tomar el preparado de proteínas de suero? ¿O tal vez caseína? ¿Quizás una bebida energética con proteínas? Todas son preguntas importantes para un culturista que se interese por los suplementos nutricionales. Un sencillo escaneo del código 2D les dirigirá a una página en la que podrán identificarse como personas interesadas en productos para calentamiento, para después de entrenar, proteínas de suero o aminoácidos.

Al final, Six Star Pro Nutrition se diferencia de las otras marcas de su sector porque trata de ponerse en los pensamientos de sus clientes potenciales y averiguar qué necesitan en el momento que escanean el código 2D. Six Star no se limita a dirigirlos a un cupón de descuento o a una página de aterrizaje promocional.

En lugar de eso, analiza el comportamiento de sus clientes y reconoce que tal variedad de productos puede generarles gran confusión. La compañía utiliza después esa información para diseñar una campaña de códigos 2D que dé respuesta a las preguntas de sus clientes y que, de paso, logra profundizar sus relaciones con ellos.

BUENAS PRÁCTICAS CON LOS CÓDIGOS 2D

Existen varios factores a tener en cuenta cuando se utilizan los códigos 2D en campañas de marketing.

1. **Proporcione instrucciones claras:** Sólo porque usted esté familiarizado con los códigos 2D no significa que todo el mundo lo éste. Ayude a sus visitantes proporcionándoles unas breves instrucciones que les expliquen qué son los códigos 2D y cómo usarlos.

   Vea un ejemplo:

   > "Escanee el "código" 2D para recibir un cupón especial. Si todavía no tiene un lector de códigos en su teléfono, visite la Web SPARQ.it con su navegador móvil para descargar uno".

2. **Dirija a los visitantes a páginas Web diseñadas específicamente para smartphones:** Esto puede parecer obvio, pero se sorprendería de la cantidad de empresas que dirigen a la gente a páginas Web estándar, que resultan difíciles de leer en un móvil. Recuerde que una buena experiencia con un código 2D es sinónimo de nuevas visitas, que es exactamente lo que busca.

3. **Realice su promoción con códigos 2D en una zona con buena cobertura móvil:** Ya tratamos esto antes, pero es bueno repetirlo: resulta muy frustrante para un cliente escanear un código en una zona con mala cobertura. Por fortuna, este tipo de zonas son cada vez menos abundantes.

4. **Dé valor añadido al cliente:** Las mejores promociones con códigos 2D dan a los clientes valor añadido extra en compensación por la molestia. A veces, como en el caso de la exposición Meanderthal, es una experiencia de usuario mejorada. Otras, es algo tan simple como un código de descuento o un cupón especial. La clave es recompensar a los clientes por su tiempo y esfuerzo.

5. **Realice un seguimiento de sus resultados:** No todos los generadores de códigos 2D incluyen un mecanismo de seguimiento, pero las mejores opciones comerciales sí lo incorporan. Si está interesado en controlar los resultados de su campaña, el gasto merece la pena. Como dijimos antes, ¿qué sentido tiene realizar una campaña con códigos 2D si no se puede saber cuánta gente ha escaneado el código y, por tanto, cómo ha funcionado ésta?

6. **Realice A/B split tests:** Cuando realice una promoción con códigos 2D, a menudo estará dirigiendo visitantes hasta una página de aterrizaje para móviles. ¿Por qué no comprobar dos páginas de aterrizaje diferentes para ver cuál de ellas logra más conversiones? Una vez que tenga una página ganadora, úsela como control y vea si puede superar sus cifras con otras páginas de aterrizaje.

7. **Mantenga actualizada su campaña de códigos 2D:** Una de las ventajas de los códigos 2D es que las páginas de aterrizaje se pueden actualizar de forma regular. Así, si, por ejemplo, una tienda de ultramarinos muestra un código 2D que diga "Escanee el código para obtener la oferta de la semana", deberá cambiar la página de aterrizaje cada semana para mantener viva la promoción. El código 2D de la tienda siempre dice lo mismo, sólo cambia la página de aterrizaje.

8. **Haga pruebas antes de poner la página en producción:** Pruebe su código 2D definitivo de los materiales impresos que vaya a distribuir. No hay nada peor que enviar miles de pósteres con un código 2D, para darse cuenta después de que se ha impreso un código erróneo.

Como cualquier técnica de marketing móvil, su campaña con códigos 2D funcionará mejor si está integrada en otros programas más generales. Resista la tentación de utilizar su promoción con códigos 2D en solitario. En lugar de eso, realícela conjuntamente con sus otras campañas. Si lo hace así, obtendrá resultados mucho más saludables.

EL FUTURO DE LOS CÓDIGOS 2D

¿Serán los códigos 2D para siempre? Seguramente, no. ¿Estarán presentes muchos años? Puede ser. Lo que sí es cierto es que son una herramienta magnífica para diferenciar su marca.

Ahora bien, es posible que nuevas tecnologías, como NFC o Google Goggles (Google Goggles es un servicio de Google disponible para Android y iPhone que permite reconocer cualquier objeto mediante fotos realizadas con un móvil y devolver resultados de búsqueda e información relacionada; es.wikipedia.org), reemplacen los códigos 2D pasados unos años.

La tecnología NFC permite que los negocios se conecten con los consumidores mediante comunicación inalámbrica. Los clientes no tienen más que agitar ligeramente sus teléfonos frente a pósteres u otros medios que cuenten con un transmisor NFC incorporado.

En cuanto a Google, ha trabajado recientemente con Buick, Disney, Diageo, T-Mobile y Delta Airlines para crear materiales de marketing que aprovechen su tecnología Googlo Goggles. Los usuarios sólo tienen que abrir Google en su iPhone o teléfono Android y sacar una foto del anuncio. Google Goggles lo escanea y dirige al usuario a las páginas Web que se corresponden con el contenido del mismo.

En efecto, es como si todo el anuncio fuese un monumental código 2D que no precisase ningún software especial para leerlo.

¿Significa esto que ya no merecen la pena los códigos 2D? No necesariamente. Por el momento, los códigos 2D son herramientas estimables. Lo que queremos decir es que dentro de unos pocos años los códigos 2D se verán desplazados por NFC o bien tecnologías similares, así como herramientas del estilo de Google Goggles.

Hasta entonces, puede utilizar los códigos 2D como mejor le convenga. No en vano, son una buena forma de diferenciar su marca en un mercado, de por sí, saturado.

Haga lo siguiente

► Realice un seguimiento de su campaña de marketing móvil. Siempre que se controla una campaña de marketing, sus resultados mejoran.

► Sea creativo. Para un cliente, resulta frustrante escanear su código y terminar en una página de aterrizaje que no tenga algo especial como recompensa.

► Guíe a sus clientes. No todo el mundo está completamente familiarizado con el uso de códigos 2D. Présteles la ayuda que necesiten y sus resultados mejorarán.

No haga esto

► No realice una campaña con códigos 2D de forma aislada. Si integra la promoción con otras campañas de marketing, sus resultados mejorarán notablemente.

17. Tabletas:
Al asalto del mundo

El universo de las tabletas no se reduce al iPad de Apple. Bueno, tal vez sí. Pero, en todo caso, no será así para siempre. Google va ganando cuota de mercado y Amazon ha presentado su tableta Kindle Fire no hace mucho tiempo, que puede hacer muchas de las cosas que hace el iPad por un precio muy inferior.

Las primeras versiones de las tabletas eran poco más que pequeños portátiles con unas interfaces de usuario bastante incómodas. Después, llegaron los libros electrónicos, que no lograron aprovechar todo el potencial del concepto tableta como ordenador. Pero entonces salieron a escena Steve Jobs y los ingenieros de Apple, unos verdaderos genios, y reinventaron la categoría de tableta.

El salto cuántico experimentado por las tabletas no estaba sólo en su pantalla táctil, que era una tecnología ya conocida, sino en la incorporación de GPS, brújula, giroscopio y acelerómetro en su hardware. Al añadir todas estas capacidades a las tabletas, lograron abrir un nuevo mundo en la computación portátil.

Por ejemplo, gracias a las capacidades GPS, la tableta puede conocer su ubicación exacta, lo que le permite mejorar la experiencia de usuario. Imagine que está utilizando Yelp para consultar análisis de los restaurantes más próximos, el GPS permitirá que la aplicación sepa exactamente dónde se encuentra. Asimismo, la brújula sabrá si mira al norte a través de la pantalla de su tableta. De este modo, Yelp pondrá los análisis de los restaurantes próximos como capas superpuestas en la pantalla. En otras palabras, podrá ver directamente en su pantalla unas flechas que señalarán los restaurantes próximos al lugar donde se encuentre. Mejor aún, las flechas incluirán valoraciones de los usuarios que le darán una indicación de la calidad de la comida que se le servirá en cada restaurante.

Los giroscopios también son una parte importante de la experiencia de uso de las tabletas, puesto que permiten que las aplicaciones conozcan en todo momento la orientación del dispositivo respecto del usuario. ¿Está apuntando al cielo con su tableta? Si es así, aplicaciones como Star Walk pueden sobreimpresionar el cielo nocturno en su pantalla con todas sus estrellas, galaxias y constelaciones. No tendrá más que pulsar en una estrella, galaxia o constelación para observar información detallada en pantalla. Es una experiencia sorprendente.

Los acelerómetros de las tabletas encuentran, asimismo, un buen uso. El iPad tiene varias aplicaciones que le permiten calcular su velocidad media, las calorías que quema y la distancia que ha recorrido caminando. Incluso existe un sismómetro que registra los movimientos del dispositivo en las tres dimensiones y los representa en una gráfica dinámica. La aplicación es ideal para estudiantes universitarios y científicos, pero también para padres preocupados por si sus hijos son sonámbulos.

Además del GPS, la brújula, el giroscopio y el acelerómetro, la mayoría de las tabletas incorporan sensores de proximidad y de luz ambiental. Esto otorga a las tabletas la capacidad de responder a la interacción del usuario ajustando el brillo de la pantalla, así como de hacer otro tipo de cambios basados en la proximidad del usuario a la pantalla.

La tasa de conversión que se registra en las tabletas es un 50 por 100 superior a la de los ordenadores de sobremesa

De acuerdo con un informe de Forrester Research,[1] la tasa de conversión en las tabletas supera a la de los ordenadores de sobremesa en un 50 por100.

En un PC tradicional, el porcentaje de gente que visita una Web de comercio electrónico y acaba comprando un producto es de alrededor del 3 por 100. Para el caso de los usuarios de tabletas, este porcentaje se sitúa entre el 4 y el 5 por 100.

Muchos comercios informan, asimismo, que los usuarios de tabletas tienden a gastar entre un 10 y un 20 por 100 más que los demás. Se asume que la razón de esto es que el propietario típico de las tabletas tiene unos ingresos superiores a los de la población general.

La conclusión es que las tabletas están cambiando el panorama informático y que están aquí para quedarse. De cara al futuro, se convertirán en una parte cada vez más importante de nuestras vidas.

De acuerdo con la firma de investigación tecnológica Gartner[2], se espera un fuerte crecimiento en la venta de tabletas hasta 2015, cuando se prevén unas ventas próximas a las 326,3 millones de unidades.

---

[1] www.qrcodepress.com/tablets-encourage-users-to-make-a-purchase/854352; consultada el 25 de octubre de 2011.

[2] www.gartner.com/it/page.jsp?id=1800514; consultada el 25 de octubre de 2011.

El iPad de Apple copa casi el 75 por 100 del mercado mundial de tabletas, a donde ha caído desde un máximo del 83 por 100. Gartner prevé que, para 2014, Apple aún controlará más del 50 por 100 del mercado de las tabletas. Es una cifra gigantesca. ¿Qué compañía no querría el 50 por 100 de un mercado multimillonario?

Las tabletas Android poseen casi el 18 por 100 del mercado actual, pero de acuerdo con Gartner tendrán aproximadamente el 40 por 100 para 2015. Esto significa que, a menos que las cosas cambien dramáticamente, el mercado de tabletas estará dominado por Apple y Google en el futuro previsible.

LAS TABLETAS FRENTE A LOS PORTÁTILES Y LOS ORDENADORES DE SOBREMESA

Cuando se adopta una nueva tecnología, no remplaza a la anterior tanto como la complementa. Por ejemplo, cuando se introdujo la radio, no significó la desaparición de los periódicos, simplemente se añadió a las opciones disponibles. Análogamente, la televisión no sustituyó a la radio. Como tampoco el PC sustituyó a la televisión.

Cada nueva tecnología se sitúa más como un complemento de la tecnología anterior que como un sustituto. Eso es cierto también para las tabletas. No están aquí para sustituir a los ordenadores portátiles o de sobremesa, sino que servirán para complementar la experiencia del usuario.

En el mundo de las empresas, si un agente de ventas mantiene una conversación con un cliente y desea revisar una hoja de cálculo, suele abrir su portátil, encenderlo y esperar a que arranque; una labor que se toma su tiempo.

Eso no es así en el caso de una tableta, éstas son tan fáciles de encender como abrir un libro. E incluso aunque la mayoría de la gente piensa en *apps* cuando piensa en una tableta, lo cierto es que debería pensar "en la nube", es decir, *cloud computing*. La computación en la nube permitirá que las personas lleven tabletas consigo para acceder instantáneamente a la información importante para el éxito de sus negocios.

Imagine que está trabajando en un almacén y necesita acceder al sistema de gestión de inventario que registra la llegada de los nuevos encargos. Si tuviera que dejar el almacén para volver a la oficina a comprobar la hoja de cálculo antes de hacer una llamada al camión de reparto, estaría perdiendo mucho tiempo. Con una tableta no tendrá más que pulsar la pantalla, comprobar los datos y hacer clic en sus auriculares Bluetooth para llamar al conductor del camión.

¡Bingo!

LAS TABLETAS TRANSFORMAN LA ENSEÑANZA Y LA EDUCACIÓN

La inmediatez de las tabletas ofrece numerosas otras ventajas adicionales. Doctores, enfermeras y personal técnico sanitario utilizan las tabletas para monitorizar la salud de sus pacientes. Pueden ayudar a que un paciente comprenda un diagnóstico o bien servir para describir algún procedimiento o tratamiento médico. Los restaurantes utilizan tabletas como herramientas de encuesta para los clientes o bien para facilitar la revisión del menú por parte de los clientes antes de sentarse a la mesa.

Pero es en el campo de la educación donde las tabletas encontrarán uno de sus usos más importantes. Imagine la clase de un instituto en la que el 24 por 100 de los alumnos tengan un patrón visual de aprendizaje, otro 24, un patrón táctil, otro 24, uno auditivo y aún otro 24 verbal (escrito). Es decir, el 96 por 100 de los alumnos de la clase tienen patrones de aprendizaje diferentes. ¿Qué pasa con el 4 por 100 restante? Nadie lo sabe a ciencia cierta porque suelen estar dormidos al fondo de la clase.

Durante siglos, los profesores han tenido limitada su capacidad de transferir información a sus alumnos a causa de esas grandes diferencias en cómo cada individuo procesa la información. Si un estudiante tiene un patrón visual de aprendizaje y el profesor pasa la mayor parte del tiempo frente a la clase comunicándose por medio de la voz, perderá mucha de la información que éste intente transmitir.

Ahora imagine que usted es el profesor y que cuenta con una tableta repleta de información sobre la historia de Roma. De esta forma, será capaz de impartir un curso de historia de Roma con líneas de tiempo dinámicas, gráficos tridimensionales de edificios y animaciones con recreaciones de las principales batallas. Incluso contaría con hologramas inmersivos de la vida cotidiana en Roma, que permitirían a sus alumnos dar una vuelta de 360 grados con la tableta frente a sus ojos para ver cómo era la ciudad de Roma en el 33 d.C.

Imagine el impacto que eso podría tener en sus alumnos. En la actualidad, la mayoría de los estudiantes recibe enseñanza de una forma que no es acorde con sus patrones cognitivos de aprendizaje. Esto no es por culpa de los profesores, que trabajan increíblemente duro por un salario escaso, sino que es culpa de las ineficiencias inherentes a un sistema de enseñanza que pone a un profesor frente a 25 o 30 alumnos.

Imagine la diferencia que supondría que cada estudiante pudiera tener su propia tableta que le permitiera aprender según su propio patrón cognitivo. En resumen, el impacto en el aprendizaje sería monumental. Más aún, el impacto en la propia cultura sería monumental, porque el sistema educativo incrementaría la eficiencia del aprendizaje de forma dramática.

PONGA A LAS TABLETAS A TRABAJAR PARA USTED

El mayor desafío que enfrentan muchos negocios hoy en día en relación a las tabletas es que el puñado de opciones *plug-and-play* para desarrollar aplicaciones carecen de opciones que saquen todo el partido posible de estos dispositivos. Si lo que busca es algo que le permita desarrollar una aplicación rápidamente, las actuales plataformas *plug-and-play* le permitirán hacer el trabajo, pero no logrará una experiencia totalmente personalizada. Sin embargo, si lo que quiere es crear una aplicación que aproveche todos los recursos de una tableta, como GPS, brújula, giroscopio o acelerómetro, no tendrá más remedio que contratar a un desarrollador de aplicaciones. En este caso, siempre es una buena idea emplear un desarrollador que se encuentre en su propio mercado, porque eso facilitará la comunicación, pero si no le importa mirar fuera puede consultar páginas Web como ELance.com o AppMuse.com para buscar ofertas para su proyecto.

Tanto ELance como AppMuse son agregadores de proyectos en los que los profesionales pueden realizar sus ofertas para llevarlos a cabo. Cada profesional hace una oferta en su proyecto y luego, siguiendo una serie de pasos, usted lo asigna al que más le convenga.

Las tabletas están aún en su infancia. Hace sólo unos pocos años que se presentó el iPad y revolucionó el mercado de la informática móvil. Incluso en tan poco tiempo, el mercado de las tabletas ha evolucionado y cambiado dramáticamente. A medida que el mercado continúa evolucionando y más consumidores adoptan la tecnología, las tabletas se convertirán en dispositivos clave en el mundo del marketing móvil. No llegarán a remplazar a los ordenadores de sobremesa, pero ciertamente lo complementarán. A medida que sus capacidades crezcan, por ejemplo en telefonía, serán más los negocios que den usos innovadores a estos dispositivos increíbles.

Haga lo siguiente

▶ Abra su mente al potencial de las tabletas para los negocios de todo tipo. Si aprovecha al máximo las capacidades del GPS, la brújula, el giroscopio y el acelerómetro, será capaz de crear aplicaciones que diferencien su marca y potencien la fidelización del cliente.

No haga esto

▶ No minusvalore la importancia de las tabletas. Muchas personas se decepcionaron con el iPad original porque no carecía de soporte Flash y abandonaron la plataforma. Pero eran una minoría. No sea uno de ellos en este caso y adopte todo el potencial de las tabletas sacándole el máximo partido para beneficio de su negocio.

Parte IV
Amplíe sus horizontes

18. Cómo usar el comercio electrónico móvil para mejorar los ingresos

A medida que continúa creciendo el uso de la informática móvil de una forma desaforada, el número de consumidores que ya realizan casi todas sus compras desde sus móviles crece a un ritmo similar. De acuerdo con la firma de investigación de mercado ABI Research, el comercio electrónico móvil alcanzará una cifra de negocio superior a los 90.000 millones de euros anuales en 2015.[1]

Más aun, más de la mitad de todos los dispositivos móviles que se venden en los Estados Unidos son ya *smartphones*.[2] Estas cifras impresionantes hacen obligatorio que negocios de todo tipo comiencen a desarrollar su presencia en el entorno del comercio electrónico móvil para sus clientes.

El comercio electrónico móvil, *m-commerce* como se lo conoce en inglés, es un fenómeno relativamente novedoso. Desde sus humildes comienzos en Europa hace poco más de una década, este medio se ha convertido en uno de los más lucrativos para atraer nuevos clientes y para retener a los ya existentes.

Mientras que muchos negocios ya han comenzado a experimentar una subida continuada en el número de clientes móviles activos, el crecimiento explosivo experimentado por el sector en estos años se puede atribuir en su mayor parte a la llegada de dispositivos tan populares como el iPhone de Apple y los distintos teléfonos Android.

---

[1] www.abiresearch.com/press/1605-Shopping+by+Mobile+Will+Grow+to+119+Billion+in+2015; consultada el 23 de octubre de 2011.

[2] www.smartonline.com/mobile-2/us-smartphone-statistics-q1-2011-overview; consultada el 23 de octubre de 2011.

Hoy por hoy, algunas compañías obtienen ingresos masivos de las ventas a través de dispositivos móviles, entre ellas eBay, la cual anunció unas ventas móviles globales de casi 1.700 millones de euros sólo el año pasado.[3]

Mientras que antes los consumidores expresaban su preocupación por la seguridad de las transacciones comerciales a través de los dispositivos móviles, los avances y salvaguardias tecnológicas introducidas por muchos comercios móviles no han dejado ni un asomo de duda sobre la legitimidad de las compras móviles. De hecho, muchos consumidores ya esperan que sus marcas y tiendas favoritas les ofrezcan opciones para comprar con sus móviles. El desarrollo de tales oportunidades de venta no se considera ya una simple característica "extra" que ofrecen los comercios electrónicos a sus clientes, sino que la implementación de un sistema completo para móviles es ya casi obligatoria para cualquier negocio que aspire a ser eficaz.

En general, las ventas móviles tienen lugar de dos maneras. La primera, de lejos la más común, transcurre a través del navegador Web. Los clientes llegan a su negocio directamente o dirigidos hacia sus productos a través de una búsqueda. La compra se realiza seleccionando los productos deseados e introduciendo la información relativa al pago y al envío. En un esfuerzo por estandarizar el proceso completo, muchas compañías han comenzado a ofrecer a sus clientes la oportunidad de almacenar sus datos sensibles para evitar que tengan que introducirlos cada vez que deseen realizar una compra.

Dinero gastado a través del móvil

De acuerdo con Forrester Research, se gastaron casi 120.000 millones de euros en línea el pasado año sólo en los Estados Unidos, de los cuales el 3 por 100 procedía de dispositivos móviles.[4]

Aunque sólo el 9 por 100 de los compradores en línea son propietarios de tabletas, su tasa de conversión es casi un 50 por 100 superior a la de los PC de sobremesa.

La red de ventas QVC aprecia mucho el concepto de comercio electrónico móvil que fomenta el uso de las tabletas a través de sus canales en redes sociales. De acuerdo con el periódico *Salt Lake Tribune*, el comercio electrónico móvil suma el 3 por 100 de los ingresos de QVC.[5]

---

[3] http://techcrunch.com/2011/01/06/ebay-mobile-sales-2010; consultada el 23 de octubre de 2011.

[4] www.mobilecommercedaily.com/2011/06/20/mobile-commerce-sales-to-reach-10-billion-next-year-forrester; consultada el 23 de octubre de 2011.

[5] www.sltrib.com/sltrib/money/52652268-79/tablets-tablet-percent-retailers.html.csp; consultada el 23 de octubre de 2011.

Cuando el comercio electrónico móvil empezó a ganar popularidad, muchas empresas, en un esfuerzo por no perder el ritmo, simplemente se aseguraron de que sus Web móviles fueran compatibles con los navegadores móviles. Para muchas marcas, eso supone eliminar componentes complejos como Flash y *scripts* diversos de sus páginas Web. Otros ajustes pueden incluir la simplificación de la estructura de navegación y el remplazo de tipografías anticuadas por otras más modernas.

Hoy por hoy, ajustar simplemente la Web no se ve como solución viable para atraer a los clientes móviles. En lugar de eso, muchas compañías han desarrollado versiones móviles de sus sitios Web capaces de reconocer el dispositivo móvil que utiliza cada consumidor para ver su contenido. Cuando se identifica un dispositivo móvil o *smartphone*, se le dirige a la página móvil.

Como los *smartphones* han ganado terreno por todo el mundo, se ha desarrollado una segunda opción para comercio electrónico móvil: las aplicaciones dedicadas. Las aplicaciones son herramientas poderosas en manos de los comercios en línea, ya que se desarrollan específicamente para mostrarse de forma óptima en el dispositivo utilizado para ver el contenido. Asimismo, ofrecen un enlace directo y permanente a los productos de la empresa a sus consumidores. Las tiendas de aplicaciones más populares como Google Play (antes Android Marketplace) e iTunes Store están repletas de aplicaciones de desarrolladores grandes y pequeños.

El enorme incremento en el uso de *smartphones* es, en grandísima medida, responsable del increíble aumento en el número de aplicaciones. De acuerdo con la firma de investigación de mercado IHS, se espera que la cifra global de ventas de aplicaciones móviles alcance, durante 2011, unos desmesurados 3.000 millones de euros. Cifra esta que no tiene en cuenta el enorme número de aplicaciones gratuitas disponibles, que incluyen la mayoría de aplicaciones móviles de comercio electrónico.[6] La tienda iTunes Store de Apple alcanzó, por sí sola, la increíble cifra de 10.000 millones de descargas no hace mucho y la cifra no deja de crecer.[7]

Además de mejorar el rendimiento global de las ventas, el desarrollo de aplicaciones móviles dedicadas se ha acreditado como una herramienta efectiva para expandir la capacidad de influencia de una marca. Una de las maneras de lograr esto consiste en proporcionar a los consumidores un lugar muy acabado y amigable para disfrutar con sus compras. Los consumidores que hayan visitado ya una tienda física y tenido allí una experiencia positiva tienen más posibilidades de intentar adquirir en línea productos de la misma compañía

---

[6] www.computerworld.com/s/article/9217885/Your_next_job_Mobile_app_developer; consultada el 23 de octubre de 2011.

[7] www.appleinsider.com/articles/11/01/14/apple_begins_countdown_to_10_billion_app_store_downloads.html; consultada el 23 de octubre de 2011.

(véase la figura 18.1). Una aplicación efectiva permitirá a los consumidores hacer sus compras con facilidad y fomentará unas buenas relaciones entre éstos y la empresa en cuestión.

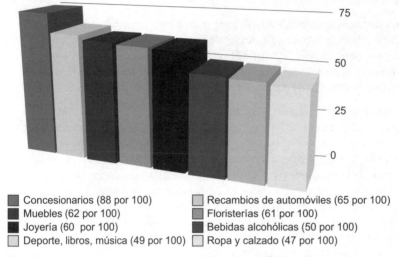

Usuarios de telefonía móvil de los EEUU que tienen más posibilidades de usar el comercio electrónico móvil si el vendedor tiene una Web móvil

- Concesionarios (88 por 100)
- Muebles (62 por 100)
- Joyería (60 por 100)
- Deporte, libros, música (49 por 100)
- Recambios de automóviles (65 por 100)
- Floristerías (61 por 100)
- Bebidas alcohólicas (50 por 100)
- Ropa y calzado (47 por 100)

Figura 18.1. La mayoría de los consumidores están listos, desean y son capaces de utilizar el comercio electrónico móvil, siempre que el vendedor logre satisfacer sus necesidades. Fuente: Brand Anywhere y Luth Research, Supply & Demand of the Mobile Web for Retail; 16 de noviembre de 2010.

Si desea establecer su presencia en la Red para dispositivos móviles, hay varias ideas fundamentales que debería tener en cuenta para tratar de cosechar el mayor éxito posible. No sólo el desarrollo de una aplicación o sitio Web específico para móviles conseguirá una nueva fuente de ingresos bastante lucrativa, sino que una herramienta de ese tipo podría ayudarle a mejorar las ventas en sus establecimientos tradicionales. Utilice las ideas clave de las subsecciones siguientes para comenzar su andadura con buen pie.

DESARROLLE UNA ESTRATEGIA DE MARKETING

Desarrollar una estrategia de marketing es uno de los pasos más importantes a la hora de establecer una plataforma de comercio electrónico móvil. En lugar de centrarse por entero en el desarrollo de su plataforma basada en una aplicación o Web móvil, es importante empezar a ampliar el alcance de su marca habiendo determinado claramente su público objetivo y el mejor modo de llegar hasta él. También es necesario que tenga presente el medio específico, es decir, la informática móvil.

Solicite a sus usuarios móviles cierto grado de compromiso personal

La gente tiende a desarrollar apego por algo que le exija algún sacrificio. Así, una manera de reforzar la fidelización a la marca entre sus consumidores móviles consiste en pedirles un pequeño sacrificio para lograr una recompensa de parte de su compañía. Las compañías productoras de cereales han empleado esta táctica durante años. Por ejemplo, lo hacen cuando piden a los niños que recorten y junten varias tapas superiores de sus envases para cambiarlas por regalos o cuando les piden encontrar un "código secreto" para acceder a juegos en línea.

Es posible utilizar esta táctica con los consumidores móviles. Pídales que se registren para acceder a ciertos cupones de aplicaciones. Haga que ciertas ofertas dependan de que envíen cierto mensaje de texto a un número concreto o bien de que inicien sesión en su Web móvil todos los días durante una semana. O, también, si cuenta con sus propios juegos para móviles, vincule ciertos privilegios en su sitio Web móvil a la puntuación lograda en aquéllos. Si no hace más que enviar un cupón con un 20 por 100 de descuento a todos sus clientes, éstos podrían ignorarlo y perderse la oportunidad de probar uno de sus nuevos productos. Si, en lugar de eso, les obliga a "ganarse" el descuento con un juego, éste parecerá más un premio que un regalo y será más probable que acaben usándolo.

Muchos comerciantes no entienden que el comercio electrónico móvil no es una fotocopia en miniatura de su hermano mayor, el comercio electrónico tradicional. Los usuarios de móviles no navegan por la Web de la misma manera en que lo haría el usuario de un ordenador de sobremesa. Antes al contrario, las sesiones en los dispositivos móviles suelen ser más cortas que en los ordenadores normales. Más aun, muchos consumidores emplearán su plataforma móvil sólo para hacer las compras y no para entretenerse mirando las ofertas. Así pues, debe prestar atención a la estructura y navegación de la plataforma en su conjunto. De este modo, se asegurará de facilitar el proceso a los consumidores que quieran hacer sus compras lo más rápido posible, con independencia de si se trata de una aplicación o de una Web móvil.

Reducir su público objetivo le ayudará a determinar qué tareas deben ser las más accesibles en su sitio de comercio electrónico móvil. Por ejemplo, si su principal inquietud es expandir sus ventas y su influencia atrayendo a nuevos compradores, deberá invertir el tiempo necesario en desarrollar un plan específico para llegar a dichos compradores. ¿Invertirá en publicidad móvil para atraerlos a su Web? ¿Sería bueno que estableciera acuerdos con otras compañías de su sector?

Una vez haya establecido una manera eficaz de llegar a dichos consumidores, tendrá que adaptar la aplicación o Web móvil a sus necesidades específicas. Un nuevo cliente podría querer aprender más cosas acerca de su marca y descubrir dónde está situada. Debe facilitar el acceso a la información relativa a sus tiendas, ubicaciones y horarios.

Por el contrario, si su preocupación principal consiste en desarrollar las relaciones existentes entre su marca y sus clientes, lo más probable es que desee dar mayor protagonismo a la información suplementaria en su plataforma de comercio electrónico. Ésta podría incluir detalles acerca de compras anteriores, que se podrían archivar desarrollando cuentas de cliente en línea. Las opciones de servicio al cliente y de contacto deberían ocupar un lugar destacado, igualmente. Recuerde que establecer múltiples canales de comunicación con sus clientes le permitirá hacer más accesible y relevante su marca.

CONSIDERE LA EXPANSIÓN A TRAVÉS DE DESCUENTOS Y OFERTAS

Un incremento de las ventas y de la fidelidad de los clientes puede ser consecuencia de una sabia política de descuentos y ofertas en sus productos. Tanto si opta por ofrecer estos descuentos y ofertas en sus tiendas y en línea como si decide que sólo deben estar en uno de estos medios, el desarrollo de tales oportunidades de ahorro es un modo eficaz de lograr más tráfico. Muchas compañías han comenzado a ofrecer descuentos móviles aplicables únicamente a compras realizadas desde el dispositivo móvil. Otras emplean herramientas populares de redes sociales basadas en la localización como Foursquare o Gowalla para dar a sus clientes los descuentos oportunos, una vez se han conectado desde sus móviles en las propias tiendas (*check in*).

La fidelización de los clientes con la marca no es algo que se deba tomar a la ligera. De acuerdo con la consultora Baines and Company, retener un mero 5 por 100 de los clientes se puede traducir en un incremento de la rentabilidad del 75 por 100.[8] Sin embargo, asegurar la fidelización a la marca mediante descuentos móviles no sólo es fácil de implementar, sino que se ha demostrado eficaz para muchas compañías que buscaban mejorar sus niveles de fidelización.

---

[8] www.rocketmarketinggroup.com/tag/customer-loyalty-statistics; consultada el 23 de octubre de 2011.

Además de ofertas y descuentos puntuales, los programas de suscripción pueden desempeñar un importante papel en la fidelización de los clientes. Aunque estos programas no son algo nuevo, ciertamente, en el panorama de las ventas, su implantación en las plataformas de comercio electrónico móvil no ha sido necesariamente directa y sin dificultades. Muchas empresas no han dado aún con la fórmula para implementar adecuadamente sus planes y suscripciones de fidelización en sus plataformas móviles. Ahora bien, una cosa está clara: permitir que los usuarios de la Web se aprovechen de tales beneficios cuando hacen compras desde plataformas móviles puede ser una forma muy poderosa de aprovechar todo el poder de los programas de suscripción, con independencia de si el cliente acaba por visitar o no una tienda física.

UTILIZAR EL CONOCIMIENTO Y LA EXPERIENCIA DEL CLIENTE

Las empresas que no dan con una implementación sencilla de sus contenidos para plataformas móviles a menudo comparten las mismas incertidumbres acerca de los que sus clientes querrían encontrar en ese entorno. En vez de tratar de adivinar qué opción podría merecer más la pena explorar desde un punto de vista lucrativo, deberían simplemente preguntar a sus clientes qué les gustaría ver representado en una plataforma móvil. De este modo, no sólo podrán establecer una solución útil para sus clientes, sino que lograrían una información valiosa sobre los pensamientos y hábitos de compra de su base de clientes.

Es posible pedir la opinión de los clientes de muy diversas formas. Algunas empresas optan por crear grupos de interés, tanto en persona como en línea, que pueden resultar muy eficaces para comprender las expectativas de grupos seleccionados de clientes.

Si, por el contrario, desea examinar un sector más amplio de las perspectivas de sus clientes, sería mejor utilizar encuestas de opinión o los comentarios de los propios clientes para obtener ideas valiosas. Algunas compañías optan por centrarse en varias áreas diferentes al mismo tiempo para obtener, como resultado, una información más detallada y completa.

FOMENTE LA ADOPCIÓN POR PARTE DE LOS CLIENTES EXISTENTES

Una vez se ha desarrollado una solución móvil, los consumidores existentes deben recibir estímulos para explorar las distintas posibilidades disponibles para ellos en este formato. Es muy probable que sus clientes se pregunten por qué deberían dedicar el tiempo necesario para adoptar esta tecnología móvil en sus compras y es su trabajo darles la respuesta. Ésta variará mucho según el público a que se dirija con su Web móvil.

En este punto es donde numerosas compañías deciden implementar descuentos e incentivos. Más allá de las ofertas de sus tiendas o de su Web, es posible que desee ampliar su actividad de manera novedosa para lograr que sus clientes se sientan mejor conectados a su comercio. Conseguir una sensación de exclusividad puede ofrecer unos resultados increíbles en la fidelización a una marca.

Un buen ejemplo pasa por usar la plataforma móvil para revelar futuras líneas de producto o cambios de la dirección de su marca. Compartiendo detalles íntimos con sus clientes móviles podrá fomentar la complicidad entre ellos y su empresa. Esa complicidad puede conducir a una mayor fidelización si consigue transformar a los clientes cotidianos en consumidores fieles que frecuenten sus tiendas una y otra vez.

Aunque no hay una fórmula perfecta que las empresas puedan aplicar para construir soluciones eficaces de comercio electrónico, crear una plataforma dinámica que sus clientes disfruten no parece misión imposible. Si logra establecer expectativas y objetivos firmes relacionados con la dirección de las plataformas móviles de su empresa, será capaz de alcanzar al máximo número de individuos. Más aun, si invierte el tiempo y los recursos necesarios para desarrollar una presencia móvil útil y bien diseñada, se asegurará de que su incursión en el comercio electrónico móvil tenga todo el éxito que sea posible.

Haga lo siguiente

▶ Cree una sensación de comunidad para una mejor fidelización a su marca.

▶ Escuche las opiniones de sus clientes acerca de sus productos y servicios.

No haga esto

▶ No asuma que los consumidores móviles tienen deseos y necesidades diferentes de los de la población general. De hecho, si tenemos en cuenta el grado de penetración de los dispositivos móviles, sus usuarios "son" la población general.

19. El marketing móvil para compañías de servicios a empresas (B2B)

Cuando una empresa B2B (*Business to Business*, literalmente "de negocio a negocio"; son empresas cuyos clientes son otras empresas) lanza una iniciativa de marketing móvil, el primer paso importante consiste en crear un plan de marketing móvil. Mas ocurre que, durante el proceso de planificación, los directivos suelen tener muchas más preguntas que respuestas sobre cómo acometer tan excitante proyecto. Algunas compañías pueden adoptar un enfoque cauto y conservador respecto al marketing móvil, mientras que otras se lanzan directamente "a la piscina" sin pararse a identificar primero el enfoque más adecuado a su negocio particular.

PREPARARSE PARA UN BUEN COMIENZO

Antes de profundizar demasiado, analice estas seis preguntas clave, con sus respuestas, para comenzar con buen pie su estrategia de marketing móvil B2B:

1. **¿Por qué debería interesarme ahora en el marketing móvil B2B?:** El panorama móvil es novedoso y vivo, lo que significa oportunidades para los negocios capaces de capitalizar esta tendencia antes de que se estandarice. Las compañías que adopten pronto las estrategias de marketing móvil tendrán una ventaja sobre sus competidoras B2B.

   Asimismo, el marketing móvil es un escenario nuevo, pero no hasta el punto de ser demasiado arriesgado. La tendencia es extremadamente positiva para aquéllos que entran ahora, respecto a lo que fue para los pioneros que se aventuraron en el marketing móvil hace más de un año.

2. **No es más que otro canal de marketing:** En realidad, no remplaza ninguna iniciativa que ya usen los negocios, ¿verdad? Muchos negocios pueden considerarlo sólo como un canal más que aprovechar para campañas de marketing, pero lo cierto es que se está desarrollando un cambio de paradigma y que las compañías deberían tomar buena nota de que muchos ordenadores "estáticos", incluso televisiones, se están viendo desplazados por las tabletas y los *smartphones*. Su empresa debería darse cuenta de que, muy posiblemente, en menos de una década los ordenadores de escritorio quedarán obsoletos. Así pues, los sitios Web que recibían regularmente las visitas de usuarios de ordenadores de sobremesa y portátiles deberían rediseñarse para dispositivos tales como *smartphones* y tabletas. Las actualizaciones de sus contenidos en línea deben ser casi instantáneas, en tiempo real; cada día o cada semana es ya demasiado tiempo. Es muy posible que su canal de marketing basado en la Web acabe convirtiéndose en "sólo" marketing móvil.

3. **¿Utilizan realmente las empresas B2B la tecnología móvil hoy por hoy?:** Desde luego que los negocios utilizan la tecnología móvil y su uso crece a un ritmo exponencial. De acuerdo con Morgan Stanley, el uso de la Web en móviles superará al uso en ordenadores tradicionales en 2015.[1] Por su parte, Gartner piensa que los dispositivos móviles superarán a los PC como dispositivos más utilizados para acceder a la Web en 2013.[2] Con un número estimado de 4.500 millones de usuarios móviles, el uso de estos dispositivos en entornos B2B no se puede ignorar. Si sumamos a esto la simple lógica de que las personas de negocios están viajando siempre de ciudad en ciudad, de cliente en cliente, de reunión en reunión, vemos que los profesionales B2B siempre están utilizando móviles. Así pues, el marketing móvil tiene todo el sentido en el mundo B2B.

4. **¿Cuáles son las prácticas móviles B2B que realmente funcionan?:** Las técnicas móviles que mejor funcionan hoy día incluyen las alertas e informaciones específicas para cada región, la información inmediata del estado de los pedidos, los recordatorios para reposición, las actualizaciones con información de nuevos productos o servicios y los anuncios de ofertas especiales o cupones. Los negocios han tenido también mucho éxito con las presentaciones, las campañas en ferias y exposiciones, las peticiones de los clientes y las notificaciones de eventos.

---

[1] http://mashable.com/2010/04/13/mobile-web-stats; consultada el 23 de octubre de 2011.

[2] www.mediapost.com/publications/article/120590; consultada el 23 de octubre de 2011.

La tecnología móvil no es un canal

La tecnología móvil está compuesta en realidad por una serie de plataformas que permiten las comunicaciones "en marcha" mediante SMS, aplicaciones y redes sociales como Facebook y Twitter, así como a través del correo electrónico.

Cuando vaya a desarrollar su estrategia móvil, tenga en cuenta que los *smartphones* son los responsables de la cada vez mayor utilización de los componentes principales de su campaña de marketing móvil.

5. **¿Estarán preparados los clientes de empresa?:** Su programa de análisis le permitirá valorar las métricas actuales sobre cada tipo de dispositivo que se utilice para acceder a sus Web de negocio. Es muy probable que un número significativo de dispositivos Android, iPhones e iPads estén ya contactando con su Web, así que está claro que los clientes móviles de empresa están ya más preparados de lo que se podría pensar.

6. **¿Qué elementos clave deberían formar parte de un plan de marketing móvil B2B?:** Establecer una visión, una misión o un objetivo para su estrategia de marketing móvil. Para ello, debe investigar y después decidir cuáles serán los enfoques de marketing móvil que se vayan a implementar en primer lugar. Incluya en ese plan las métricas necesarias para valorar su grado de éxito. Permita flexibilidad y adaptabilidad; no en vano, se trata de una tecnología que cambia muy rápidamente. Es importante probar nuevos enfoques y mantener el contenido y las campañas actualizadas. Revise la planificación con regularidad; al menos, mensualmente.

Los negocios siempre deben tener un plan establecido con una visión global y unos objetivos claros. El plan de marketing móvil debería tener en cuenta la visión corporativa en su conjunto para que la implementación de la tecnología no obedezca sólo a criterios de oportunidad, es decir, que no se haga únicamente "porque sí". Este poderoso medio de movilidad debería tener un propósito definido, uno que tenga acomodo en el seno del plan general corporativo.

En el caso de los negocios, definir una estrategia de marketing móvil B2B sólida puede resultar todo un desafío, sobre todo ante el cambiante panorama de las tecnologías móviles y la rápida adopción de nuevas técnicas de marketing, junto con los canales de comunicación alternativos. En cualquier caso, los negocios no deberían ignorar el enorme potencial que existe en la evolución de las tecnologías de comunicaciones. Con tal cantidad de usuarios que optan por las tecnologías móviles tan rápidamente, los negocios deberían mantenerse siempre en la cresta de la ola de la innovación tecnológica si quieren aprovechar todas las posibilidades para lograr sus objetivos de marketing y ventas.

Empiece por el principio: 10 pasos para establecer una estrategia de marketing móvil B2B

1. **Identifique sus objetivos:** Como con cualquier aspecto de los negocios, será difícil escoger soluciones publicitarias efectivas o valorar el éxito de las campañas sin saber concretamente qué se desea conseguir. ¿Busca incrementar la fidelización de los usuarios con su empresa o representantes de ventas? ¿Le gustaría llevar clientes a un local físico o a una tienda en línea? ¿Fortalecer su imagen de marca? ¿Informar a los clientes sobre sus nuevos productos? Todos estos objetivos se pueden lograr con la tecnología móvil, pero seleccionar los métodos adecuados requiere un plan concreto.

2. **Seleccione el tipo de publicidad:** La publicidad móvil adopta tantas formas y colores como la publicidad tradicional, si no más. Seleccione cuidadosamente el tipo de anuncio para maximizar su valor para su negocio. Si intenta vender un producto concreto o pedir a sus clientes que usen un cupón, una campaña con mensajes SMS (texto) podría ser una solución excelente. Por otra parte, un vídeo sería una forma más válida para mostrar las nuevas características de un producto a sus clientes.

3. **Ofrezca un contenido relevante:** Una de las grandes ventajas de la publicidad móvil sobre los métodos tradicionales es su capacidad de dirigirse específicamente a usuarios que podrían estar realmente interesados o beneficiarse de sus productos y servicios. Por ejemplo, suponga que es el propietario de una compañía consultora de ingeniería que se especializa en mejorar ciertas operaciones de fabricación. Podría asumir que su negocio no es el más adecuado para beneficiarse de la publicidad móvil, pero si decidiera asociar su plan de marketing móvil con ciertos sitios Web, por ejemplo *blogs* especializados en fabricación, o con determinados términos de búsqueda, como los problemas en cuya resolución se especialice, podría encontrarla más eficiente que ninguna otra estrategia de marketing que pudiera adoptar.

   Por otro lado, lo contrario es igualmente cierto: el marketing móvil B2B que no esté relacionado con el contenido con el que el usuario interacciona habitualmente es, sinceramente, una forma de malgastar su dinero destinado a publicidad.

4. **Ofrezca un contenido interactivo:** Cuando se tiene en cuenta la cantidad de contenidos dinámicos disponibles en Internet, tiene sentido que los usuarios muestren poco interés, generalmente, en los anuncios aburridos y no interactivos. Una campaña móvil que solicite activamente la participación del usuario de alguna manera, como una encuesta, una respuesta o un vídeo, no sólo permite medir la efectividad de su

publicidad, sino que hace posible que su contenido deje huella en el usuario. Un buen marketing móvil pude desdibujar la línea entre la publicidad y el entretenimiento.

5. **Adapte la experiencia a los usuarios móviles:** Puede parecer simple, pero es de lejos el peor error que cometen las compañías que utilizan estrategias de marketing móvil. Si la publicidad o las aplicaciones que se utilizan muestran un número de teléfono, los usuarios deberían tener la posibilidad de llamarlo con sólo pulsar en la pantalla de sus *smartphones*. Si intenta dirigir los consumidores a una tienda física, debería mostrarles un mapa o un vínculo a herramientas de navegación. Si los usuarios hacen clic en un vínculo, asegúrese de que esté optimizado para los dispositivos móviles, de manera que no tengan que vérselas con una Web que cargue lentamente.

6. **Utilice mejores métricas:** En el pasado, todo el marketing en línea se ha basado, en apariencia, en una sola métrica: el número total de clic generados. Si bien esta métrica aún prevalece, el marketing móvil, en especial el de las empresas B2B, debería emplear un rango de métricas más amplio para verificar la efectividad. Por ejemplo, el tiempo que un usuario pasa con el contenido o cuántas vistas o clics llevan realmente a realizar descargas, preguntas o encargos. Para muchas empresas B2B, un gran nivel de compromiso es mucho más importante que una cantidad impresionante de clics.

7. **Especialice sus objetivos:** Los datos a los que se puede acceder desde el marketing móvil pueden ser enormemente ventajosos, siempre que se usen adecuadamente. Utilice la información recogida por su público para crear subgrupos. Por ejemplo, si lleva a cabo una campaña de SMS, tome nota de los usuarios que respondan y dirija sus futuras campañas hacia ellos. De este modo, incrementará su efectividad al tiempo que reduce la molestia entre los usuarios que, de todas formas, no tenían intención de responder.

8. **Encuentre la ubicación adecuada:** Hay una gran variedad de redes de marketing móvil que le ayudarán a encontrar los lugares adecuados y los mejores objetivos para su campaña de marketing móvil, entre las que se cuentan iAd de Apple, AdMob de Google o Mojiva. Seleccionar una, incluso varias, de estas redes para que lo guíen a la hora de posicionar sus anuncios le permitirá lograr mejores resultados. Además de eso, hacerlo le permitirá comparar varias redes y ubicaciones y determinar qué funciona y qué no.

9. **Piense en términos locales:** Los estudios demuestran que los usuarios móviles suelen buscar, en mayor medida, resultados locales que los usuarios de ordenadores de sobremesa. Piense en centrar sus esfuerzos

en ubicaciones específicas. Eso puede significar la ciudad en la que se encuentra su negocio o también podría implicar la creación de varias campañas más pequeñas que le permitan centrarse en áreas locales.

10. **Adáptese, ajústese y avance:** Como en el caso de cualquier tipo de marketing, el marketing móvil B2B requiere que haga ajustes para maximizar la efectividad de su campaña. Una de las mejores características del marketing móvil, no obstante, es la disponibilidad inmediata de comentarios de los clientes. Monitorice sus campañas, ajuste su estrategia para asegurarse de que logra sus objetivos y continúe avanzando sus campañas de marketing móvil.

CONSIDERACIONES PARA LAS PEQUEÑAS EMPRESAS

Es posible, como propietario de una pequeña empresa, que ya utilice *smartphones* u otra tecnología móvil de forma cotidiana. Si es así, podría pensar en utilizar estos dispositivos para producir marketing B2B de bajo coste y muy eficaz. Veamos cómo.

Acentúe lo positivo

Centre su campaña móvil B2B en sus puntos fuertes como pequeño negocio. ¿Se le conoce por su excelente servicio al cliente? Utilice los dispositivos móviles para dar un servicio aún mejor. Permita que sus clientes le manden mensajes de texto con sus preguntas. Será capaz de responder rápidamente desde cualquier lugar.

Indique a su personal de servicio al cliente que anime a los clientes a enviar fotos y vídeos. La información visual le ayudará a resolver cualquier problema y dará a a su empresa una reputación de orientación a los servicios y de calidad tecnológica.

Desarrolle una aplicación para ofrecer a sus clientes actualizaciones diarias sobre su compañía y sus productos. Hasta hace muy poco, desarrollar aplicaciones personalizadas significaba contratar desarrolladores.

En la actualidad, sitios Web como Coduit ofrecen a los *amateurs* construir y personalizar sus aplicaciones. Para dar publicidad a su aplicación, envíe un correo directo o un correo electrónico promocional con un código QR a sus clientes. Cuando escaneen el código, la aplicación se descargará automáticamente a sus *smartphones*.

Publicite su campaña de marketing móvil B2B por medios no móviles Debe llegar a sus clientes y decirles que está abierto a los contactos móviles.

Establezca contacto personal

De acuerdo con un reciente estudio de Pew, el 58 por 100 de los adultos envían y reciben mensajes de texto regularmente.[3] Muchos adultos prefieren los mensajes de texto porque son menos perjudiciales y ocupan menos tiempo que una llamada telefónica o un correo electrónico.

Mantenga una lista de contactos móviles con notas sobre las necesidades de los clientes. Envíe mensajes de texto a los clientes dos o tres veces al mes para mantener el contacto y ofrecerles actualizaciones. Sólo un pequeño esfuerzo bastará para mantener una relación estrecha y para reforzar la fidelidad a la marca.

Estar preparado para la tecnología móvil da, además, una cara humana a su pequeño negocio. Suba un pequeño vídeo a YouTube cada semana, en el que destaque un aspecto de su negocio. Procure que dure menos de dos minutos para que sus clientes puedan verlo en sus *smartphones*.

Actualice con frecuencia

Asegúrese de que el *blog* de su compañía sea fácil de leer en un teléfono móvil y actualícelo con frecuencia. Publique actualizaciones sobre sus productos, noticias relacionadas con su industria e hitos de su empresa.

Si quiere llegar todavía a más audiencia, abra una cuenta en Twitter. Los usuarios móviles aprecian Twitter por su bajo consumo de ancho de banda, porque carga rápido y porque se ve bien en todos los tipos de teléfono.

Solicite opiniones y comentarios

Antes de lanzar su campaña de marketing móvil B2B, compruebe cada una de sus partes en una variedad de dispositivos móviles. Aun cuando su Web, los SMS o las aplicaciones funcionen, debe estar preparado para que algunos de sus clientes tengan problemas. Solicite comentarios sobre cómo el marketing afecta a sus clientes. ¿Comparten sus publicaciones, vídeos o *tweets* con sus colegas de otras empresas? ¿Se han descargado la aplicación gratuita? Utilice los comentarios de los clientes para afinar su campaña.

Adentrarse en el marketing móvil mientras el resto de competidores aún no están ahí puede resultar una de las mejores iniciativas que nunca haya tomado respecto a su pequeño negocio. Además de tener tiempo para establecer una presencia firme antes de que nadie más se apunte a la novedad, tendrá también

---

[3] www.pewinternet.org/Reports/2010/Cell-Phone-Distractions/Major-Findings/1-Texting-while-driving.aspx; consultada el 23 de octubre de 2011.

tiempo para experimentar y aprender qué funciona y qué no con el fin de evitar esos pequeños errores que podrían dar la siguiente venta a alguno de sus competidores.

Haga lo siguiente

▶ Asegúrese de tener claros sus objetivos antes de lanzar una campaña de marketing móvil B2B. Es mucho más fácil llegar al destino si uno sabe hacia dónde se dirige.

▶ Controle los resultados de su campaña. Las campañas de marketing que se miden y valoran tienden a mejorar. Más importante aun es realizar un seguimiento de los resultados de su campaña le permitirá calcular si ésta tiene un retorno de la inversión positivo.

No haga esto

▶ No asuma que el marketing móvil es una pérdida de tiempo para las compañías B2B. Lo cierto es que puede resultar incluso más eficaz, puesto que una compañía B2B que utilice marketing móvil se estará destacando del resto de sus competidoras. Diferenciarse es bueno, sobre todo en los negocios.

20. Cómo medir el retorno de la inversión de su campaña de marketing móvil

El marketing móvil representa una nueva y excitante oportunidad. Como mencionamos antes, es una tecnología de cambio, una tecnología que, en último término, tendrá un impacto más importante que las llegadas de la radio, la televisión y el PC combinadas.

Uno de los aspectos más emocionantes del marketing móvil es su carácter netamente digital. ¿Por qué? Porque, como señalamos anteriormente, todo lo que es digital es medible y las cosas medibles mejoran invariablemente.

En otras palabras, como se pueden registrar los datos de la campaña de marketing móvil, es posible medir sus efectos. Si se miden sus efectos, se puede trabajar para mejorar sus resultados.

El desafío que la mayoría de la gente encuentra en esta práctica es su desconocimiento de cómo convertir los datos móviles en información que les indique si su retorno de la inversión es positivo.

Por ejemplo, podrían registrar las visitas a su página de aterrizaje móvil e incluso las conversiones a partir de dicha página, pero ignoran cómo tomar esas métricas y convertirlas en una que les indique si están generando o no un retorno de la inversión positivo de sus campañas.

EL RETORNO DE LA INVERSIÓN MÓVIL EMPIEZA CON EL VALOR DEL CICLO DE VIDA DEL CLIENTE

Si va a realizar el seguimiento del retorno de la inversión de su campaña de marketing móvil, la fórmula clave que tendrá que conocer se denomina CLV (*Customer Lifetime Value*, Valor del ciclo de vida del cliente). CLV, fundamentalmente, es la cantidad de ingresos que el cliente medio genera para la compañía durante el tiempo que permanece como cliente (ciclo de vida). Digamos que es el propietario de una empresa de control de plagas y que sabe que su cliente medio gasta 100 euros al mes en sus servicios. Si su cliente tipo permanece tres años antes de dejar de utilizar sus servicios, para calcular esta métrica, deberá tomar los ingresos mensuales por usuario, 100 euros, y multiplicarlos por 36, tres años: 3.600 euros.

Es importante darse cuenta de que la fórmula utilizada aquí es una versión "muy" básica del CLV. Cuando se profundiza en el mundo del CLV, se tienen en cuenta datos como los costes laborales de atender al cliente o el valor por tiempo del dinero durante esos tres años.

No obstante, para nuestros propósitos, esta fórmula es todo lo que necesitamos para empezar a calcular el retorno de la inversión de una campaña de marketing móvil.

PONGA LA FÓRMULA DEL VALOR DEL CICLO DE VIDA DEL CLIENTE A TRABAJAR PARA USTED

La fórmula del valor del ciclo de vida del cliente se puede utilizar en una amplia variedad de sectores. Por ejemplo, un asesor fiscal podría cobrar a un cliente 900 euros para preparar su declaración del impuesto de sociedades, y, si la mayoría de sus clientes permanece con él seis años, el CLV de este cliente tipo sería de 5.400 euros.

CLV es una métrica útil también para los agentes inmobiliarios, abogados, agentes de seguros, fabricantes de automóviles, operadoras de telefonía móvil o de cable e incluso para diseñadores de interiores. De forma similar, funciona para una variedad de comercios tradicionales, con locales físicos. Por ejemplo, el propietario de un taller mecánico sabe que la factura típica que carga a sus clientes es de 500 euros y que el cliente tipo lo visita tres veces antes de dejar de usar sus servicios, entonces el CLV de su cliente tipo será de 1.500 euros. En otro ejemplo, el propietario de un restaurante sabe que su menú medio es de 50 euros y que el cliente típico lo visita cinco veces antes de dejar de volver, entonces el CLV de su cliente tipo será de 250 euros.

Hoja de trabajo del valor del ciclo de vida del cliente

Aquí puede encontrar una hoja de trabajo tipo que podrá usar para determinar el CLV de sus clientes:

▶ Ingreso medio por cliente (en euros) _____

▶ Número medio de visitas por cliente _____

▶ CLV = _____

Si todavía no sabe su CLV, tómese el tiempo necesario para calcularlo ahora. Aun si tiene que aventurar alguna cifra, hágalo ya, porque así podrá contar, al menos, con un CLV base para su negocio.

Una vez haya calculado su CLV, querrá averiguar cuánto le costaría "adquirir" un cliente nuevo. Esta métrica se conoce como COCA (*Cost Of Customer Acquisition*, Coste de adquisición de clientes). En esencia, es la cantidad de dinero que se está dispuesto a gastar para "atrapar" un nuevo cliente.

Muchos clientes destinan hasta el 10 por 100 del valor del ciclo de vida del cliente al coste de adquisición. Retomando el ejemplo de la empresa de control de plagas, hemos establecido un CLV de 3.240 euros. Si esta empresa dedicase un 10 por 100 de esta cantidad como gasto para el coste de adquisición, dispondría de 324 euros para gastar en publicidad y marketing por cada cliente captado. Esto incluye los costes directos del correo, campañas con anuncios de pago por visita en búsquedas, *banners*, etc.

Sin embargo, con tal de que la empresa sea capaz de captar un nuevo cliente por cada 324 euros gastados, estará dentro de su objetivo para el COCA (coste de adquisición de clientes).

Esta cifra del 10 por 100 para coste de adquisición es una regla básica. Algunas empresas no destinan más del 5 por 100 al coste de adquisición, mientras que otras llegan al 15 por 100. Pero, en general, la regla del 10 por 100 del valor del ciclo de vida del cliente se debe aplicar para calcular el presupuesto del coste de adquisición de clientes.

Un cálculo más avanzado consiste en tomar el valor del ciclo de vida del cliente y dividirlo en conceptos. En este caso, por ejemplo, un 10 por 100 del CLV iría para marketing (COCA), el 40 por 100 a los gastos laborales, el 30 por 100 para gastos generales y el 20 por 100 restante como beneficio.

Cuando se empieza a analizar el negocio con la fórmula del CLV, se ve mejor si las campañas de marketing están generando un retorno de la inversión positivo.

CÓMO MEDIR EL RETORNO DE LA INVERSIÓN DE SU CAMPAÑA DE MARKETING MÓVIL

Ahora que sabe cómo calcular el valor del ciclo de vida de sus clientes y el gasto permisible como coste de adquisición de clientes, ¿cómo va a usar esas cifras para calcular el retorno de la inversión de su campaña de marketing móvil?

La mejor manera consiste en tomar parte de su presupuesto de marketing existente y dedicarlo a la tecnología móvil. Digamos que la empresa de control de plagas utiliza tradicionalmente campañas de correos directos y de respuesta directa en televisión (DRTV, *Direct Response Television*) para adquirir clientes nuevos. Si se gasta 2 millones de euros al año en correos directos y DRTV y su coste de adquisición de clientes es de 324, debería captar 6.172 clientes nuevos al cabo del año. Esto no debería resultar difícil de seguir, ya que tanto el correo directo como la DRTV pueden incorporar códigos de seguimiento, así:

▶ Presupuesto para correo directo y DRTV = 2.000.000 euros. CLV = 3.420 euros.

▶ Coste de adquisición aceptable = 324 euros.

▶ Clientes captados con arreglo al gasto en marketing (2 mill. / 324) = 6.172 clientes.

¿Cómo se usan estas cifras para seguir y calcular el retorno de la inversión de su campaña de marketing móvil? Es fácil. No tiene más que tomar una parte de su presupuesto actual de marketing y utilizarlo en su campaña de marketing móvil.

Como ejemplo, tomemos el 20 por 100 del presupuesto de 2.000.000 de euros que nuestra empresa de control de plagas gasta en correos directos y en DRTV, es decir, 400.000 euros. Sabemos, por nuestra experiencia que 400.000 euros gastados en correos directos y en DRTV permiten captar 1.234 clientes nuevos. Así pues, si la empresa de control de plagas fuera a invertir 400.000 euros en una campaña de marketing móvil, esperaría atraer al menos a 1.234 clientes por este medio. Piénselo por un momento. Si cada cliente cuesta 324 euros, en un mundo perfecto debería dar lo mismo si esos 324 euros se gastan en correo directo, en DRTV o en marketing móvil.

Echemos otro vistazo a las cifras antes de seguir adelante:

▶ Presupuesto para correo directo y DRTV = 2.000.000 euros.

▶ Nuevos clientes captados mediante correo directo y DRTV = 6.172.

▶ 20 por 100 de todo el presupuesto que se dedicará a marketing móvil = 400.000 euros.

▶ Nuevos clientes captados con el gasto en marketing móvil = 1.234.

Por supuesto, siempre existe la posibilidad de que si se gastan 400.000 euros en una campaña de marketing móvil, ésta supere las expectativas. Así, en vez de 1.234 clientes nuevos, podría captar 1.500. No obstante, las posibilidades de que eso suceda son bajas. Después de todo, se trata de su primera campaña de marketing móvil y las posibilidades de lograr un pleno a la primera son realmente escasas. Un escenario más probable, por el contrario, es que la campaña de marketing móvil genere menos que 1.234 clientes nuevos, digamos, 900.

¿Debería cancelar la campaña de marketing móvil si no generase más que 900 clientes nuevos y no 1.234 como hubiera sido el caso con correos directos y DRTV? En absoluto. Como ya hemos mencionado, no se puede lograr un pleno nada más empezar. Con suerte, se consigue un buen resultado. No obstante, si la campaña tiene todo el aspecto de ser viable, entonces es posible mejorar a base de pruebas hasta lograr el éxito final. De este modo, se podrán eliminar los aspectos que rindan peor de la campaña y transferir el presupuesto a los aspectos de la campaña que sí lograsen sus resultados o que los superaran.

Neutralidad mediática

Las mejores campañas de marketing son neutrales desde el punto de vista de los medios, lo que quiere decir que no existe ningún sesgo favorable a uno u otro medio. En una campaña con neutralidad mediática, se sigue cada medio para registrar su eficiencia. Si uno de los medios, digamos la radio, obtiene peores resultados respecto a otro, por ejemplo los anuncios de pago por visita en búsquedas, entonces el presupuesto del primer medio se recortará y el dinero irá destinado al otro, al que se está comportando mejor. En otras palabras, el dinero pasará de la radio a los anuncios de pago por visita en búsquedas móviles.

Por ejemplo, si la empresa de control de plagas está utilizando anuncios de pago por visita en búsquedas, *display ads* y SMS en su campaña de marketing móvil y se da cuenta de que los primeros funcionan bien, los SMS, muy bien, pero los *display ads* son un fracaso, cortará la financiación de estos últimos y destinará el dinero a la campaña con anuncios de pago por visita en búsquedas. Esto se conoce como neutralidad mediática y es una forma estupenda de mejorar las eficiencias de cualquier programa de marketing.

¿CÓMO REGISTRAR LAS CONVERSIONES CON EL MARKETING MÓVIL?

Hemos revisado una gran variedad de herramientas de marketing móvil hasta el momento. Algunas de ellas, como las aplicaciones y las Web móviles, se suelen usar para la imagen de marca.

Son importantes porque facilitan una conexión emocional con los clientes, potenciales y reales, pero no siempre se usan para realizar el seguimiento de la conversión de clientes potenciales en clientes reales.

Otras herramientas móviles, como SMS, MMS, *display ads*, anuncios de pago por visita en búsquedas, marketing basado en la localización y códigos 2D están mejor preparadas para realizar el seguimiento de la conversión de clientes potenciales a clientes reales. La clave es preparar la campaña de forma que se pueda medir. Si se incorporan diferentes mecanismos de seguimiento en cada herramienta, se puede medir el retorno de la inversión de la campaña de marketing móvil con eficiencia.

Esto es muy fácil de hacer con SMS y MMS. Cuando los usuarios se suscriben a una campaña de SMS o MMS, proporcionan datos que sirven para registrar sus compras de nuestra marca.

Suponga que es el dueño de una librería y que desea animar a la gente a que pase por su local para comprar un libro. En tal caso, enviaría un mensaje SMS o MMS del siguiente tenor a los suscriptores de su campaña: "Mobile Marketing está considerado como el *Guerra y paz* de los libros de negocios. Lectores de todo el mundo disfrutan con él. Para obtener un 10 por 100 de descuento en su copia utilice el código de descuento 12345 en caja".

A medida que más y más personas compren el libro, se podrá conocer el número de veces que se ha canjeado el cupón. Como la demanda de este libro concreto será enorme, el retorno de la inversión de la campaña será estratosférico.

De forma parecida, si la nuestra es una empresa B2B, podemos desarrollar una campaña con anuncios de pago por visita en búsquedas móviles. Una compañía de reparación de ordenadores desea obtener clientes que tengan problemas con sus equipos. Lo primero que debe hacer es planear una campaña con anuncios de pago por visita en búsquedas que se dirija a los clientes potenciales en su zona que busquen con términos como "reparación de ordenadores". Después, creará una página de aterrizaje móvil que le ofrezca un resumen rápido de sus servicios y experiencia, un mapa con la ubicación, un vínculo telefónico y un código de descuento único para esa campaña.

Cuando los usuarios hagan clic en algún anuncio de la campaña, irán a parar a la página de aterrizaje. Utilizarán el vínculo telefónico para concertar una visita. La empresa podrá registrar el código de descuento que usen para saber qué campaña ha permitido captar a ese cliente. Mediante un seguimiento de los resultados con este nivel de detalle, se puede determinar qué campaña resulta más efectiva. Esto permite ir mejorando los resultados con el tiempo.

Otro ejemplo de campaña de marketing móvil que permite un elevado grado de control y medida es la que llevaría a cabo un concesionario de coches con *display ads*. El concesionario estará interesado en atraer a clientes potenciales que busquen activamente un coche nuevo o usado. Una forma estupenda de empezar será lanzar una campaña con *display ads* en una Web móvil como la de la revista *Car & Driver's*. El anuncio quedaría ligado directamente a una promoción.

Por ejemplo, podría decir: "Descuento de 500 euros en todos los descapotables Lexus nuevos". Los clientes potenciales que hicieran clic en el *display ad* irían a para a una página de aterrizaje específica para el descuento de 500 euros. La gente que visitase la página de aterrizaje recibiría un código específico que podría utilizar en el concesionario.

Entregando un cupón específico, se puede saber cuántos clientes compraron un coche después de hacer clic en el *display ad*.

CÓMO USAR LA TASA DE CONVERSIÓN PARA REGISTRAR EL RETORNO DE LA INVERSIÓN MÓVIL

Cuando los clientes potenciales hagan clic a través de la página de aterrizaje, no se convertirán automáticamente en clientes reales. De hecho, la gran mayoría de ellos no acabarán siéndolo. Solo porque 1.000 personas hayan hecho clic en la página de aterrizaje, no quiere decir que el concesionario ya tenga 1.000 clientes nuevos.

Estadísticamente, de cada 1.000 personas que hagan clic a través de la página de aterrizaje, se obtienen entre 5 y 10 clientes nuevos.

Dicho esto, si se invierte una cantidad de dinero suficiente en una campaña de marketing móvil, se podrá dirigir a decenas de miles de personas a las páginas de aterrizaje, todos los días. Por ejemplo, un comercial de una compañía como Roto-Rooter, de productos de fontanería a nivel nacional, que realice una campaña con anuncios de pago por visita en búsquedas móviles, donde emplee "servicio de fontanería de emergencia" como palabras clave, podría generar hasta 5.000 visitas diarias. No todos esos 5.000 visitantes se convertirán en clientes, pero entre 25 y 50 sí lo harán.

Digamos que Roto-Rooter ha pagado 20 céntimos por clic para esos 5.000 clientes potenciales al día. Eso quiere decir que tendría que pagar 1.000 euros diarios para la campaña. Si el valor del ciclo de vida del cliente de Roto-Rooter es de 500 euros y genera 25 clientes nuevos al día gracias a su campaña, quiere decir que crea un valor CLV de 12.500 euros cada uno de esos días.

Si el coste de adquisición de nuevos clientes (COCA) de la compañía se sitúa en torno al 10 por 100 de esa cifra, se trata de una campaña de marketing móvil realmente eficaz, como se puede ver.

GUÍA PASO A PASO PARA CALCULAR EL RETORNO DE LA INVERSIÓN DE SU MARKETING MÓVIL

Hemos revisado numerosos conceptos a lo largo de estas páginas, así que vamos recapitular mediante una guía paso a paso sobre cómo calcular el retorno de la inversión de nuestra campaña de marketing móvil.

▶ **Paso 1. Calcule su CLV:** Tome los ingresos medios por clientes y multiplíquelos por el número medio de visitas que los clientes realizan. Por ejemplo: 50 euros por cliente x 18 visitas de media = 900 euros.

▶ **Paso 2. Calcule su coste de adquisición, COCA, asumible:** Reserve el 10 por 100 de su CLV como coste asumible de adquisición de clientes. Algunas compañías podrían dedicar un 5 por 100, otras un 15, pero el 10 por 100 es una buena cifra para empezar. Por ejemplo, como vimos en el paso 1, tomamos los 900 euros y reservamos el 10 por 100, es decir, 90 euros, como coste de adquisición asumible.

▶ **Paso 3. Dedique parte de su presupuesto de marketing a las tecnologías móviles:** Decida qué proporción de su presupuesto global de marketing desea dedicar a la campaña de marketing móvil. Una buena idea aquí es dividir su presupuesto original para marketing en dos categorías: imagen de marca y respuesta directa. El presupuesto para imagen de marca es algo diferente, porque debe servir exclusivamente para crear una conexión emocional con los clientes. Así que, tome su presupuesto de marketing y déjelo aparte. Ahora tome su presupuesto para respuesta directa, en otras palabras, el presupuesto que utilizará específicamente para adquirir clientes nuevos, y póngalo en otra parte. De esta última cifra, separe entre el 10 y el 20 por 100 para su campaña de marketing móvil.

▶ **Paso 4. Calcular el número estimado de clientes que se pueden esperar de su nueva campaña de marketing móvil:** Si el presupuesto mencionado en el paso 3 fuese de, digamos, 500.000 euros al año, y generase 5.000 clientes nuevos en ese mismo periodo, el coste de adquisición sería de 100 euros por cliente nuevo. Tome el 10 por 100 de esos 500.000 euros, es decir, 50.000, y destínelos como presupuesto para marketing móvil. Si todo se mantuviese igual, esos 50.000 euros producirían 500 clientes nuevos.

▶ **Paso 5. Cree una campaña de marketing móvil que incluya mecanismos de seguimiento:** Ahora que tiene un presupuesto de 50.000 euros para su campaña de marketing móvil, puede empezar a destinarlo a las distintas tecnologías móviles. En este caso, debería asegurarse de que el 100 por 100 del presupuesto se destine a iniciativas que se puedan medir y valorar. No utilice ni uno solo de los 50.000 euros para rediseñar su Web móvil, puesto que eso cae en el apartado de imagen de marca que se puede registrar con facilidad. En su lugar, utilice los 50.000 para crear promociones con códigos 2D, campañas SMS/MMS, *display ads*, anuncios de pago por visita en búsquedas móviles e iniciativas de marketing basado en localización, todas ellas medibles y valorables.

▶ **Paso 6. Lance su campaña y monitorice los resultados:** Una vez haya planificado su campaña y confirmado que es medible al 100 por 100, llega la hora de lanzarla. Asegúrese de monitorizar los resultados estrechamente y, después de dejar a su campaña actuar durante unos meses, no dude en retirar el dinero de aquellas características que no funcionen como es debido. Como acabamos de decir, tras unos meses de funcionamiento, deberá adoptar el enfoque de neutralidad mediática y llevar el dinero allí donde se le pueda sacar el máximo partido.

▶ **Paso 7. No espere milagros:** Ésta puede ser su primera campaña de marketing móvil, aun cuando no lo sea, no espere que todo salga bien a la primera. Tendrá que enfrentarse a campañas que fracasen completamente, así como a otras que no funcionen todo lo bien que se esperaba. Ahora bien, su objetivo será determinar qué campañas funcionan, averiguar la mejor forma de replicar lo que mejor funcione y, por último, aplicar dicho conocimiento en el resto de sus campañas.

En último término, si configura su campaña de marketing móvil para que sea medible, logrará mucho más éxito que si se limita a aplicar determinadas tácticas estándar y esperar que funcionen. Un pequeño esfuerzo y una planificación adecuada en los primeros estadios del proceso le permitirá producir una campaña muchísimo mejor estructurada y adaptada a sus necesidades y expectativas y, lo que es más importante, con la aprobación de su consejero delegado y el director financiero.

Haga lo siguiente

▶ Calcule el valor del ciclo de vida de sus clientes. Incluso si su sector no permite un cálculo fácil del CLV de forma precisa, es mejor contar con una estimación aceptable que ignorar el parámetro completamente.

▶ Realice un seguimiento de sus resultados. No tiene sentido llevar a cabo una campaña de marketing si no se pueden medir y valorar sus resultados. Uno de los puntos fuertes de la tecnología móvil es que es digital y, así, sus campañas de marketing son fáciles de seguir.

▶ Use la guía paso a paso. Siga los pasos indicados al final de este capítulo si quiere empezar con buen pie su campaña de marketing móvil. Siguiendo estos pasos podrá registrar y valorar todos sus resultados con eficiencia.

No haga esto

▶ No piense en términos tácticos. Un error común consiste en dejarse arrastrar por el atractivo de una herramienta novedosa, como Foursquare, y llevar a cabo una campaña con ella sin haber planificado cuidadosamente la estrategia. Antes de lanzar su campaña, asegúrese de marcar los objetivos, definir una estrategia y diseñar una hoja de ruta detallada.

▶ No se centre sólo en la imagen de marca. Cualquier campaña de marketing bien diseñada debe tener una parte de su presupuesto destinada a la imagen de marca. Sin embargo, si va a hacer un seguimiento de su campaña de marketing móvil en términos de retorno de la inversión, debería centrarse únicamente en herramientas altamente medibles, tales como las promociones con códigos 2D, las campañas de SMS/MMS, *display ads*, anuncios de pago por visita en búsquedas móviles y marketing basado en la localización.

21. Los 17 puntos del marketing móvil y una lista de tareas paso a paso

Hemos recorrido mucho camino juntos en este libro. Hemos explorado el panorama del marketing móvil, hemos visto cómo prepararnos para el éxito, hemos investigado las principales herramientas de marketing móvil y nos hemos adentrado en nuevos terrenos como el marketing móvil B2B y el comercio electrónico móvil.

Todo eso supone mucho material y puede parecer confuso y un tanto abrumador. Para aliviar la confusión, en este capítulo proporcionaremos dos listas que lo ayuden a organizar las cosas.

LOS PUNTOS MÁS IMPORTANTES DEL MARKETING MÓVIL

En la primera lista tenemos los 17 puntos más importantes del marketing móvil. Se trata de 17 objetivos importantes a tener en cuenta a la hora de gestionar nuestra campaña de marketing móvil.

Los 17 puntos del marketing móvil

1. **Revisar:** Sus análisis de red son importantes y le permitirán determinar el porcentaje de sus visitantes que utilizan dispositivos móviles para acceder a su Web. Tabletas, iPads, iPhones y otros *smartphones* son dispositivos cada vez más comunes para acceder a la Web.

2. **Relevancia:** Los mensajes relevantes son una parte crítica del marketing móvil. Si sus clientes reciben mensajes SMS desde su empresa que no fomenten su relación con ellos, podrían darse de baja de esos servicios o, lo que sería peor, dejar de comprar, directamente.

3. **Comentarios:** Los comentarios de sus clientes son importantes. Pregúnteles cómo perciben sus campañas de marketing móvil. Podrá hacer esto mediante correo electrónico estándar o enviándoles un breve mensaje SMS pidiéndoles que visiten su página Web y que rellenen un cuestionario.

4. **Nuevos clientes:** Trate de captar a los clientes potenciales que sean receptivos a sus campañas de marketing móvil. Puede lograr nuevas suscripciones mediante concursos u otro tipo de incentivos. Asegúrese de indicar a sus clientes los beneficios que les reportarán los mensajes.

5. **Registro:** El procedimiento de registro en sus campañas de marketing móvil debería ser sencillo, pero no subestime la importancia de publicar su declaración de privacidad y de describir cómo tiene intención de utilizar la información de sus suscriptores.

6. **Valoración:** Debe evaluar la utilidad que su campaña tenga para sus suscriptores. ¿Les proporciona "información reservada", que se les envía como suscriptores de la campaña, antes que a nadie?

7. **Localización:** Los mensajes relacionados con la localización pueden resultar muy valiosos para sus clientes, en particular cuando se les anima a visitar una oficina o tienda local para una promoción especial, o si hay una conferencia, seminario o evento similar en las proximidades que pueda interesarles.

8. **Recordatorios:** Es importante enviar recordatorios para la información o tareas dependientes del tiempo, en particular cuando se acerque la fecha final de una promoción u oferta.

9. **Frecuencia:** Envíe sus mensajes con una frecuencia aceptable. Demasiados SMS o MMS pueden hacer que sus suscriptores decidan dejar de serlo. Además, si envía demasiados mensajes, sus suscriptores podrían empezar a dejarlos sin mirar.

10. **Información de estado:** Devuelva información de estado importante si sus clientes optan por recibir la notificación. "Su orden se ha completado. Tome nota de su número de seguimiento:" es una notificación de estado que muchos clientes encuentran muy útil.

11. **Mensajes:** Responda a todos los mensajes que le envíen los clientes por el canal adecuado como haría con cualquier otra consulta. Los mensajes de texto son igual de importantes que las llamadas telefónicas o las cartas.

12. **Registro:** Registre y documente todas las dudas, quejas y cualquier otro comentario y, luego, emprenda las acciones oportunas por orden de llegada. En ocasiones, esto puede implicar un cambio en su estrategia de campaña.

13. **Responsabilidad:** Las campañas y promociones responsables animarán a los clientes a estar pendientes de la siguiente notificación. Diseñe sus campañas para que sean breves pero atractivas para sus grupos objetivos.

14. **Recomendaciones:** Las campañas basadas en recomendaciones puede ser una forma muy eficaz de lograr nuevos suscriptores y clientes. Anime a sus clientes actuales a correr la voz y ofrézcales un incentivo que les motive a recomendar su campaña.

15. **Software y sistemas:** Busque el software y los sistemas que le permitan distribuir sus mensajes de marketing de forma fiable y que le sirvan, además, para obtener las métricas y estadísticas necesarias, tales como el número de entregas realizadas y los errores producidos.

16. **Realidad:** La realidad es que el marketing móvil es muy nuevo y, por tanto, no son muchas las empresas que hayan adoptado una estrategia completa de marketing móvil para sus clientes. Asimismo, no todos los clientes desean recibir SMS, MMS u otro tipo de mensajes de marketing móvil. Sin embargo, un número creciente de usuarios dependen en la actualidad de los dispositivos móviles y, así, agradecerán la oportunidad de recibir sus mensajes. No se apresure; tenga en cuenta que se trata de un mercado en expansión con una tasa de crecimiento, además, en plena aceleración.

17. **Rapidez:** Procure ser rápido en adaptarse a las nuevas tendencias y técnicas de marketing móvil que deba incorporar a su estrategia de campaña. Si una campaña móvil no funciona como es debido o si encuentra una forma mejor de implementar una campaña, no dude en cambiar sus planes. Tenga en cuenta que, los usuarios móviles a menudo esperan cambios frecuentes, así que no dude en instaurar cambios rutinarios y mejoras como parte de su estrategia de marketing móvil.

Teniendo siempre en cuenta a sus clientes y centrándose en su necesidad cotidiana de comunicaciones responsables, puede afianzar sus relaciones de negocios mediante campañas de marketing móvil que formen parte de su estrategia global de marketing.

LISTA DE TAREAS DEL MARKETING MÓVIL

Llega el momento de echar un vistazo a la lista de tareas del marketing móvil. Se ha diseñado como una guía paso a paso que le sirva para preparar, lanzar y explotar su campaña de marketing.

La lista de tareas se divide en cinco partes y nosotros vamos a empezar en la primera casilla, es decir, revisaremos la misión y los objetivos de su compañía para asegurarnos de que su campaña empieza con todas las garantías.

¿Preparado? Vamos allá.

Ponga los cimientos de su campaña

▶ Repase los negocios de su empresa para tener bien claros sus objetivos y su misión.

▶ Revise el programa de ventas de su empresa y comprenda la manera en que sus clientes potenciales dieron el paso y se convirtieron en clientes reales.

▶ Repase la campaña de marketing de su empresa para comprender qué papel desempeña en el éxito global de su compañía.

▶ Antes de pasar a la sección siguiente pregúntese si el marketing móvil es adecuado para su empresa. Si llega a la conclusión de que sí, continúe con el siguiente apartado.

Revisión de la competencia

▶ Repase los puntos fuertes y los puntos débiles de sus principales competidores.

▶ Valore las iniciativas de ventas y marketing de sus principales competidores.

▶ Analice las campañas de marketing móvil concretas que estén llevando a cabo sus principales competidores.

▶ Cree una lista de estrategias y tácticas de marketing móvil que sus competidores empleen y que parezcan tener éxito.

▶ Cree una lista de estrategias y tácticas de marketing móvil que sus competidores empleen y que parezcan ser un fracaso.

▶ Estudie ambas listas y aprenda de las dos.

Preparándose para el éxito

▶ Forme un equipo de marketing móvil que le ayude a llevar a cabo su campaña. Dicho equipo podría reducirse a una persona o estar formado por más de 100.

▶ Revise los puntos del capítulo 7. Piense detenidamente cómo se pueden aplicar a su negocio.

▶ Establezca objetivos específicos, medibles, realistas, limitados en el tiempo y sobre los que se pueda actuar para su campaña de marketing móvil.

▶ Revíselos con su equipo y recabe siempre sus opiniones y aportaciones.

▶ Realice un análisis en profundidad de su mercado objetivo para comprender genuinamente por quién está formado y cuáles son sus inquietudes.

▶ Defina sus mercados objetivos primario, secundario y terciario. Evite ser muy específico, como en "varón de 31 años que viva en Manhattan y se dedique a los negocios", o muy vago, como en "adolescentes".

▶ Desarrolle una estrategia global para su campaña de marketing móvil que le ayude a alcanzar sus objetivos de negocio.

▶ Desarrolle una lista de tácticas para su campaña de marketing móvil que le permita alcanzar sus objetivos estratégicos.

▶ Desarrolle una planificación temporal para la ejecución de su campaña de marketing móvil que le ayude a alcanzar sus objetivos tácticos.

Presupuesto y planificación

▶ Fije una fecha de lanzamiento para su campaña. Debe tener en cuenta la estacionalidad de la misma.

▶ Vuelva a revisar su presupuesto. ¿Hay lugar para exprimir los números y sacarles un 10 por 100 más de eficiencia?

▶ ¿Qué clase de mensajes quiere enviar en su campaña? ¿Mensajes de marca? ¿De respuesta directa? ¿Algo intermedio?

Valore su éxito

▶ Establezca, junto con su equipo, el valor del ciclo de vida de sus clientes.

▶ Establezca su coste de adquisición de clientes aceptable.

- ▶ Ponga a prueba la campaña antes de lanzarla al mercado.

- ▶ Una vez la haya lanzado, realice un *split test* para valorar el éxito de cada programa.

- ▶ Quien mejor puntúe en dicho test será su control. Valore el resto de las campañas en relación al control y vea si puede mejorar sus resultados.

- ▶ Ofrezca información regular a los directivos sobre el retorno de la inversión de su campaña de marketing móvil.

Esta lista de tareas debería permitirle obtener una base sólida para preparar, lanzar y llevar adelante su campaña de marketing móvil. Por descontado, hay matices y detalles que no hemos incluido en la lista, pero aun así debería proporcionarle un buen punto de partida para el éxito de su campaña.

En el capítulo siguiente, suplementaremos esta información con descripciones de las tres características que tiene toda campaña de marketing móvil exitosa. Se trata de uno de los capítulos más importantes y lo hemos reservado hasta el final para ofrecer una visión de conjunto sobre lo que diferencia una campaña ordinaria de otra que arroje resultados espectaculares.

Haga lo siguiente

- ▶ Revise los 17 puntos. Téngalos presentes a la hora de lanzar su campaña.

- ▶ Comparta la lista de tareas para el marketing móvil de este capítulo con otros miembros de su equipo.

- ▶ Vuelva sobre la lista tanto en la planificación, como en el lanzamiento y la ejecución de su campaña; le permitirá mantenerse centrado.

No haga esto

- ▶ Planificar su campaña de forma que no se pueda medir y valorar.

- ▶ Poner la táctica en primer lugar. Debe siempre, por el contrario, fijar antes los objetivos y, luego, planificar su campaña de forma que pueda registrar sus progresos hacia los mismos.

22. Tres características de toda campaña de marketing móvil con éxito

Hemos recorrido un gran camino juntos a lo largo de este libro. Hemos analizado el increíble crecimiento de los medios móviles. Hemos explorado las distintas formas en que los consumidores se conectan con sus móviles y hemos examinado cada una de las herramientas que los negocios utilizan para crear campañas de marketing móvil efectivas.

Todo esto nos lleva a las siguientes preguntas: ¿Qué tienen en común todas las campañas de marketing móvil que alcanzan el éxito? ¿Cuáles son las características que comparten las campañas de marketing móvil más eficaces? ¿Qué técnicas empleadas estas campañas las hacen diferentes de otras menos exitosas?

Puede que le sorprenda saber que, pese a lo variado que es el panorama del marketing móvil, el número de características esenciales que todas las campañas de marketing móvil con éxito tienen en común es igual a tres. Una vez prescindimos del escaparate de estas campañas exitosas, descubrimos tres características principales: son medibles, tienen en cuenta a los consumidores y son innovadoras.

PRIMERA CARACTERÍSTICA: SON MEDIBLES

Un indicador seguro de que una campaña no va a alcanzar todo su potencial es cuando un director de marketing o el propietario de un negocio deciden lanzarla sin haber establecido un sistema para medir y valorar sus resultados.

Muchos negocios aprecian la llegada una tendencia novedosa, como el marketing móvil, y se lanzan a ella antes de definir una estrategia o de desarrollar mecanismos de seguimiento. Normalmente, basan sus campañas en consideraciones tácticas o en la simple ejecución de acciones. El pensamiento típico sería como sigue: "Usemos Foursquare. El consejero delegado me acaba de preguntar sobre eso, así que tenemos que tener algo en marcha en seguida".

Este enfoque inmediato del marketing móvil es un pasaporte para el fracaso. En cuanto lancen la campaña con esas consideraciones tácticas, llegará el director financiero y les pedirá un análisis detallado del retorno de la inversión. Como se adoptó este enfoque táctico/de ejecución en el lanzamiento de la campaña, probablemente se dedicó poco esfuerzo a definir los mecanismos de seguimiento. El resultado de todo esto es una campaña que se tambalea porque nadie es capaz de decir con certeza si está teniendo éxito o no.

Las campañas exitosas comienzan con un acuerdo sobre las métricas que se van a utilizar para seguir los resultados. Luego, se establece una línea base. De este modo, si, por ejemplo, se utiliza la métrica del número de clics en la Web móvil, se contará con un punto de partida para dicha métrica "antes" de lanzar la campaña. Veamos un ejemplo: si una Web móvil genera 1.000 visitas por semana antes de lanzar una campaña con anuncios de pago por visita y después pasa a generar 1.250, sabemos que ha producido un incremento del 25 por 100 en las visitas a la Web, siempre que todas las demás variables permanezcan igual.

SEGUNDA CARACTERÍSTICA: TENER EN CUENTA A LOS CONSUMIDORES

Resulta comprensible dejarse llevar por el entusiasmo que rodea a toda nueva tendencia en el marketing, en particular cuando es algo tan excitante como la tecnología móvil. Piense en lo que ha pasado con las redes sociales: su potencial despertó tanto entusiasmo en los negocios que algunos empezaron a creer que iban a resolver todos sus problemas de marketing. Se pensaba que con sólo subir unos cuantos vídeos a YouTube y crear una página en Facebook sería suficiente.

La verdad es que hace falta mucho más que subir unos cuantos vídeos a YouTube y crear una página en Facebook para lanzar con éxito una campaña en las redes sociales. De forma similar, hace falta más que crear una Web móvil y realizar una campaña con anuncios de pago por visita en búsquedas móviles para producir una campaña móvil de éxito. Se requiere una planificación y un desarrollo cuidadoso junto con la valiosísima información aportada por los clientes.

Las empresas que se centran primero en la tecnología y dejan al cliente en segundo lugar están destinadas al fracaso. Las campañas de marketing móvil exitosas "empiezan" por reunir conocimiento sobre sus clientes y, luego, utilizan ese conocimiento para hacer crecer sus ventas e ingresos. Analizan cómo piensan y se comportan sus clientes, potenciales y reales, y después tratan de averiguar la mejor forma de usar el marketing móvil para aprovecharse de esos pensamientos y comportamientos.

Fandango, el destino favorito para adquirir entradas de cine, por ejemplo, analizó el comportamiento de la gente que visitaba su aplicación móvil y se dio cuenta de que los compradores de entradas querían tres cosas: poder ver los horarios de las películas, poder comprar entradas y la posibilidad de no hacer cola para recoger sus entradas en los cines.

Así que Fandango creó una aplicación que satisfacía esos requisitos: su aplicación permite a los espectadores comprobar los horarios y comprar las entradas y les envía un código QR que pueden escanear en la taquilla. Con su análisis de los pensamientos de sus clientes, Fandango dio con la forma de ofrecerles una experiencia superior en su compra de entradas y logró una mayor fidelización a su marca.

TERCERA CARACTERÍSTICA: INNOVACIÓN

Sin duda, es fácil sentirse estimulado por todas las posibilidades para el crecimiento de los negocios que ofrece el marketing móvil. Gracias a lo que ha leído en este libro, ahora sabe que es muy posible que la mayoría de sus competidores estén a la cola de esta nueva tendencia. Así pues, puede resultar tentador, una vez haya creado su Web móvil y, tal vez, una promoción móvil, ceder a la autocomplacencia y recrearse en lo conseguido. Eso sería un error. Las campañas de éxito continúan siempre añadiendo un elemento de "innovación" al conjunto. Suelen hacer algo más que, por ejemplo, ofrecer una muestra de producto gratuita a los clientes que escaneen su código QR. En lugar de eso, tratarán de involucrar a sus consumidores de una forma innovadora que aproveche las posibilidades únicas de los dispositivos móviles.

Ahora que hemos presentado estas características únicas, las revisaremos brevemente antes de analizar cómo se utilizan en campañas de marketing móvil de todo el mundo. Como mencionamos antes, los dispositivos móviles incorporan tecnología GPS que permite a sus usuarios y anunciantes dirigirse a los clientes potenciales basándose en sus localizaciones.

Recuerde que el acelerómetro del dispositivo puede servir para registrar la velocidad a la que viaja una persona e incluso para darse cuenta de cuándo se está sacudiendo el dispositivo. La brújula permite a los anunciantes saber en qué dirección miran los usuarios, lo que resulta muy útil para aplicaciones como Yelp, que proporcionan información sobre restaurantes al usuario basándose en su orientación espacial.

Más aun, los dispositivos móviles cuentan con la capacidad de escanear códigos 2D, compartir datos e información y reconocer cuándo un dispositivo está pegado al cuerpo del usuario. Asimismo, los dispositivos móviles pueden ajustar el brillo basándose en la luz ambiental. También pueden transferir información de forma inalámbrica mediante NFC y Bluetooth.

En resumen, las campañas de marketing móvil más eficaces utilizan estas características únicas para ofrecer una experiencia memorable a los consumidores. Estas campañas suelen sacar el máximo partido a estos atributos para establecer conexiones más profundas con los clientes que las campañas más tradicionales.

UNOS PENSAMIENTOS FINALES

Si está leyendo estas palabras, lo más probable es que su interés por el marketing móvil sea algo más que pasajero. Seguramente estará emocionado por las posibilidades que le brinda esta nueva herramienta. Incluso podría tener algunas ideas concretas para las campañas que esté pensando en lanzar como resultado de la lectura de este libro.

Sin embargo, hay un último punto que debemos mencionar para asegurarnos de que su campaña de marketing móvil no sólo va a funcionar, sino que tendrá éxito. Es, además, el punto más importante de todos y, por eso, lo hemos dejado para el final. Este punto final es que usted "debe pasar a la acción". No se limite a hablar o a pensar en el marketing móvil ni se dedique sólo a hacer estrategias. ¡Pase a la acción!

Los autores de este libro nos hemos intercambiado dos frases repetidamente durante la redacción de este libro. La primera es: "Termina de hacer las cosas". La clave de esta frase es que implica llevar a cabo algo hasta el final, "pasar a la acción" en vez de "hablar sobre hacer algo". Hay una gran diferencia.

La segunda frase dice: "Es mejor hacer diez cosas bien que una a la perfección". Dicho esto, sabemos que si uno es un neurocirujano, este consejo no va con él. Sin embargo, el marketing no es neurocirugía, sino una profesión más, digamos, "flexible", en la que todo va mucho más aprisa. Eso significa que, si no se mueve hacia delante, el mundo de los negocios le sobrepasará. Rápidamente.

Así pues, debe tener presentes estos dos puntos finales mientras da los pasos necesarios para lanzar su campaña de marketing móvil. Si lo hace, estamos seguros de que será capaz de lanzar su campaña y todavía tener tiempo para ajustarla y modificarla mientras sus competidores quedan atascados en su propia planificación.

¡Buena suerte! Manténganos informados de sus progresos. Cuéntenos qué está haciendo en el asombroso y excitante nuevo mundo del marketing móvil.

Índice alfabético

A

A/B testing, 170
A/B/C/D split test, 171
ABC News Mobile, 107
About us, 190
AccuWeather, 107
Acentuar lo positivo, 234
Action, 65
Actualizar con frecuencia, 235
Adáptese, ajústese y avance, 234
advertising, 194
Agencias de diseño, 134
Alertas, 66
amateurs, 234
Amazon, 110
America's Got Talent, 191
American Idol, 147
Amplíe sus horizontes, 217
Analizar la secuencia de pensamientos
de sus clientes, 133
ANDROID DE GOOGLE, 104
Angry Birds, 110
Animaciones, 145
Anime a compartir, 57
AntiDroidTheft, 112
Anuncios de pago por visita en búsquedas
móviles (Mobile Paid Search), 68
Añadir un evento al calendario de los clientes
potenciales, 156
Aplicaciones
de marcas, 111
de pedidos, 49
móviles, 116
app, 194
Apple iOS, 195
AppMakr, 196
apps, 190, 213
appvertising, 194
Asegurarse de añadir vínculos
a una página de aterrizaje, 172
Atender la confusión del consumidor, 185
Attention, 65
Audio, 145
Autenticación, 72
AutoWeek, 193-194

B

Bancos, cajas, cooperativas de crédito
y otras instituciones financieras, 133
Bank of America, 111
Banner, 26, 67, 155, 159, 180
con imagen
estándar, 153
grande, 153
mediana, 153
pequeña, 154
cuadrado grande, 154
de tipo rascacielos, 154
extra grande, 154
horizontal extra grande, 154
Banners
móviles, 115
y anuncios de pago por visita, 75
Barcode Scanner, 112
Beneficios del marketing móvil, 116
BlackBerry OS Developer Zone, 195
blog, 7, 20, 109, 190, 235
blogs, 60, 108, 190, 232
Bloomberg Mobile, 112
Bluetooth, 66
broad match, 168
Buena relación coste/beneficio, 72
Buenas prácticas con
los códigos 2d, 206
sms y mms, 147

Buenas prácticas en el marketing basado
    en la localización, 184
Bump, 108
bumping, 108
Business to Business, 20, 27, 229
Búsqueda móvil de empresas y negocios, 76

C

Caffeine Finder, 107
Calcular el coste de los otros medios, 122
Campañas
    con display ads para shrek de la
        paramount, 45
    de display ads de land rover, 50
    promocionales, 72
Car & Driver's, 245
Chat bot, 67
chips, 73, 186
Clic para llamar (Click-to-Call), 67
Clientes
    (Customers), 95
    en movimiento, 53
Clima (Climate), 95
cloud computing, 213
CNNMoney, 112
Código
    2D: Estudios de caso, 204
    corto, 143
    QR /Código 2D, 78
Colaboradores (Collaborators), 95
Comentarios, 252
Cómo
    configurar, presentar y llevar adelante una
        campaña de sms, 142
    desarrollar
        su propia aplicación, 194
        una campaña de marketing móvil, 118
    establecer el vínculo, 55
    generar
        ingresos con publicidad
        en las aplicaciones, 193
        su propio código 2d, 205
    hemos organizado este libro, 26
    medir
        el éxito de su campaña, 172
        el retorno de la inversión de su
        campaña de marketing móvil, 242
    realizar una campaña de mms, 146
    saber si una aplicación es lo más adecuado
        para su negocio, 193
    se emplean los códigos 2d
        para atraer a los clientes, 203

usar
    la tasa de conversión, 245
utiliza
    coca-cola las aplicaciones móviles, 192
    las compañías el marketing basado
        en localización, 181
Compatibilidad, 72
Compañía (Company), 94
Competidores (Competitors), 95
Complementos para Web móviles
    de WordPress y Drupal, 33
Comprar display ads móviles, 158
Compras, 110, 191
Comprender el comportamiento
    del comprador, 63
Comprobar si su sitio web está optimizado
    para móviles, 74
Comscore.com y nielsen.com, 137
Comunicaciones de campo cercano (nfc)
    y bluetooth, 73
Conclusión, 51
    empiece hoy mismo, 39
Conectar a los usuarios con su marca, 155
Configurar una campaña con anuncios de
    pago en búsquedas, 165
Conozca a las operadoras
    y a los fabricantes, 106
Consejos para
    escribir anuncios, 171
    organizar su campaña móvil, 170
Consideraciones para las
    pequeñas empresas, 234
Considerar
    la expansión a través de descuentos
        y ofertas, 224
    la interactividad, 57
Construir sobre los cimientos de sus
    campañas de marketing, 100
Contact us, 190
Contenidos, 72
    y producción, 122
Controlar el éxito de su campaña, 146
Convertir un cliente potencial
    en un cliente real, 65
Coordine la implementación
    de múltiples medios, 124
Correspondencias
    amplias, 168
    negativas, 168
Cost Of Customer Acquisition, 241
Cost-Per-Acquisition, 158
Cost-Per-Click, 158
Coste de la conexión, 85
Costper-thousand impressions, 158
CPA, 158

CPC, 158
CPM (Cost Per Mille, Coste por mil), 67
Craigsphone, 112
Crear
    atractivas llamadas a la acción, 57
    lista de palabas clave móviles, 169
Creativo, 84
Creerse la propaganda, 88
CSS (Cascading Style Sheets, Hojas
        de estilo en cascada), 67
CTR (Click-through Rate, Proporción
        de clics o ratio de cliqueo), 67
Cultura y espectáculo, 110
Customer Lifetime Value, 240

D

Dar valor añadido al cliente, 207
Decidirse sobre la distribución, 123
Definición de
    anuncios rich media o multimedia, 50
    código 2D, 48
    red de publicidad móvil, 43
Definir sus objetivos, 118
derived importance, 98, 100
Desarrolladores de Android OS, 195
Desarrollar estrategia de marketing, 222
Describir las ventajas en el cuerpo
        del anuncio, 172
Desire, 65
Despachos de abogados, asesores y otros
        servicios profesionales, 131
Desventajas del marketing móvil, 117
Determinar
    el número de mensajes, 122
    la duración de la campaña, 121
Diálogo comunitario, 72
Diferentes sistemas operativos, 117
Dinero gastado a través del móvil, 220
Direct Response Television, 242
Dirigir a
    los clientes a sus locales, 155
    los visitantes a páginas Web diseñadas
        para smartphones, 207
Dirigirse a subgrupos de clientes, 146
Diseñar
    estrategias de campaña, 119
    para la velocidad, 134
    para múltiples dispositivos, 134
display
    ads, 38, 151-153, 247-248
        enriquecidos para smartphones, 154
        enriquecidos para tabletas, 154

    para smartphones, 153
    para tabletas, 154
display-ad, 66
Dividir sus palabras clave
    en grupos temáticos, 169
Doble suscripción (Double opt-in), 67

E

eBay, 110
Educativas, 190
Elegir
    el tipo de mensaje, 123
    estrategia de producción, 123
Elementos de un mensaje de suscripción
        por SMS y MMS, 147
Empezar por el principio, 232
Encontrar la ubicación adecuada, 233
Entretenimiento y juegos, 191
Es más fácil de lo que piensa, 25
Escribir anuncios, 170
Especializar objetivos, 233
Especificaciones técnicas de display ads, 153
Esperar el éxito por arte de magia, 86
Esquire, 204
Establecer
    conexión, 54
    contacto personal, 235
    un objetivo, 57
    una fecha inicial, 122
    unas métricas adecuadas, 125
Etiqueta de texto (opcional), 154
Evaluar el coste de los medios móviles, 122
Existir una gigantesca audiencia móvil
        por descubrir, 26
Explicar claramente qué se puede esperar, 185
Extensión del dominio, 135

F

Facebook, 108
Fandango, 110
Fast Food Finder, 108
Fidelización con
    Diferentes dispositivos, 57
    Marketing móvil, 56
fitness, 48
Fomentar la adopción por parte
        de clientes, 225
Foursquare, 109
Frecuencia, 252

G

Gas Buddy, 112
GENWI, 196
geo-fencing, 43, 180
Gestionar
    aprobación de la operadora
        en su lugar, 146
    entrega de contenidos a través de varias
        operadoras y terminales, 146
Global Positioning System, 19
Google
    Books, 108
    Maps, 108
Gowalla, 109
GPS (Global Positioning System, Sistema
        de posicionamiento global), 67
Guerra y paz, 244
Guía paso a paso para calcular el retorno
        de la inversión, 246

H

Hacer
    pruebas antes de poner la página en
        producción, 207
    que les merezca la pena, 185
    una lista con todas las palabras clave
        relevantes, 169
Happy Hours, 110
Harry Potter
    and the Deathly Haiows, Part 2, 49
hash tags, 109
Herramientas
    de redireccionamiento
        de navegadores móviles, 135
    de marketing basado
        en localización LBS, 178
    financieras, 112, 190
hosting, 33
Hoteles, balnearios, Spas, 132
HubSpot Website Grader, 112

I

Identificar
    a su público objetivo, 118
    sus objetivos, 232
Ignorar las limitaciones de los móviles, 88
Imágenes, 145

Importancia establecida frente a derivada, 98
Impresiones, 68
Impresoras, 85
Inc.Magazine, 196
Incluir
    palabras clave en su anuncio, 172
    siempre una llamada a la acción, 172
Incorporar
    las fotos del usuario a un anuncio, 156
    otros tipos de medios, 121
Infierno, 108
Información
    de estado, 252
    meteorológica, 191
    temporal, 72
Iniciación/Cancelación de suscripciones, 68
Innovation for Endurance, 48
Instapaper, 111
Introducción, 23
Inundar con spam móvil a su audiencia, 86
IOS DE APPLE, 105
iStockManager, 112

J

Juegos, 110

K

Kayak, 111
key
    diferentiator, 99
    drivers, 98
Kindle, 108

L

latent motivators, 99
LBA (Location Based Advertising), 180
LBS (Location-based Services), 68
Límites en el ancho de banda, 85
Líneas aéreas, ferrocarriles y otros medios
        de transporte, 131
LinkedIn, 109
Lista de tareas del marketing móvil, 254
Llamada a la acción (CTA, Call To Action), 67
Llegar hasta los clientes en tiempo real, 19
Llevar a cabo una promoción viral
        con cupones, 155

Lo móvil convierte clientes potenciales
    en clientes reales, 26
Localización, 84, 252
locations, 37
Loopt, 109

M

m-commerce, 219
Mad Men, 152
Mantener actualizada su campaña
    de códigos 2D, 207
Marcar su cliente objetivo, 57
Marketing
    a través de Bluetooth, 179
    basado en la localización, 76
    en tiempo real, 21
    por Bluetooth, 181
Me gusta, 202
Medios
    de apoyo, 143
    para la fidelización de clientes, 55
Mensajería móvil, 59
Mensajes, 252
    MMS, 73
    parpadeante (Blink message), 66
    SMS, 71
microblogging, 55
Minimizar
    el número de elementos de diseño, 133
    los componentes de página, 57
MIPPIN, 196
MMA (Mobile Marketing Association), 68
MOBBASE, 197
MOBICART, 197
Mobile Marketer's Classic Guide
    to Mobile Advertising, 139
    3rd edition, 37
Mobile Marketing Playbook, 140
mobile-friendly, 20
MobileMoxie.com, DeviceAnywhere.com y
    MobiReady.com, 137
Multimedia Messaging Service, 68

N

Navegación difícil, 117
negative match, 168
Netflix, 111
Neutralidad mediática, 243
New Rules Social Media Book Series, 20

NewsHour, 196
Newsweek, 196
No
    conseguir hacer "exclusivo" el medio, 87
    es más que otro canal de marketing, 230
    haga esto, 39, 51, 248, 256
    reconocer las diferencias entre
        dispositivos móviles, 84
Nombre de dominio, 135
Noticias e información, 107, 191
Nuevos clientes, 252

O

Ofrecer
    algo de valor, 147
    un contenido interactivo, 232
    un contenido relevante, 232
Olvidar
    la forma que tiene su audiencia de utilizar
        las búsquedas móviles, 88
    que es un entorno móvil
        y no el correo electrónico, 88
Opciones de targeting para Display Ads, 157
Operadora (Carrier, Mobile Carrier, Network
    Operator), 67
opt-in, 124
Organizaciones sin ánimo de lucro, 132
Organizadores personales, 112
Otras consideraciones, 124
Otros
    errores comnues, 85
    negocios, 133
    términos, 66

P

Página de aterrizaje (Landing page), 68
Palabra clave, 143
    La base de la campaña, 167
Pandora, 108
Panorámica general del marketing
    en dispositivos móviles, 29
Pasar a formar parte de la lista de contacto
    de sus clientes potenciales, 156
Pedir permiso, 147
Pensar en términos locales, 233
People, 191
Perseguir la perfección, 86
Personalizable, 72
Photoshop.com, 112

Plaza (Place), 94
plug-and-play, 134-135, 137, 215
plug-ins, 134
podcast, 107, 145
Poner
      a las tabletas a trabajar para usted, 215
      en funcionamiento los elementos
            que marcan la diferencia, 97
      la fórmula del valor del ciclo de vida
            del cliente a trabajar, 240
      los cimientos de su campaña, 254
Ponerse en el lugar de los clientes, 130
Por qué compra la gente, 95
Posición media, 173
Precio (Price), 94
Preparándose para el éxito, 91, 255
Prepararse para un buen comienzo, 229
Preroll, 68
Presupuesto
      y agenda, 121
      y planificación, 255
Primera característica: son medibles, 259
Privacidad, 117
Probar su campaña con candidatos
            sin prejuicios, 185
Proceso de desarrollo de aplicaciones
            para simples mortales, 196
Productividad, 111
Producto (product), 94
Prólogo, 19
Promoción (Promotion), 94
Proporcionar instrucciones claras
            para suscribirse, 185
pull, 122

Q

Qik, 108
Qué se puede enviar con un MMS, 145
Quick Response, 23, 32, 86

R

Rapidez, 253
Rápido, 84
Realizar
      A/B split tests, 207
      comprobaciones, 124
      promoción con códigos 2D, 207
      un seguimiento de sus resultados, 207
      una planificación adecuada, 118

Realidad, 253
Realizar una promoción
            por correo electrónico, 156
Recoger información de sus clientes, 124
Recomendaciones, 253
Recordatorios, 252
Recursos para el desarrollo
            de sitios web móviles, 136
Redes
      de anuncios móviles (Ad network), 66
      de publicidad móvil, 152
      sociales, 108, 116, 191
Refinar su lista, 169
reggae, 19
Registro, 252-253
Relevancia, 252
Reproducción automática
            a pantalla completa, 155
resorts, 157
Respetuosos con el medio ambiente, 72
Responsabilidad, 253
Respuesta, 143
Restaurantes, bares y cafeterías, 130
Return Of Investment, 25
Revisar, 251
Revisión de la competencia, 254
rich media, 50
River Monsters, 159
RunKeeper, 110
RUNREV, 197

S

Scoutmob, 110
scripts, 221
scroll, 57
Seguimiento de la conversión, 173
Segunda característica, 260
Seis lecciones rápidas
            sobre marketing móvil, 31
Seleccionar el tipo de publicidad, 232
Servicios
      de interfaz de selección móvil dinámica, 76
      de navegación móviles, 76
      móviles de
            guía o descubrimiento, 76
            preguntas y respuestas, 76
Shazam, 110
ShopSavvy, 111
Shrek, 45
Sistemas
      automáticos, 134
      plug-and-play, 134

Sitios web para móviles, 59, 74
Skype, 109
Slider video, 154
smartphone, 32-34, 36-38, 107-108
Software
    Development Kit, 195
    y sistemas, 253
Solicitar
    a sus usuarios móviles cierto grado
        de compromiso personal, 223
    opiniones y comentarios, 235
spam, 86, 140, 147
split test, 171, 256
Sports Illustrated, 105, 152
Squat, 20
stated importance, 98, 100
Stitcher, 108
streaming, 59, 68, 108, 111
Subdirectorio, 136
Subdominio, 135
Sucinto, 84
Superposición (overlay), 154
SWEBAPPS, 197

T

Tabletas, 80
Tamaño de banners, 66
Tap Tap Revenge, 110
target, 157, 173
targeting, 156-157, 160
Tasa de
    adquisición (Acquisition rate), 66
    clic sobre vínculos (CTR), 173
        frente a tasa de conversión, 170
    conversión, 67
Teclado y ratón, 85
Tercera característica, 261
Texto predictivo, 68
The
    Good Cook, 204
    Huffington Post, 108
    New York Times, 153
        Magazine, 204
    Wall Street Journal, 153
Tiendas físicas, 131
tiles, 106
Tomar los medios móviles como un canal
    de una sola dirección, 88
trading, 190
Transformers: Dark Side of The Moon, 49
Tratar igual al usuario móvil que al
    de un PC estándar, 84

Travelocity, 111
Trucos para crear un grupo de cuentas
    bien estructurado, 166
True Blood, 42
tweets, 235
Twitter, 109

U

Ubicuidad, 72
URL, 135
Usar
    las comunicaciones NFC, 182
    LBA, 184
    marketing con Bluetooth, 184
    una aplicación LBS, 183
Utilizar
    LBA para crear expectación pública, 182
    mejores métricas, 233
    para mejorar la fidelización del cliente, 181

V

Valoración de la calidad, 173
Valorar su éxito, 255
Viajes y navegación, 191
Vídeo
    a pantalla completa, 154
    in-line, 154
    móvil, 59
Virtual Zippo Lighter, 111

W

Wi-Fi
    Analyzer, 113
    Finder, 113
widgets, 195
Windows, 196
    Phone, 106
Words with Friends, 110

Y

Yammer, 111
Yelp, 109
YouTube, 110